Tous Continents

Œuvres de Marie Laberge

Essai

Treize verbes pour vivre, Éditions Québec Amérique, 2015.

Romans

Mauvaise foi, Éditions Québec Amérique, 2013.
Revenir de loin, Les Éditions du Boréal, 2010.
Sans rien ni personne, Les Éditions du Boréal, 2007.
Florent. Le Goût du bonheur III, Les Éditions du Boréal, 2001 ; Paris, Éditions Pocket, 2007.
Adélaïde. Le Goût du bonheur II, Les Éditions du Boréal, 2001 ; Paris, Éditions Pocket, 2007.
Gabrielle. Le Goût du bonheur I, Les Éditions du Boréal, 2000 ; Paris, Éditions Pocket, 2007.
La Cérémonie des anges, Les Éditions du Boréal, 1998.
Annabelle, Les Éditions du Boréal, 1996.
Le Poids des ombres, Les Éditions du Boréal, 1994.
Quelques Adieux, Les Éditions du Boréal, 1992 ; Paris, Anne Carrière, 2006.
Juillet, Les Éditions du Boréal, 1989 ; Paris, Anne Carrière, 2005.

Théâtre

Charlotte, ma sœur, Les Éditions du Boréal, 2005.
Pierre ou la Consolation, Les Éditions du Boréal, 1992.
Le Faucon, Les Éditions du Boréal, 1991.
Le Banc, VLB éditeur, 1989 ; Les Éditions du Boréal, 1994.
Aurélie, ma sœur, VLB éditeur, 1988 ; Les Éditions du Boréal, 1992.
Oublier, VLB éditeur, 1987 ; Les Éditions du Boréal, 1993.
Le Night Cap Bar, VLB éditeur, 1987 ; Les Éditions du Boréal, 1997.
L'Homme gris suivi de Éva et Évelyne, VLB éditeur, 1986 ; Les Éditions du Boréal, 1995.
Deux Tangos pour toute une vie, VLB éditeur, 1985 ; Les Éditions du Boréal, 1993.
Jocelyne Trudelle trouvée morte dans ses larmes, VLB éditeur, 1983 ; Les Éditions du Boréal, 1992.
Avec l'hiver qui s'en vient, VLB éditeur, 1982.
Ils étaient venus pour…, VLB éditeur, 1981 ; Les Éditions du Boréal, 1997.
C'était avant la guerre à l'Anse-à-Gilles, VLB éditeur, 1981 ; Les Éditions du Boréal, 1995.

CEUX QUI RESTENT

Projet dirigé par Martine Podesto, directrice des éditions

Conception graphique : Louise Laberge
Photo en couverture : © Richard Pelletier

Toute ressemblance avec des personnes ou des faits réels
ne peut être que fortuite.

Québec Amérique
329, rue de la Commune Ouest, 3e étage
Montréal (Québec) Canada H2Y 2E1
Téléphone : 514 499-3000, télécopieur : 514 499-3010

Nous reconnaissons l'aide financière du gouvernement du Canada par l'entremise du Fonds du livre du Canada pour nos activités d'édition.

Nous remercions le Conseil des arts du Canada de son soutien. L'an dernier, le Conseil a investi 157 millions de dollars pour mettre de l'art dans la vie des Canadiennes et des Canadiens de tout le pays.

Nous tenons également à remercier la SODEC pour son appui financier. Gouvernement du Québec — Programme de crédit d'impôt pour l'édition de livres — Gestion SODEC.

Conseil des arts du Canada
Canada Council for the Arts

SODEC
Québec

Catalogage avant publication de Bibliothèque et Archives nationales du Québec et Bibliothèque et Archives Canada

Laberge, Marie
Ceux qui restent
(Tous continents)
ISBN 978-2-7644-2970-9
I. Titre. II. Collection : Tous continents.
PS8573.A168C48 2015 C843'.54 C2015-941554-3
PS9573.A168C48 2015

Dépôt légal, Bibliothèque et Archives nationales du Québec, 2015
Dépôt légal, Bibliothèque et Archives du Canada, 2015

Imprimé au Québec

Marie
Laberge

CEUX QUI RESTENT

QuébecAmérique

Tant de noms, tant de gens me viennent à l'esprit et au cœur...
Je dédie ce livre à toutes les personnes qui ont eu à traverser ce deuil innommable, celui du suicide,
et à Johanne de Montigny qui continue son doux travail de rééquilibre des vies abîmées.

Pour le reste, laissez faire la vie.
Croyez-moi, la vie a toujours raison.

Rainer Maria Rilke
Lettres à un jeune poète

Prologue

Le 26 avril 2000, Sylvain Côté s'enlevait la vie.

Il avait vingt-neuf ans.

Si on lui avait dit combien de gens il marquerait par son geste, il ne l'aurait pas cru.

Qu'il y consente ou non, qu'il le veuille ou non, ces personnes ont eu à porter le poids de cette décision — pourtant archi-personnelle — toute leur existence.

Poids inégal, réparti sur tant d'épaules, tant de vies alourdies, étourdies.

Charlène

Tu baisais comme un enragé, comme une bête enragée. Ça me convenait. Disons que les minoucheries, c'était pas ton genre. À l'époque, je me posais pas de questions. Je voulais juste être sûre que je faisais bander. Comme une réponse à toute. Comme si bander voulait dire: « T'es belle, t'es fine, t'es super cool, envoye, dépêche, je me peux pus! » Faut-tu être tarte! Faut-tu vouloir! Comme si toute se résumait à ça.

Avant toi, j'avais jamais pensé que faire bander garantissait pas que j'existais aux yeux de l'autre. D'ailleurs, tes yeux, je les voyais pas beaucoup. Tu les fermais, concentré ailleurs. Je pensais évidemment que tu les fermais parce que c'était trop tout à coup, trop d'émotions, trop de sensations, trop! Comme tu disais rien, ni avant ni après, comme t'avais l'air en transe, je pouvais bien m'imaginer ce que je voulais. Et je voulais beaucoup.

J'étais comme toutes les filles que je connaissais: certaine de toute comprendre et convaincue qu'avec moi, que « grâce à moi », tu changerais, tu t'ouvrirais, tu te mettrais à parler, à considérer la vie amoureuse autrement que comme un carcan, une sorte de taxe à payer pour pouvoir baiser, arracher son plaisir et repartir.

Je le sais pas où j'avais pris que j'étais à part, qu'avec moi c'était tellement intense qu'y avait pas de mots pour décrire le trip. Y avait pas de mots, pis c'est toute. Tu grognais tes réponses, pis encore… fallait la reposer, la question. Une fois tu m'as regardée un bon dix secondes avant de me dire que j'étais différente. Je me souviens encore du silence qui durait, de tes yeux qui faisaient le tour de mon corps comme si tu me peinturais dans ta tête. C'était tellement spécial que j'en ai oublié ma question. T'as dit que j'étais pas pareille. J'ai pensé « aux autres filles », mais tu t'es pas expliqué pis j'ai rien demandé non plus. J'étais tellement contente ! Ça en prend pas gros pour se sentir gagnante. J'étais tellement affamée de reconnaissance que je prenais un lieu commun pour un compliment exceptionnel. Je marchais aux clichés.

J'accourais comme un bon chien. Ma pitance… c'est un drôle de mot, un mot qui dit qu'y faut se pencher vers son bol pour manger. Se pencher pour ramasser ce qui nous fait vivre. Je le sais, t'as jamais dit ce mot-là, tu le connaissais pas, je pense. C'est ma façon de parler. Ou plutôt, celle de quelqu'un d'autre que j'ai adoptée. Un gars qui est venu après toi et qui parlait plus qu'y bandait. Bizarre à dire, mais après toi, ça me convenait aussi. Disons qu'après toi, Sylvain, les silences manquaient de puissance. Les silences me faisaient mauvaise impression. Après toi, les silences, c'était comme des menteries. Des accroires qui te permettent d'imaginer ce que tu veux. Tu mets ce que t'as envie de mettre dans les silences, c'est pas l'autre qui va t'ostiner ! Y va te laisser faire. Tu peux croire ce que tu veux: importante, pas importante, le silence vaut pour les deux. T'as toujours raison quand l'autre se tait. C'est après que tu te rends compte que t'étais toute seule en hostie. Toute seule avec tes mots, tes idées pis tes hypothèses. Toute seule à faire les questions pis les réponses. C'est ça que j'aurais voulu y dire, à ta femme. Évidemment, j'ai rien dit. Je l'ai vue la première fois à tes funérailles. Je me suis pas présentée pour ce que j'étais, tu penses ben. Je me suis pas présentée pantoute, mais je l'ai vue. J'ai comme compris que t'étais encore pas mal avec elle. Pas du tout célibataire ou séparé en train de divorcer. Remarque que c'est toute une façon de divorcer, ce que t'as faite. Ça s'appelle régler le dossier.

Ça faisait, quoi, un an ou presque qu'on se voyait? Qu'on baisait, plutôt. Ça marchait bien, notre affaire: on se voyait en masse, mais c'était jamais pesant. Y avait toujours queque chose pour te faire repartir. Une urgence pour le petit, tes parents, la job… toujours queque chose qui pressait. Même elle, ta femme que tu voulais pas énerver. M'as te dire de quoi, Sylvain: pour un gars pas habile avec les mots, tu savais manipuler, faire accroire c'que tu voulais. Tu m'as pas menti, je t'accuse pas, mais tu m'as laissée croire ce que je voulais en sachant que c'était faux, que c'était une manière de voir qui t'arrangeait parce que ça dérangeait rien à ta vie pis que ça avait l'air de me faire plaisir. Finalement, tu t'en fichais de moi. Tu m'as jamais dit que tu m'aimais, pis je me demande encore si ça, c'était voulu. Le fameux passeport pour l'avenir. Je t'aime. La formule magique qui lève le mur secret et qui te fait rentrer dans la vie avec un grand V. T'as fait ben attention de pas aller par là. «On est pas bien, là? Je fais ce que je veux de toute façon» ou queque chose du genre.

C'était le maximum que tu donnais. Tu te séparais pas. T'étais encore marié. Un gars marié qui baise ailleurs au lieu de se séparer, c'est en plein ça que t'étais.

Et moi, j'étais une fille affamée qui voulait tellement que je prenais tes silences pour des aveux. Implicites. Je le connaissais pas ce mot-là quand je te fréquentais. Je l'ai appris après. Il va avec « explicite ». Implicite — qui reste en dedans. Explicite — qui sort, qui va vers l'extérieur, vers l'autre. Des fois, les mots, c'est ben puissant. T'étais un implicite qui voulait ni s'expliquer ni l'être par l'explicite que j'étais. Je le sais, ça a l'air compliqué dit de même, mais c'est plein de bon sens. Sauf que je savais pas ça dans le temps. Je savais jusse vouloir. J'étais jeune. Pas mal plus jeune que toi. J'me pensais ben adulte, ben avisée, ben connaissante parce que j'avais passé vingt ans et que j'avais baisé assez d'hommes pour me croire affranchie. Je suppose que quand on a baisé plus d'hommes en trois ans que sa mère pendant toute sa vie, ça nous permet de croire qu'on en sait plus long qu'elle. De toute façon, ma mère a jamais connu personne d'autre que mon père. C'est pas comme si ça pouvait aider. Nos vies ont rien à voir. Et c'est mieux que ça reste comme ça. Elle comprendrait rien à ma vie. Tout ce qu'elle sait faire, c'est branler de la tête en soupirant. Elle fait non de la tête sans rien dire. Je l'entends trouver que ça la dépasse. Elle a bien raison.

Pourquoi je parle d'elle ? Aucun rapport avec toi. Deux mondes séparés. Votre seule ressemblance, c'est le silence. Le sien à elle, je le comprends, je suis née dedans.

Le tien… je pensais que je comprenais, mais non. Rien. Tous les p'tits drapeaux, les lumières rouges qui clignotent, je les ai pas vus. Y disent qu'on est juste pas attentifs aux signes. Ben garanti qu'entre notre première et dernière baise, y en avait pas de différence. Pas de signes. Pas d'appel à l'aide ou d'affaire de même. T'aurais pu le faire deux mois avant ou après, aucune différence! *Business as usual.* Même gars, même manière, on baise comme des sauvages, pas un mot, pas vraiment de regard, tu tombes endormi, tu te réveilles après vingt minutes, t'as l'air surpris de me voir, pis après t'allumes que c'est moi, tu te grattes le *chest* pis tu recommences à bander.

Pis on recommence à baiser.
Sauf que c'est la dernière fois. Notre dernière fois.

Le savais-tu? Je peux pas croire que tu l'savais! À moins que t'ayes baisé ta femme après? Ça non plus, je peux pas croire. Mais c'est gênant à demander... Disons que si je l'avais connue, j'aurais pu le savoir, y voir dans face aux funérailles. En té cas. T'es parti de chez nous vers huit heures pis t'étais mort ce jour-là — ça laisse pas grand temps. Je veux ben croire que t'aimais ça, mais t'avais sûrement d'autre chose en tête que d'te mettre aussi avec ta femme avant de te tuer.

Je le sais, ça a l'air froid, écrit de même, ça fait inhumain de penser à ça, mais ça te donne une idée de ce que ça m'a faite d'apprendre qu'en sortant de chez nous, de mon lit, de mon corps, quoi, tu t'es enligné pour te tuer. Pourquoi j'essayerais d'être fine ou compréhensive avec un gars qui fait ça?

Y a des limites! Côté compréhension, on peut pas dire que tu t'es fendu, toi non plus.

Devine si j'me suis sentie super quand je l'ai appris ? C'est ça. J'me suis sentie inoubliable.

Y a une fille que je connais qui était mariée, deux enfants, tout allait bien. Pis un jour, son mari lui apprend qu'y part avec un gars du bureau. Du jour au lendemain, paf ! Pas de panne, pas de signal, rien pour annoncer la claque en pleine face. Arrange-toi avec ça !

Ben, c'est de même que je me suis sentie.

Comme un poisson dans le fond de la chaloupe qui se débat pour retourner à l'eau.

Me suis débattue en s'il vous plaît ! J'ai fini par gagner, mais j'ai changé d'eau : je suis passée de la rivière au lac. On me la refera pas, celle-là.

« Faut que j'y aille, le p'tit a la picote. Bye, Chou ! »

Tes derniers mots !

Pis le petit avait même pas la picote. Pis ça s'appelle la varicelle, tu sauras. T'avais tes raisons, je suppose. On va dire ça : t'avais les tiennes, j'ai les miennes. Je me ferai pas accroire que ça me concerne, que j'ai fait de quoi qui t'a déclenché. Ça me donnerait plus d'importance que j'en ai jamais eue avec toi. Pis ça, c'est le genre d'accroires que je me fais pas. C'est ton affaire, ta décision. Pis moi, je comptais pour ce que c'était : une baise sauvage qui calme un peu pour un temps, mais qui enlève pas le feu. « Le feu par le feu », c'est de la *bullshit*. Les baises de désespérés, j'en suis revenue. Pis c'est pas l'âge ni le temps qui ont changé ça, c'est toi.

Bye.

Mélanie-Lyne

Je m'inquiète de Stéphane. Il n'est pas rentré et il est tard. Il est grand, je sais. Mais depuis que je ne me suis pas inquiétée alors que j'aurais dû, j'ai tendance à m'en faire pour des riens. Ou pour rien. Je m'en fais pour mon grand garçon de vingt ans. Il a l'air bien comme ça, mais est-ce qu'on sait jamais ? Il parle de retourner à l'école, de faire son cégep, mais je n'arrive pas à savoir si c'est vrai ou si c'est pour me calmer. Pour que j'arrête de m'en faire. Il peut quand même pas être emballeur-déballeur toute sa vie ! Il est trop intelligent pour ça. Plus que son père. Et Sylvain avait bien des défauts, mais c'était un gars intelligent. Brillant, même. Mais c'est le genre de choses que je peux pas dire à Stéphane. Il aime pas que je le compare à son père, ça l'énerve.

Je suppose que c'est sa façon d'exprimer ce qu'il sent à propos de Sylvain. Ça, par contre, c'est son père tout craché : ne rien dire. Aussi peu jasant que lui. On sait jamais rien avec mon fils. J'ai appris après sa rupture qu'il avait eu une blonde dix-huit mois. Dix-huit mois ! Ça compte, quand même... Moi, je connaissais son père depuis six mois quand je suis tombée enceinte. C'est pas long pour s'engager à vie. Mais ça faisait pas de doute pour Sylvain : on se mariait.

Moi, j'y ai juré qu'on pouvait avoir un p'tit sans se marier. Et c'était vrai ! J'étais prête à l'élever toute seule, mon enfant. Je demandais rien et c'était pas une attrape pour me marier. Finalement, je l'ai élevé toute seule — ça a rien changé qu'on se marie. J'aurais dû suivre ma première idée et pas me marier. Ça a pas servi à grand-chose. Je sais pas trop pourquoi il voulait tant le faire parce que c'est pas ce qui nous a le plus rapprochés.

Ah ! On n'était pas mal. Mais c'était pas du tout ce qu'on raconte dans les articles de magazines sur la vie de couple, les problèmes de couple et les trucs pour garder son mariage en vie. En fait, ça ressemblait à rien de tout ce qu'ils racontent dans ces revues-là. On parlait de rien, c'était pas dangereux de se chicaner. Et quand je racontais queque chose, y écoutait distraitement, comme on dit, poliment. En fait, Sylvain m'écoutait pas. Et comme y me racontait rien, on parlait pas.

Stéphane lui, il regarde ses messages quand je lui parle. J'aimerais tellement ça être son téléphone pendant trente minutes ! Y me regarderait attentivement et je me sentirais intéressante. Ce que les spécialistes ont appelé un déficit d'attention, ça disparaît du moment qu'il sort son téléphone.

Je me demande ce qu'il fait. Minuit passé. Il rentre pas toujours. Il a des petites amies chez qui il passe la nuit. Des amies pour le lit. Pas pour le cœur. Ça se sépare beaucoup, ça a l'air. « *Fuck friends* », c'est Stéphane qui m'a répondu ça quand je lui ai demandé s'il avait repris avec… je sais plus trop son nom, mais ça finit par Anne, Josée-Anne, Julianne ou Jocelyne-Anne, je sais pas. Quand y m'a dit ça, j'ai fait « ah bon », comme si je comprenais de quoi il parlait. Après, j'ai été voir sur Internet et j'ai compris. *Wikipédia*, c'est pas mal utile. Ça te laisse jamais dans l'ignorance. Je peux pas dire que ça m'a rassurée par exemple, surtout quand j'ai lu la liste de « pièges » qu'y donnaient. Qu'un des deux tombe amoureux. Ou que la sexualité se limite à ça : le sexe.

C'est bizarre de penser à la sexualité de son enfant. On voudrait tellement que ça soit extraordinaire. Comme dans les meilleurs films qu'on a vus. Dans le genre passionné, amoureux et solide. Personnellement, j'ai jamais connu ça, mais j'en rêvais pour Stéphane. Comme une sorte de revanche. Dans mon esprit, la vie lui en doit une. Elle a été injuste avec lui. Pas avoir de père, c'est dur. Par accident, par maladie, c'est déjà dur à vivre, mais quand c'est lui qui a décidé... Disons que j'ai jamais compris pourquoi il voulait tant se marier si c'était pour nous planter là cinq ans plus tard.

En tout cas, c'est pas le sujet. L'important, c'est que Stéphane se rende pas malheureux avec son ex devenue *fuck friend*. Y s'est peut-être forcé à trouver ça correct même si y en avait pas envie ? Il a peut-être sauté sur l'occasion pour se donner une chance de regagner son cœur ? Il a vingt ans. C'est facile de rêver à cet âge-là. De se faire des accroires, de se tromper en se pensant plus fort que tout. Je voudrais tellement lui éviter les déceptions !

En plus, on peut pas dire que je suis l'exemple rêvé pour la vie amoureuse réussie. Un échec sur toute la ligne ! S'il fallait que je sois sa seule référence, aussi bien dire qu'il est mal parti. Mais je peux pas m'en inventer, des histoires d'amour ! J'ai fait mon gros possible avec Raynald Jobin, mais même Stéphane le trouvait pénible. Moi, si ça pouvait lui fournir une « image de père » comme on dit, j'étais prête à faire ma part, à essayer de m'accommoder. Comme amoureux, il était franchement plate, on aurait dit l'ancien temps avec les histoires du gars qui fait sa petite affaire en dessous de la jaquette. Mais bon, j'étais prête à passer par-dessus ça si la fameuse image du père compensait. On aurait dit que Raynald s'était promis d'élever mon fils. De le redresser serait plus exact. Il lui trouvait beaucoup de défauts. Des gros. Des graves. Et il voulait me conseiller. M'aider à voir mes manques. À mes yeux, le premier résultat, ça a été de braquer Stéphane. Il voulait rien savoir du beau-père. Il disait tout le temps : « Je sais pas comment tu fais pour l'endurer. » Moi non plus, je le savais pas. Mais j'étais certaine que Raynald avait raison sur un point : mon fils était de la graine de décrocheur. Une chance que j'ai jamais dit de quoi Sylvain est mort parce que je pense qu'il m'aurait emmenée direct chez le psy. Raynald avait pas mal de critiques à formuler sur mes talents d'éducatrice. Et il en avait encore plus sur l'enfant que je gâtais trop. « Il faut », « Tu devrais », « Pourquoi tu fais pas ? », c'était ça, son discours. Mon fils s'enfermait dans sa chambre et il en sortait pour aller à l'école. Ça a duré deux ans et demi. Entre les douze et quinze ans de Stéphane. Raynald mettait pas mal d'affaires sur le compte de l'adolescence, et moi, je trouvais que ça donnait pas du tout des bons résultats, l'image du père.

Il a fugué. Stéphane. Il est parti pour l'école et il n'est pas revenu. Dans l'après-midi, j'ai su qu'il n'était pas allé à l'école non plus. La panique ! J'ai eu la peur de ma vie. J'étais certaine qu'il était mort quelque part. Certaine de l'avoir perdu. Quarante-cinq heures. Presque deux jours à attendre. J'avais plus d'ongles tellement je les ai rongés. Plus de peau autour des doigts. Quand Raynald a repris son souffle entre deux engueulades, j'ai dit « Va-t'en ». Là, j'avais pas besoin de psy pour savoir quoi faire. Jamais mon fils reviendrait si cet homme-là restait dans l'appartement. Si y avait une chance, un millième de chance que Stéphane revienne, il fallait que Raynald s'en aille. Quand il a rouspété, crié, j'ai juste répété « Va-t'en » sans me fâcher et j'ai appelé le grand-père de Stéphane devant lui pour bien lui faire comprendre que son avis comptait plus. C'était la bonne chose à faire. Monsieur Côté m'a dit qu'il venait tout de suite, qu'on le trouverait, mon fils. Raynald est parti en hurlant que je le regretterais amèrement, qu'il ne reviendrait sous aucun prétexte dans un couple aussi tordu où l'enfant est un roi et un partenaire beaucoup trop important. Les cinq minutes où je me suis retrouvée seule, dans un silence parfait, j'ai su que je ne regretterais rien d'autre que d'avoir cru faire un bon coup pour mon gars en laissant Raynald s'installer chez nous.

Je suppose que c'est aussi malsain de choisir un homme parce qu'il peut servir de père à un enfant qui n'est pas le sien que de rester avec un père juste parce que notre enfant a besoin d'une vraie famille. Je sais pas si les *fuck friends* règlent quelque chose pour le côté physique, mais ça me semble aussi niaiseux que mes efforts conjugaux pour aider mon fils.

Quoique, si ça calme le corps, c'est déjà quelque chose… Avec Raynald, j'ai jusse réussi à me compliquer la vie, sans aucun bénéfice marginal.

Vincent Côté

J'écris pour mon petit-fils. Pour Stéphane, le fils unique de mon unique fils. Si Sylvain avait vécu…

Je ne peux pas croire que ce « si » est déjà là. Déjà arrivé sur la page. Alors que c'est l'objet de ma lutte quotidienne, éviter ces illusoires suppositions. Mais il semble bien que dans cette lutte, je ne serai pas l'arbitre. Je ne décide rien. J'essaie — c'est tout.

Alors, essayons.

Sylvain n'a pas vécu longtemps. J'ai plus du double de son âge. J'ai vécu plus du double du temps qu'il a accepté de vivre. « Accepté » n'est pas le bon terme. Je ne crois pas qu'on refuse ou qu'on accepte de vivre. Je crois que certaines circonstances alliées à un état d'esprit spécifique conduisent à des gestes définitifs… qui, à ce moment-là, ont l'air d'une solution.

Je m'embourbe avec mes thèses compliquées. Si j'étais Stéphane, je ne continuerais pas ma lecture. Je me dirais que le grand-père en a perdu pas mal et qu'il délire avec ses grandes considérations philosophiques.

Stéphane ne sait pas ce qui est arrivé, pourquoi son père est mort. C'est la décision de sa mère. Mélanie-Lyne ne voulait pas qu'il sache la cause réelle de la mort de son père. C'est sa mère, c'est elle qui décide. J'ai respecté ce qui me semblait absurde sans argumenter ou discuter. La pauvre avait suffisamment de problèmes sans ajouter à son fardeau. Quand ton propre enfant se tue avant d'avoir trente ans, disons que tu n'as plus beaucoup d'assurance pour dicter une conduite parentale à qui que ce soit. J'ai respecté ce que ma bru demandait. Même si je pense que la vérité va se savoir un jour et qu'alors elle fera encore plus de mal. Comme un minuscule caillou qui prend de la hauteur avant de tomber. Plus il tombe de haut, plus il a des allures de roche. Si un petit caillou peut fendre ton pare-brise, imagine quand il tombe de beaucoup plus haut, à une vitesse effroyable. Moi qui n'ai jamais su parler, j'aurais été partisan de la vérité. Pour une fois. Cet écrit, c'est ma manière de contester. C'est probablement un réflexe de défense ou de culpabilité. J'aurais voulu qu'on ouvre ce secret, qu'on le dise, qu'on en discute même. Le silence fait mal. Ça macère, ça forme des caillots. Ça tue.

Sylvain s'est tué parce qu'il s'est tu. Je sais, j'ai l'air de faire des jeux de mots idiots, mais c'est la stricte vérité. Ce n'est pas facile de parler, j'en sais quelque chose. Mais je n'ai jamais eu la violence de mon fils. Jamais je ne me suis senti hanté par ce sentiment. Sauf après sa mort. Les jours qui ont suivi la mort de Sylvain, c'est comme si on m'avait injecté sa violence. Tout est devenu noir. J'ai défoncé le mur du garage avec mes poings. Le revêtement en tout cas. J'étais tellement sonné, tellement étranglé de révolte, d'impuissance que j'ai fessé jusqu'à avoir les mains en sang. Ça fait mal, et ça ne soulage pas. Le temps fait une sorte de ménage dans les souvenirs, on oublie ce qui déchire, ce qui écrase de peine, et on arrange sa vie pour avoir un peu d'anesthésie. C'est d'ailleurs pour cela que Muguette et moi, on s'est séparés. L'un en face de l'autre, il n'y avait pas d'oubli possible. Notre couple n'a pas survécu à la mort de notre fils. À la violence de cette mort sur nos vies.

En avril 2000, j'avais soixante-deux ans et je devais prendre ma retraite à la fin de l'année. On venait d'acheter une maison en plein bois dans les Laurentides et je voulais la restaurer en entier pendant les cinq années suivantes, années où Muguette finirait de travailler avant de venir me rejoindre. On gardait le condo en ville et on avait mis la grande maison de campagne en vente.

Je suis dentiste. Le jeudi 27 avril 2000, j'ai fini plus tard que d'habitude parce que j'ai décidé de faire toutes les facettes d'une cliente. C'était mieux d'y aller d'un seul coup parce qu'elle était craintive et qu'une fois assise dans ma chaise il fallait saisir l'occasion et lui éviter une autre séance. Isabelle, la réceptionniste, est partie à cinq heures trente et je n'ai pas pris les appels. Je travaillais. Je voulais me concentrer.

Quand je suis rentré, Muguette avait laissé un message sur la table pour me dire qu'elle allait faire visiter la maison aux Joncas, un couple intéressé mais hésitant. J'ai fait chauffer un pâté au poulet. Au four parce que sinon la croûte ramollit au micro-ondes. Ce n'est pas le téléphone, mais la sonnette de la porte d'entrée qui a mis fin à ce qu'était jusque-là ma vie. Deux policiers m'ont demandé de les accompagner. Quelque chose était arrivé à la maison de campagne. J'ai demandé, questionné. Ma femme ? Ma femme a eu un accident ? La maison a été cambriolée ? Le feu a pris ? Attendez, je vais éteindre le four.

C'est dans la voiture de police qu'ils ont parlé. Dit le peu qu'ils savaient. Alors que je pensais qu'une catastrophe matérielle était survenue ou un impondérable, ils m'ont assommé avec un coup de massue. Sylvain s'était pendu. Muguette l'a trouvé en entrant dans le hall. Étrangement, même si c'est un hasard et que je n'y suis pour rien, Muguette ne m'a jamais pardonné d'être celle qui l'a découvert, de ne pas l'avoir aidée, de ne pas avoir été là. Pour décrocher Sylvain.

J'ai toujours pensé que c'était plutôt de ne pas avoir su qu'il allait mal, qu'il avait besoin d'aide qu'elle ne m'a pas pardonné. Mais disons que ça s'est cristallisé autour du résultat plutôt que la cause. Pour Muguette en tout cas.

Sylvain était mort depuis la veille. Depuis le 26 avril au soir. S'il n'y avait pas eu cette visite, on l'aurait trouvé le vendredi soir, quarante-huit heures plus tard.

Ils ont emmené le corps à la morgue et ma femme à l'hôpital. Choc nerveux. La maison avait une allure de plateau de cinéma avec les lumières d'urgence rouges des ambulances et bleues des voitures de police.

J'ai voulu voir Sylvain — qu'on ouvre l'horrible sac pour me permettre de le voir. On a refusé. J'ai insisté, argumenté. J'avais mon ton de professionnel, comme l'appelait Muguette. Ton sec, mesuré. Calme apparent du gars en contrôle. Au fond de moi, c'est comme si le pilote automatique avait pris le relais. Plus rien n'existait, mais j'avais l'air normal. Un peu sonné, c'est tout. Ils m'ont juré qu'à la morgue, une fois l'autopsie terminée, je pourrais le voir.

Les mêmes policiers m'ont ramené en ville parce que je voulais l'annoncer moi-même à Mélanie-Lyne. Quand elle nous a vus tous les trois dans le cadre de porte de l'appartement, elle a reculé sans un mot, les yeux écarquillés. Elle a pris Stéphane dans ses bras, mais je ne voulais pas qu'il reçoive le choc que sa mère allait éprouver. J'ai pris le petit et je suis allé dans sa chambre. J'ai entendu le cri étouffé de Mélanie. J'ai entendu les murmures des policiers. Je jouais à tit-galop avec Stéphane, comme un automate, sans aucun élan, et il me fixait, éberlué de ne ressentir aucun plaisir à ce jeu pourtant prévisible et joyeux. Il a dit « arrête » et il est descendu de mes genoux en criant « maman ». Il s'est rué dans la cuisine et a secoué sa mère jusqu'à ce qu'elle le regarde, se penche et le prenne dans ses bras.

Mélanie n'a pas voulu voir Sylvain. Elle m'a demandé d'organiser les funérailles, le plus vite possible.

Que ce soit court. Que ce soit sans salon funéraire, sans réunion. Je m'attendais presque qu'elle ajoute qu'elle n'y serait pas.

Elle y était. Blême et raide. Aucun épanchement. Elle ne s'occupait, ne se préoccupait que de son fils. Aucun espace pour elle. Ou pour son chagrin. En tout cas, elle ne le montrait pas, s'il y en avait.

Elle a posé très peu de questions. Elle ne l'attendait pas avant le lendemain. Il avait reçu un appel de dépannage informatique dans la région d'Ottawa. Il a dû arrêter en cours de route parce qu'il n'allait pas bien…

Je n'en revenais pas ! Comme si Sylvain avait eu une indigestion ! Il devait pourtant montrer des signes de détresse, une humeur dépressive, non ? Du moins une humeur inégale. Mélanie a toujours dit que non, qu'il était pareil à son habitude. Un coup de tête, voilà sa définition du suicide de Sylvain.

Comme s'il était un impulsif qui a eu soudain une pensée suicidaire en se rendant à Ottawa. La maison étant sur sa route, il est passé à l'action, sans plus.

Je pense que si on l'avait trouvé asphyxié dans sa voiture, elle aurait dit que c'était accidentel, qu'il s'était endormi en laissant tourner le moteur.

C'est d'ailleurs ce qu'elle a dit à Stéphane : papa s'est endormi en conduisant et il a eu un accident. À partir de ce jour et jusqu'à son adolescence, mon petit-fils a fait de l'insomnie. Mélanie n'y a jamais vu le moindre signe d'un malaise psychologique ou d'une réaction liée à la mort de son père. « Il est comme Sylvain, il dort pas beaucoup. » C'était sa réponse à mon inquiétude.

Muguette, ma femme, ne s'est jamais remise. Je suis allé récupérer ce que je croyais important dans la maison, qui a été vendue par un agent. C'est à ce moment-là que j'ai défoncé le mur du garage.

Sylvain n'a laissé aucun mot, aucun message. J'ai finalement pu le voir à la morgue. Mon enfant avait un visage fermé, bouffi… ce n'était plus mon fils tel que je m'en souvenais. Comme pour le tit-galop, il manquait à son visage l'élan de la vie qui change tout.

Plus rien, jamais, n'a été pareil.

Ma vie a été tranchée en deux — il y a avant et après la mort de Sylvain. Avant et après le 26 avril 2000.

Parfois, j'ai l'impression qu'un sabre puissant a fendu mon corps en deux. Chaque partie palpite, mais aucune n'est vraiment vivante.

Charlène

Qu'est-ce que ça peut ben t'faire que je te parle encore ? T'as rien voulu savoir de moi, finalement, je peux faire ce que je veux avec toi, avec ton souvenir. De toute façon, c'est pas toi qui vas venir me contredire, han ? Tu nous as crissés là, ben endure qu'on pense ce qu'on veut. Je dis nous, ça veut dire moi pis les autres. Y avait quand même pas mal de monde à tes funérailles. Assez de monde pour que je passe inaperçue dans le tas.

C'est Éric qui me l'a dit. Éric Lebœuf, ça te dit de quoi, j'espère ? Y est gros comme un pic pis y est gai. Y aurait eu le *kick* sur toi que ça m'étonnerait pas. Un fanatique du sauna qui essaye d'arrêter. Je suppose que tu sais rien de ça, toi, les saunas du Village... c'est à peu près comme nous deux, mais entre gars. Du sexe pis de l'anonymat. Dans le genre on règle une urgence pis on se parle pas. Au bout du compte, c'est exactement comme nous deux.

Avais-tu envie d'arrêter, toi aussi ? Étais-tu tanné ? T'avais rien qu'à le dire. Ça a l'air que c'est ben dur, arrêter le sauna. On l'aurait eu plus facile, nos deux. Je dis ça... tu me l'as cassé pas mal sec, mon fun.

Quand Éric m'a appelée, y braillait comme un veau. Je comprenais rien. Je pensais que sa sainte mère était morte. Tu sais comment y se peut pus avec elle ? Ben, elle aurait été morte qu'y aurait pas plus braillé. « Notre Sylvain », qu'y disait ! C'est pas parce que c'est lui qui nous avait présentés qu'on y appartenait tout à coup. Jamais vu un énervé pareil. Ça déboulait, mon gars, une affaire rare ! Y savait toute. Sauf qu'y l'avait pas vu venir une seconde. Pour un roi du renseignement, c'est frustrant. Y se pensait ton ami, y savait tes secrets, pis là, tu y sacres un coup sur la tête en allant te tuer chez ta mère. « Ça devait être un appel à l'aide. » Y arrêtait pas avec ça. Aye ! Réveille ! On apprend pas à faire un nœud coulant pour appeler à l'aide, mon coco ! On prend un coup, on prend des pilules, on s'organise pour que ça prenne un peu de temps si on rêve que quelqu'un s'aperçoive qu'on capote. Y me fait rire, Éric ! Si y en a un qui se répand pis qui s'explique en long pis en large, c'est ben lui. Y s'était pas aperçu que t'étais du genre fermé deux fois plutôt qu'une ? Les appeleux à l'aide, y nous tombent sur les nerfs avec leurs histoires qui finissent pus. Fecteau ? Tu te souviens de Fecteau ? Toujours en train de faire des drames, de faire pitié. Crisse, j'ai couché avec pour y remonter le moral ! Pis y m'a collé aux fesses pendant des mois. Penses-tu que ses appels à l'aide nous faisaient paniquer ? On le savait que c'était pour faire l'intéressant. Y savait pus quoi inventer pour attirer l'attention. Quand Éric m'a sorti que si ça avait été Fecteau, ça l'aurait pas surpris, je l'ai engueulé comme du poisson pourri. Franchement ! Quand quelqu'un arrête pas d'en parler, c'est sûr que c'est moins étonnant.

Des fois, y en dit des niaiseries, Éric.

C'est lui qui m'a appris le jour... pis l'heure probable. Si j'ai bien compris, t'aurais pu passer la nuit avec moi. Mais t'aimais mieux aller te pendre, c'est ça ? Va chier ! Après tout ce temps-là, j'ai encore le goût de t'envoyer chier. De t'écœurer. De te donner envie de le faire pour une bonne raison, parce que t'es un pas-d'allure, un hestie de *smatte* pas capable de te décider à faire de quoi de ta vie. Ça se flushe pas de même, une vie ! Ça se flushe pas de même, des amis pis des amoureuses. Crisse ! T'avais un petit ! Tu m'as même parlé de lui avant de partir ! Viens pas me dire que tu l'avais oublié ! Finalement, c'était jusse parce qu'un enfant malade, ça s'appelle une maudite bonne raison de me planter là.

Toute pour avoir la paix, han mon Sylvain ? Toute pour jamais payer, jamais te sentir obligé.

T'étais beau comme un pompier. Y a pas juste Éric que tu faisais rêver, si tu veux le savoir. T'avais la voix basse, la peau douce, pis tu sentais bon naturel. Pas un fanatique de l'after-shave extra-forte qui te pogne à gorge. Non. Ton odeur à toi. Pis y fallait être proche pour la sentir.

J'y ai pas dit que t'étais parti d'ici. À Éric. Pas capable. Une sorte de honte. Je pense que j'ai jamais eu autant honte que ce jour-là, quand Éric m'a dit que c'était arrivé le 26 au soir, dans la maison de tes parents. Je l'ai faite, le calcul, tu penses ben. T'as peut-être pris une bière queque part, t'es peut-être même arrêté chez vous si ton gars avait vraiment la picote ou pour baiser ta femme — mais là, fallait vouloir parce que t'avais pas grand temps. Je pense que je dis ça pour me faire mal, pour m'humilier d'aplomb. T'as baisé personne d'autre que moi ce jour-là. Pis c'était pas assez. Pas assez pour toi. Y te fallait un *rush* plus puissant. Je te demande pas de comprendre comment je me sens. Tu y as pas pensé ce jour-là, j'imagine que tu t'en sacres encore plus asteure.

Je t'ai-tu dit va chier ? Va chier.

Rien ne prédisposait Muguette Vignault à la vie qui était la sienne. Rien. Élevée dans une région rurale en mutation, elle avait commencé des études d'infirmière à Montréal sans toutefois les terminer. C'est là qu'elle avait rencontré Vincent Côté. Et c'était avec lui qu'elle voulait faire sa vie. Il représentait tout ce dont elle avait rêvé : belle apparence, bel avenir et une solidité capable de supporter les angoisses et les inquiétudes qui l'assaillaient.

Issue d'une famille nombreuse, elle aspirait au calme et à la tranquillité. L'idée d'avoir une salle de bains pour elle toute seule alors qu'elle avait partagé un minuscule espace avec neuf autres personnes toute sa vie lui apparaissait du plus luxueux avant de rencontrer l'homme qui allait devenir son mari.

Vincent choisissait une femme bien « au-dessous de son rang » en l'épousant, et elle en était parfaitement consciente. Ses beaux-parents lui avaient fait un accueil réservé, mais elle les comprenait de ne pas sauter de joie devant cette belle-fille jolie quoique quelconque. Parce qu'elle se sentait usurpatrice, elle s'était empressée de les juger froids et distants et de chercher à en convaincre Vincent. Celui-ci n'avait eu aucun problème à reconnaître que les vues de ses parents étaient probablement différentes des siennes, et qu'en conséquence ils étaient déçus. Un peu de patience et ils seraient aussi enthousiasmés que lui par son choix conjugal.

Muguette, pétrie de doutes et certaine que la déception se muerait en répulsion, avait manœuvré — quasiment à son insu — pour éloigner sa famille et celle de son mari de leurs fréquentations. Vincent, occupé par son installation professionnelle, passionné par des défis exaltants, ne s'en formalisait pas. Il laissait à Muguette le terrain social et n'émettait qu'un souhait : un temps pour eux deux en tête-à-tête chaque semaine. Ce qui lui fut accordé sans discussion.

Les habitudes généraient un rythme de vie rassurant pour Muguette. De club musical en sorties culturelles, elle se hissait au niveau qu'elle souhaitait. Petit à petit, elle imposait ses idées et ses choix d'amis à Vincent, qui n'était pas contrariant. Que cet aspect de sa personnalité entraîne un certain mutisme n'avait rien de dérangeant pour elle puisqu'elle en concluait — *qui ne dit mot consent* — que son mari était en parfait accord avec ses décisions.

Le jour où une de ses amies fraîchement divorcée avait fait l'apologie de Vincent et de ses manières professionnelles infiniment réconfortantes, Muguette avait offert à son mari éberlué une crise de jalousie de haut calibre. Elle l'avait horrifié. Il s'était tu, croyant limiter ainsi les dégâts. Dans l'esprit soupçonneux de Muguette, le silence avait eu l'effet d'une signature. Elle s'était mise à imaginer toutes les occasions qu'avait son mari de la tromper. Rapidement, sa jalousie avait pris des proportions qui frisaient l'obsession. À force d'être interrogé, suspecté, condamné, Vincent se mit à observer les distractions qui s'offraient à lui. Elles étaient nombreuses. Et faciles d'accès. Passer à l'acte, alors que de toute façon il portait le poids du méfait, lui avait semblé pratiquement soulageant. Le délire inquisiteur de Muguette avait finalement provoqué l'inverse de son objet : Vincent eut des aventures.

La légèreté de ces échanges extraconjugaux mettait en relief la lourdeur de son mariage. Après un passage à vide, il en était à supputer la meilleure façon d'y mettre fin quand Muguette lui avait annoncé qu'elle était enceinte. Il voulait cet enfant. Depuis longtemps. La chose paraissait impossible et ils avaient décidé de « laisser faire la nature ». Le moment choisi par « la nature » avait quand même semé un doute dans l'esprit de Vincent, mais la joie fulgurante qu'il ressentait abolissait toute inquiétude.

La grossesse de Muguette, compliquée d'un diabète, avait ramené Vincent au foyer plus sûrement que n'importe quelle scène. Paradoxalement, sa femme en prit ombrage. Que la perspective de cet enfant le rende aussi empressé l'agaçait. Quelque chose lui échappait en faveur d'une autre personne qui, même dans son ventre, cachée, à peine présente, réussissait à lui voler l'attention de Vincent.

L'accouchement fut difficile et le post-partum, pénible. Vincent, lui, était aux anges. À croire que tout ce qu'il espérait dans la vie, c'était de se lever toutes les deux heures pour s'occuper d'un enfant déterminé à ne pas dormir la nuit. Rien n'altérait son bonheur. Les humeurs de Muguette valsaient entre la rage et le désespoir, et lui, patient, endurait tout en berçant son fils, un sourire béat l'éclairant dès qu'il posait les yeux sur le poupon. Impossible pour Muguette d'admettre que cette osmose la brûlait : jalouser son propre fils aurait été du plus mauvais goût. Elle s'était mise à louanger ce qu'elle enviait, et elle avait fini par se croire : Vincent était un père hors du commun qui lui avait permis de se remettre en toute quiétude.

Ce n'est que vers les six ou sept ans de Sylvain qu'elle avait éprouvé un lien véritable avec son fils. Elle adorait faire les devoirs avec lui, lire des histoires, être celle qui guide et non l'inférieure qui essaie d'apprendre. Et plus elle se rapprochait de Sylvain, plus l'équilibre se rétablissait dans la maison. Vincent retournait avec enthousiasme à sa vie professionnelle et elle avait de quoi s'occuper avec son fils.

Les quelques années d'apprentissage scolaire de Sylvain ont été les plus belles de Muguette Vignault. Déjà, en entrant au secondaire, son fils montrait des signes de fuite, de contestation muette. Sans jamais rien exprimer ouvertement, Sylvain s'éloignait. En choisissant l'informatique, il rendait sa mère incapable de le soutenir, de participer à son instruction : elle n'y connaissait rien ! Et elle n'avait ni talent ni attirance pour cette science compliquée. Le jour où Vincent avait offert un ordinateur à leur fils, Muguette avait compris que son fragile univers s'effondrait. Elle redevenait l'idiote n'ayant pas de connaissances suffisantes pour accompagner Sylvain et le soutenir. Elle se sentit rétrogradée à l'analphabète sociale qu'elle était avant son mariage.

De plus en plus délaissée, elle avait bien tenté un retour aux activités amicales qu'elle avait eues avant la naissance de son fils, mais toutes ses connaissances étaient passées à autre chose. Et papoter entre deux visites de musées ne les intéressait plus.

Quand Sylvain s'est mis à sortir tard le soir, à rentrer bruyamment aux petites heures, sans égard pour la légitime paix de ses parents, Muguette a senti poindre une amertume qui lui rappelait un temps ancien, celui de sa jalousie d'avant la naissance de son fils. Tout comme Vincent, Sylvain se construisait une vie sans elle, un monde parallèle à leur foyer, un monde plus exaltant dont — tout comme son père — il ne ramenait même pas l'écho chez elle afin de lui offrir des miettes d'existence qui auraient pu faire illusion. Le dépit qu'elle en conçut l'avait poussée à se rapprocher de son mari qu'elle avait négligé au profit de leur fils. Étrangement, le seul sujet sur lequel elle pouvait tabler pour capter l'attention de Vincent était Sylvain. N'ayant que peu d'éléments pour nourrir le thème, elle inventait des évènements, des amis, des copines même. Sa principale source d'inspiration se trouvait dans les émissions de télévision qu'elle suivait avec passion.

Par désœuvrement, Muguette a commencé à visiter les maisons à vendre. Au moins, l'agent d'immeubles faisait semblant de la trouver intéressante, le temps d'effectuer le tour des pièces. Ce qui était une distraction anodine est rapidement devenu une passion. En visitant ces lieux, elle pouvait mesurer sa vie. Elle entrait dans l'univers d'autres personnes et décodait leurs priorités, leurs façons de vivre. Les murs en disaient long, et c'était précisément ce qui l'attirait dans ces maisons. Savoir de quoi était faite la vie des autres la renseignait sur elle-même.

Elle se surprenait à évaluer ensuite ses propres murs et à rêver de redécorer son environnement. Vincent lui donnait carte blanche et elle avait eu un plaisir fou à réaménager toute la maison. Le seul endroit qu'elle ne pouvait pas toucher était la chambre de Sylvain. Il avait été plus que clair, presque brutal dans son refus : il n'avait qu'une pièce, elle en avait huit pour s'amuser, est-ce qu'elle pouvait le laisser tranquille et ne pas l'envahir ?

Il n'en fallait pas davantage pour que Muguette soupçonne que son fils lui cachait quelque chose. De fouilles discrètes en questionnements évasifs, elle continuait de chercher ce que Sylvain lui dissimulait avec tant d'ardeur. À part une boîte de condoms qui n'était même pas dissimulée, Muguette n'avait rien trouvé d'instructif. La chambre de son fils était un endroit bourré de fils et d'ordinateurs de qualités et de volumes différents. Beaucoup d'écrans, peu de livres. Pas vraiment de photos et plusieurs dessins de type humoristique que Muguette n'avait jamais trouvés drôles parce qu'elle n'arrivait pas à saisir — T'allumes pas, han m'man ? — ce qu'elle devait voir.

Son mari avait un univers, son fils aussi. Il n'y avait qu'elle qui en était dépourvue.

C'est à ce moment-là qu'elle a découvert la maison de campagne idéale.

Mélanie-Lyne

Mon fils est toute ma vie. Je sais, ça fait mélodramatique ou, je sais pas… excessif, mais c'est vrai.

C'est presque fou de se sentir proche de quelqu'un de même. Jamais je regarde un film sans me dire qu'y aimerait ça… ou pas. C'est pareil pour tout ce que je vois, je me dis que Stéphane adorerait ça ou détesterait ça. Évidemment, nos goûts sont pas les mêmes. Il a eu une période pas mal bizarre avec des vampires. Ça me disait rien. C'est vraiment pas mon genre. Dieu merci, ça a pas trop duré. Harry Potter, ça va, mais les vampires, ça me dépasse. Les modes ont changé ou il s'est tanné, je sais pas trop. Ça commence à faire longtemps que j'ai pas passé l'halloween avec lui. On a eu pas mal de fun avec ça, l'halloween. Chaque année, on discutait du costume. Souvent, c'est moi qui le fabriquais. Toute une organisation ! J'allais avec lui. Avant, quand son père était là, c'est lui qui y allait et moi je restais à l'appartement pour donner des bonbons aux autres enfants qui venaient sonner. Sylvain découpait la citrouille et on mettait une chandelle dedans. Je me demande si l'amour des monstres et des vampires est pas venu à ce moment-là. Il regardait la flamme dans la grosse bouche aux dents pointues et il répétait la consigne mille fois : faut pas mettre ses doigts dedans, c'est dangereux.

En 2000, après l'accident, ça a été un moment difficile pour Stéphane. Une sorte de tournant. Faut dire qu'en plus, en septembre de la même année, y a commencé l'école, la vraie, sa première année. J'étais très fière de lui. Et de moi. Parce que j'ai réussi à pas pleurer, à pas y montrer ce que ça me faisait de le laisser là avec son gros sac à dos presque plus pesant que lui. Pas facile après ce qu'on avait traversé. Pas facile de laisser mon fils. Depuis avril, depuis la mort de son père, on s'était pas lâchés. On dormait ensemble, on préparait les repas ensemble, on faisait tout ensemble. Ben juste si j'allais pas à maternelle avec lui ! Je sais pas ce que j'aurais fait si je l'avais pas eu. Parce qu'il était là, j'avais pas le choix, fallait avancer, fallait continuer. Faire avec, pis continuer. Et on l'a fait ensemble. Sans lui, je serais pas passée au travers.

Alors, c'est ça, l'halloween cette année-là, c'était pas mal compliqué. Et le mois juste avant, c'était l'autre étape : ses six ans. D'habitude, on avait une suite de célébrations qui commençaient avec la fête de Stéphane le 23 septembre, suivie de l'halloween, pour finir avec Noël le mois suivant. Bon, la tradition avait à peine cinq ans, mais pour un enfant qui allait en avoir six, c'est toute sa vie, ça ! Je savais pas trop comment faire, comment célébrer sans que ça fasse « papa est plus là ». Sans que ça soit trop triste. Si je regarde ça objectivement, c'était moins pire pour moi que pour Stéphane. Cinq ans et demi pour lui, c'est 100 % de sa vie, pour moi, c'était pas 20 %. Fallait tout recommencer en neuf, lui donner de nouvelles habitudes, fabriquer des nouveaux souvenirs.

Sylvain, c'était pas mon premier chum. J'avais déjà eu des peines d'amour, je connaissais ça. Stéphane, lui, y avait jusse un père, y en aurait pas d'autre... même si on pouvait toujours rêver à une sorte de figure paternelle qui pourrait arranger le manque. J'ai lu beaucoup de magazines spécialisés pour essayer de savoir quoi faire. Je voulais pas me tromper. Je voulais pas qu'il lui arrive ce qui était arrivé à son père. Finalement, ce que Sylvain avait fait, je voulais surtout pas que ça contamine mon fils. Un peu comme une maladie génétique. Je sais pas trop comment le dire, mais je voulais pas qu'il se mette à penser que mourir avant trente ans, c'était une bonne idée. Mais je m'en suis fait pour rien : Stéphane est pas comme ça. Y parle jamais de ça. Qu'est-ce que je raconte ? Y peut pas en parler, il le sait pas ! Franchement, je m'invente des problèmes.

Pour en revenir à ses six ans, j'ai appelé son grand-père. Monsieur Côté. Bon, il veut que je l'appelle Vincent, mais ça me gêne. Il a été parfait. J'avais peur qu'il se mette à parler de Sylvain, qu'il vienne nous gâcher la fête avec ses vieux souvenirs pis des allusions, mais y a compris qu'y en était pas question.

Il a apporté des cadeaux, on a fait une vraie belle fête et Stéphane a pas vu de différence. Y a même pas demandé si papa reviendrait bientôt. J'étais contente parce que monsieur Côté aurait pu vouloir y expliquer trop d'affaires. Un bébé, faut y parler de choses qu'y comprend. J'endure pas ça des adultes qui leur font faire des cauchemars avec des histoires épouvantables. C'est pas parce que c'est vrai qu'y faut assommer les enfants avec des détails dégoûtants. Sinon pourquoi on mettrait des oursons pis des lapins sur leurs murs de chambre ? C'est vrai que les oursons sont pas si fins, mais on leur dit pas. Les lapins, c'est pas pareil, mais bon, je me comprends.

Une chose que je dois reconnaître, c'est que monsieur Côté a toujours respecté ma façon de voir pis mon règlement. Sans même me faire sentir qu'y était pas d'accord... si c'était le cas. Je le sais même pas, c'est dire comment y m'a pas achalée avec son opinion. Je pense que sa priorité, c'était pas que je sache ce qu'y pensait, mais qu'il puisse voir son petit-fils. Là-dessus, il a été très clair. Y m'a jamais tannée avec Sylvain, y a pas cherché à s'expliquer, à m'accuser ou à fouiller dans le passé. Non. Il a seulement dit que ce serait comme je le souhaitais, mais qu'il avait besoin de voir Stéphane, de l'avoir dans sa vie. Parce que c'était un petit garçon adorable. Là, évidemment, y m'a eue ! Tant que c'était pas pour ramener tout le temps des souvenirs plates, tant que Stéphane pouvait jouer avec lui et avoir une relation pas braillarde dans le genre « tu y ressembles tellement », moi je voulais bien. Ça faisait mon affaire parce que ça remplissait la case « mâle » dans la vie de mon fils.

Si je reprends le calcul de tantôt, monsieur Côté, lui, c'est 50 % de sa vie qui pétait au frette en perdant Sylvain. Dans le fond, j'étais la moins concernée des trois. Ben, je veux pas dire concernée, mais visée ? Privée ? En tout cas, je me comprends.

Si y avait fallu que Sylvain décide d'emmener mon fils avec lui comme les autres malades qu'on entend parler aux informations par exemple, là, ça aurait été une autre affaire ! C'est bête à dire, mais Sylvain a fait ce qu'y pensait le mieux pour lui, sans toucher à ceux qu'y aimait. Pis y l'aimait, son Stéphane! Moi, je sais pas trop. Y parlait pas beaucoup. Les « je t'aime », ça faisait pas partie de son vocabulaire. Pourtant, monsieur Côté le dit, lui. À Stéphane. Pis une fois à moi: « Je t'aime beaucoup, tu sais. » Me souviens plus à quel sujet ni pourquoi il a dit ça, mais ça m'a presque fait peur. Pas habituée, moi. J'ai eu peur qu'y aye un double sens, un genre de *kick* qu'y aurait voulu commencer. Mais non, c'était pas ça. C'était jusse pour me dire une gentillesse.

Il a toujours été correct avec moi. Pas jugeant, rien. Pis disponible. C'est vrai qu'il est à la retraite, qu'y a pas tant de choses à faire. Mais quand même… c'est pas à ma mère que je demanderais de me dépanner. Lui, oui. C'est sûr qu'il est en moyens pas mal, mais on en connaît des pleins qui partagent pas.

C'est plate que Stéphane ait lâché l'école parce que monsieur Côté aurait payé toutes ses études. C'est sûr que pour un nono comme Stéphane, qui trouve que travailler dans un entrepôt c'est pas gênant, un héritage, ça s'appelle de l'argent, pas de l'instruction. Mais moi, je le comprends son grand-père et je pense qu'il a raison de pas sortir son cash pour autre chose que les études. Mais c'est une passe, le décrochage. Y va se tanner d'emballer, je le connais, mon Stéphane. Pis quand y va vouloir retourner à l'école, son grand-père va l'aider. Pas avant.

Y va finir par trouver de quoi qui l'intéresse. Son père était une sorte de petit génie de l'informatique, je vois pas pourquoi Stéphane serait pas doué. Il l'est, mais y a jamais aimé l'école. Y est pas tout seul de sa gang, ça me console. Moi-même, c'était dans la moyenne ordinaire le temps où je suis allée. Je parle pas de mes résultats, mais de mon goût pour l'école. Pas folle de ça, mais pas allergique à ça non plus. La moyenne, quoi ! Rien pour avoir honte, rien pour se vanter. J'aimais mieux apprendre une vraie technique qui sert à de quoi que d'apprendre des affaires en l'air. Pis je suis devenue une vraie bonne coiffeuse qui a les deux pieds sur terre.

Stéphane, après son premier jour d'école, y a lancé son sac sur le divan pis y a dit : « J'aime pas ça ! »

Esseye de savoir pourquoi, asteure... La matière, la maîtresse, les amis ? Pas de détails. Il m'a répété ça jusqu'à tant que je lui dise que c'était pas négociable, que l'école, on n'était pas obligé d'aimer ça, mais qu'on était obligé d'y aller.

Son grand-père m'a backée là-dessus. Il a eu une patience incroyable. Toutes les fins de semaine, de la première à la cinquième année, il est venu aider Stéphane. Mais on pouvait pas étudier pour lui... Pis quand y a été rendu au secondaire, j'ai fait l'erreur de fréquenter Raynald et ça a rien arrangé. Surtout qu'une fois Raynald dans la place, le grand-père était de trop ! Raynald le trouvait encombrant, trop présent, trop récompensant aussi. Je pense que monsieur Côté le faisait se sentir *cheap*. C'est comme si ses manières polies, ses bonnes manières, ça provoquait Raynald. Il devenait plus agressif, plus prime quand monsieur Côté était passé. Il comprenait pas pourquoi j'endurais ça. J'ai jamais été capable de lui expliquer que j'endurais pas, que c'était bon pour mon gars et que ça faisait mon affaire de même. J'ai jamais aimé la chicane. J'aime mieux rien dire au lieu de m'engueuler. Raynald, pas besoin de répondre pour qu'y se fâche. Alors, le grand-père a arrêté de venir à maison, mais on se rencontrait en ville avec Stéphane. On allait au cinéma, au restaurant. Il l'a vu moins souvent, mais il l'a vu pareil.

J'ai-tu ben faite de m'écouter ? Le jour où Stéphane a fugué, monsieur Côté a pas faite ni un ni deux pis y est arrivé au moment où Raynald sacrait son camp. Ça a sûrement empêché une scène. Pis ça m'a permis de m'occuper de la seule chose qui m'intéressait : retrouver mon fils.

Vincent Côté

Drôle de femme, cette Mélanie. Je n'ai jamais vraiment compris ce qui attirait Sylvain chez elle, mais il faut de tout pour faire un monde et l'attirance physique, ça ne se discute pas. Mon père ne m'a jamais fait de remarques désobligeantes sur mon choix conjugal. Et pourtant, il a bien dû trouver une chose ou deux qui clochaient chez Muguette. À commencer par son prénom. Ma mère s'est quand même permis un « Je veux bien croire qu'elle est née en mai, mais de là à l'appeler Muguette… C'est beaucoup, non ? » Elle a tout de suite saisi pourquoi on l'avait appelée comme ça. Moi, je n'avais pas encore fait le lien quand elle m'a dit sa date de naissance. Ma mère, c'est le genre de femmes à qui on ne la fait pas. Dès qu'elle a compris que Muguette était dans ma vie pour y rester, elle n'a plus rien dit, que ce soit pour ou contre elle. C'était mon choix, elle le respecterait. Et mon père a emboîté le pas. Sans doute fermement conseillé par ma mère. Ils ont juste espacé les visites. Et renoncé à maintenir les traditionnels repas dominicaux. C'est vrai que Muguette détestait ce rituel où elle trouvait qu'il y avait trop d'ustensiles — à l'époque, elle disait « ustensiles », pas « couverts » — sur la table. Par snobisme, prétendait-elle. Je la soupçonne quand même d'y avoir vu une sorte de complot pour l'humilier, parce qu'elle ignorait ces usages.

Pauvre Muguette ! Fréquenter ma famille était à la fois une victoire et une défaite. « Les coutumes des gens riches, je m'en fiche ! » C'est ce qu'elle prétendait. À mes yeux, ma famille était à l'aise, pas riche. Mais quand on connaissait celle de Muguette, on comprenait que c'était un tout autre monde et d'autres coutumes. On n'a pas vu sa famille souvent, en tout cas. Muguette s'en passait très bien. Faut dire que le vernis — si toutefois on peut parler en ces termes — était mince. Très mince.

Muguette possédait la seule chose capable de me pousser à défier mes parents et les convenances : un corps adorable qui a bouleversé ma vie. Je suppose que mon ignorance sexuelle est la cause de mon mariage. Je connaissais tout du plaisir solitaire et rien des échanges amoureux. Les quelques expériences dont je pouvais me vanter se comptaient sur les doigts d'une seule main et ce n'était pas très éloigné de mes pratiques frénétiques de jeune homme en proie à ses hormones.

Muguette a été un éblouissement sexuel. Une révolution à elle seule. Avec elle, j'ai compris la différence. Avec elle, je devenais une sorte de champion qui avait inventé l'orgasme. Rien de moins. J'étais bien évidemment persuadé que mes parents ignoraient tout de ces extases. Voilà pourquoi ils ne comprenaient rien à mon désir d'épouser cette femme. Mon ignorance sexuelle s'est donc propagée à mon être entier et je me suis précipité dans le mariage, inconscient des obligations qu'il entraîne et certain d'avoir trouvé mon Graal.

Comme quoi la testostérone est responsable de bien des errances. J'ai mis… quoi ? Cinq ans avant de discerner vaguement que ce ne serait pas le paradis escompté ? Une fois l'âpreté du rut à la baisse, une fois bien installé dans ma pratique professionnelle, je me suis subitement attardé à ce que disait ma femme. Et ce n'était pas joli. Elle se révélait insatisfaite, privée de je ne sais quelle promesse. Tout lui était prétexte à me critiquer, à réclamer une joie de vivre que je me sentais bien incapable de lui fournir. De tout-puissant je passais à l'incompétent crasse. J'en étais, je l'avoue, à la fois irrité et désolé.

C'est là qu'est arrivée Marie-Hélène. C'était en 1967, l'année de l'Expo, et c'est à l'Exposition universelle que je l'ai croisée. Elle était hôtesse au pavillon de la France. J'étais avec des collègues, on prenait un verre. Ils sont partis tôt. Je suis resté. On a parlé des heures, elle et moi. Elle étudiait en architecture. L'éblouissement, cette fois-là, a été intellectuel. Mais la testostérone n'était pas loin. Le lendemain midi, je mangeais avec elle, juste avant que son travail commence. Je me suis fait accroire que c'était amical et dénué de sexualité jusqu'à ce qu'elle se penche vers moi et me demande comment on ferait pour s'offrir du plaisir en épargnant nos conjoints. Je n'en croyais pas mes oreilles ! Tant de liberté ! Tant d'audace ! J'étais en retard sur mon époque et le « Faites l'amour et non la guerre » ne m'avait pas encore atteint. Là, ça y était. Et de plein fouet.

Si Muguette m'a révélé ma dimension sexuelle, Marie-Hélène a incarné l'amour. Je sais que j'écris pour Stéphane — et j'espère être un jour lu par lui — mais je n'ai aucune honte de ce qui s'est passé. Aimer une femme autre que la sienne, ce n'est pas souhaitable, mais ça arrive. Aimer une femme mariée de surcroît, c'est compliqué, mais tellement, tellement bouleversant.

L'Expo s'est terminée, ses études ont repris le dessus, mais on se voyait toujours. J'avais vingt-neuf ans, elle en avait vingt-huit. Et elle avait un enfant. C'est ce qui nous a séparés. Elle avait repris ses études grâce à son mari qui se saignait pour tout payer et pour s'occuper de la petite pendant qu'elle mettait les bouchées doubles. On a rompu trois fois, on ne parvenait pas à se laisser. C'était trop dur. La deuxième fois, j'ai pensé en mourir. On a tenu six mois. Puis, au bout de ce temps, elle s'est retrouvée dans ma salle d'attente. La dernière cliente. Je l'ai fait entrer dans mon cabinet, j'ai demandé à mon assistante de nous laisser, et quand j'ai enfin ouvert mes bras, on s'est mis à sangloter sans pouvoir articuler un mot.

On était en janvier 1970.

Contrairement à moi, elle aimait aussi son conjoint. Elle l'estimait. C'était un sentiment que je lui enviais, n'ayant plus qu'un reste de pitié pour Muguette et son égoïsme torturant. Les reproches, les questions, les supplications même pleuvaient quand je rentrais à la maison. Mais les seuls sentiments que cela soulevait étaient un ennui profond et un dégoût non moins profond. Tout d'abord de moi-même et de ma lâcheté. Ensuite, de cette femme qui perdait toute dignité en s'inventant des scénarios catastrophe. Depuis le temps qu'elle m'accusait, j'avais envie de tout lui dire et de la laisser. D'en finir avec le mensonge. D'en finir avec ce faux mariage, cette union bidon qui ne faisait de bien à personne. Je savais que Marie-Hélène ne changerait pas de vie, mais je pouvais peut-être rendre la mienne plus honnête.

Toutes mes belles résolutions sont tombées à l'eau quand mon père a fait un AVC — qu'on appelait « ACV » à l'époque. Il fallait soutenir ma mère, trouver une réadaptation efficace pour ses lourds handicaps. Il ne parlait plus qu'en sons approximatifs et, bizarrement, alors qu'il n'avait jamais été porté à se confier, il semblait pressé de me dire beaucoup de choses. Diminué, affaibli, mon colosse de père était devenu un être fragile et blessé.

En mars 1970, une deuxième attaque le tuait. Le lendemain, j'ai vu Marie-Hélène.

Avant même que je l'informe de ce qui m'arrivait, elle a pris son courage à deux mains pour me dire qu'elle déménageait à Québec, que son mari savait pour nous et qu'ils voulaient tous les deux se reconstruire ailleurs. Essayer de sauver leur famille. Je ne lui ai pas dit que mon père venait de mourir. À quoi bon ? Exciter sa pitié était très loin de mes désirs.

Pour la première fois de ma vie, je me suis montré amoureux et généreux : je lui ai dit que je comprenais, que je lui souhaitais que ça marche. J'ai juré que jamais je n'essaierais de la contacter. Parce que je l'aimais et que son choix était le bon puisque c'était le sien. Je me souviens lui avoir dit qu'il n'y a pas qu'une seule personne dans le monde qui puisse nous rendre heureux. Que ce manque d'exclusivité nous aiderait l'un comme l'autre à continuer.

Cette façon qu'elle a eue de sourire, alors que ses yeux s'accrochaient aux miens, comme un démenti... Elle jouait avec son alliance, nerveusement. J'ai posé ma main sur les siennes, j'allais hurler si ça continuait. Je lui ai demandé de partir. Un de ses pendants d'oreilles est resté pris dans la laine de son col roulé. C'était aussi de travers que son sourire forcé et ses yeux en détresse.

Jamais je n'ai trouvé une femme aussi belle qu'elle à ce moment précis. Jamais.

Elle est partie.

J'ai enterré mon père et je me suis traîné dans ma vie dévastée.

Charlène

Veux-tu me dire pourquoi je te parle ? Certainement pas parce que t'es parlable. T'as jamais pris la peine de répondre dans le temps que t'étais là, pourquoi je m'acharne à te parler ?

Je dois être folle. Faut-tu avoir besoin pour parler à des morts... remarque que t'es le seul à qui je parle. Les autres sont morts, pis ça finit là. Toi... c'est sûr que t'es mort, mais t'achales, tu reviens, tu restes collé comme si y avait de quoi à rajouter, comme si ça voulait pas finir là. Ça passe pas.

Y a une affaire avec le suicide, je pense. Comme si la personne décidait d'en finir mais que ceux qui restent peuvent pas en finir. Les suicidés, y nous refilent le problème. Y nous le laissent. Y nous disent : « Regarde : moi, je sacre mon camp. V'là mes hosties de problèmes, arrange-toi avec ! »

Je le sais que tu l'as pas dit, je te parle de l'effet, je te parle de ce que ça fait.

T'aimais ça que je te dise ce que ça fait ? Ben je continue. Évidemment, c'est moins sexy que de te faire parler de comment tu sais t'y prendre pour t'étamper dans le lit avec moi, mais t'avais rien qu'à y penser avant.

On a ri ensemble, on a baisé, on a niaisé… si t'allais pas bien, t'as jamais pensé que ça pouvait se régler ? C'est quoi le problème qui est assez gros pour qu'on se tue à cause de lui ? Même ceux qui se font dire qu'y vont mourir, y se dépêchent pas de se tuer. Ça t'a pris de même, en sortant d'ici ? Tu t'es dit, tiens, je vas écœurer tout le monde, je vas aller me pendre ?

Tu riais, Sylvain Côté ! Tu riais en partant. Tu m'as dit : « Bye, Chou ! », pas « adieu », pas « écoute ben, je pense que je reviendrai pas », même pas « on prend-tu un *break* ? » Non : « Bye, Chou ! » Parce que Charlène, t'aimais pas ça. C'est-tu de ma faute si ma mère aimait ça, elle ? Tu m'as jamais appelée par mon nom. Pis j'aimais ça. Chou.

Je t'appelais « Shooter ». Ça avait commencé avec « Chou 2 » pis ça avait fini en « Shooter ». Normal pour une barmaid. On est censés connaître les goûts de nos meilleurs clients. Je t'ai eu avec des shooters, je pouvais pas l'oublier.

T'arrivais, tu t'étirais les deux bras sur la barre en cuivre, comme pour marquer ton territoire, pis tu me regardais travailler. Salut, Chou ! Salut, Shooter !

La soirée serait belle. Y a personne pour qui j'ai fermé aussi vite que pour toi. Les caisses de bière, y avaient d'affaire à monter de la cave pis les frigos se remplissaient dans un temps record quand tu te montrais.

C'était rendu que tout le monde t'appelait Shooter. Même Éric qui trouvait ça niaiseux, y a fini par le dire.

La première fois qu'on est partis ensemble, j'ai oublié de mettre l'alarme. Le gérant m'a tellement engueulée, le lendemain : à quoi je pensais, il pouvait pas se fier, c'était épouvantable si j'avais pas le minimum d'intelligence pour comprendre qu'une alarme, ça se met en quittant le bar, pas en revenant ! Je suis restée ben cool. Me suis excusée une fois, pis j'ai attendu qu'y finisse. Y a recommencé son discours, même histoire, comme si j'étais sourde. Quand y ont raison, les gens, on dirait qu'y en reviennent pas d'avoir le droit de nous donner de la marde. Y se privent pas. Y font deux pis trois tours, pis y aiment ça. Moi, j'attendais qu'y finisse. Je pensais à toi, je pensais à tes épaules, pis je me disais que j'avais pas assez dormi. Le gérant m'a demandé ce que j'avais pris ! Y me pensait dopée à l'os. Je pouvais quand même pas y dire que j'avais pris un Shooter ! Un maudit bon à part de ça. Le meilleur à vie.

Oui, t'étais bon, fais pas semblant. T'étais pourri pour tout le reste : parler, t'annoncer, rester. Mais baiser, là, t'étais là !

Bizarre, han ? Ceux qui parlent, qui se confient, qui t'étalent leur C.V. comme si c'était important, ceux qui appellent ça communiquer pis pas agir en sauvage, y ont jamais eu le quart de ce que tu me donnais quand tu me pognais la tête à deux mains pour me regarder drette dins yeux. Pis me forcer à fermer les miens tellement ça se pouvait pas, être regardée de même.

C'est dans ma tête que j'aurais dû mettre l'alarme.

Muguette ignorait qu'elle cherchait une issue, mais la maison de campagne lui est apparue comme un bijou, un havre pour repartir en neuf, rebâtir ce qui semblait s'être effondré dans une parfaite tranquillité, sans un son. Son mariage.

En voyant cette belle maison « aux volumes particulièrement harmonieux » comme disait l'agent, elle s'est dit que l'harmonie se communiquerait à eux deux. C'était l'hiver et pourtant, cachée sous la neige, entourée d'arbres sans feuilles, la maison avait encore du charme. Qu'est-ce que ce serait, l'été venu ? Quand l'accès à la rivière serait libéré ?

Revenue chez elle surexcitée, Muguette avait préparé un souper-festin dont elle avait le secret et elle méditait les arguments qu'elle utiliserait pour convaincre Vincent quand il avait appelé pour se décommander. Une urgence. Il ne savait pas vraiment combien de temps cela lui prendrait. Muguette avait été particulièrement conciliante.

Il était rentré tard, effectivement. La jalousie et l'inquiétude avaient réussi à balayer toute la joie de sa femme. Elle l'attendait au salon, raide comme la justice, et déterminée à obtenir des explications.

Il était sorti manger après l'urgence, il avait rencontré un dentiste avec qui il avait étudié dans le temps. De fil en aiguille, il n'avait pas vu l'heure passer. Dommage qu'elle l'ait attendu. C'était pour éviter ce genre de malentendus qu'il l'avait prévenue. Le ton calme, un peu lassé, le détachement avec lequel Vincent était monté prendre sa douche, tout cela horripilait Muguette. Elle restait plantée au salon, la rage au cœur, incapable de se calmer, incapable d'imposer une conversation.

« M'aimes-tu encore ? »

Devant l'air stupéfait de son mari qui venait de se coucher, devant son silence méditatif, comme s'il s'apprêtait à répondre sérieusement, alors qu'elle n'espérait qu'un bref « bien sûr », Muguette avait fait volte-face : « Dors. C'est idiot de demander ça à une heure pareille. Dors. »

Ce n'est que deux semaines plus tard qu'elle était parvenue à trouver le moment propice à son annonce immobilière. Vincent était détendu, de bonne humeur, elle avait accepté d'inviter sa mère, estimant la pauvre femme bien démunie depuis la maladie de son mari. Et tout s'était déroulé à merveille. À la satisfaction évidente de Vincent.

En se servant de l'attaque de son beau-père, Muguette avait expliqué que le travail pouvait générer trop de stress, et qu'elle s'inquiétait depuis un certain temps de voir Vincent s'épuiser à l'ouvrage. Elle avait enchaîné avec cette maison de campagne qui réglerait le problème et leur permettrait de se retrouver et de vivre au calme.

Le refus qui suivit était non seulement catégorique, mais teinté de dégoût, comme si elle lui proposait un condo à l'hospice. Il refusait d'en discuter, d'aller visiter la maison, de considérer la possibilité de s'éloigner de la ville ou de vivre à la campagne, quelle qu'en soit la beauté. Muguette n'en revenait pas. Elle en conclut qu'il ne tenait ni à elle ni à leur vie et que la perspective de vieillir en sa compagnie le rebutait. Que son bien-être et ses désirs ne comptaient pour rien dans ce couple.

Quel que soit l'angle d'approche, elle avait toujours tort. À chaque effort de sa part, elle voyait Vincent se lever et partir au lieu de discuter.

L'adversité galvanisait Muguette. Elle avait su se battre pour tout ce qu'elle possédait, il n'était pas question d'abandonner. Elle sentait que cette maison serait leur planche de salut et, comme elle était persuadée qu'elle était la mieux placée pour s'occuper de leur avenir, elle demanda à l'agent de patienter.

Vendre une maison de campagne en plein mois de janvier étant un tour de force, l'agent n'avait que ça à faire, patienter.

Vincent Côté

Est-ce que je me suis senti coupable de tromper ma femme ? Je pense que non. Et j'essaie d'être honnête. De ne pas me contenter de lieux communs qui sont pratiques quand on veut faire semblant et passer à autre chose.

J'ai trouvé ça compliqué, ennuyeux, pesant à l'occasion, mais je ne me considérais pas comme un ignoble personnage qui profite des femmes.

Je me suis senti lâche de ne pas partir alors que je savais que je n'aimais plus Muguette. Je me suis trouvé idiot, ignorant de ne pas avoir fait la différence entre l'appel des sens et l'amour, mais à ce compte-là, tout le monde est idiot parce que c'est pas mal plus complexe qu'on le croit de discerner les deux choses. Pour tout le monde, pas juste pour les hommes, même si cela arrive plus souvent aux hommes. Je crois que Muguette a confondu aussi. Aujourd'hui, à l'âge que j'ai, avec l'expérience qui est la mienne, je crois que Muguette n'a jamais aimé personne. Elle a essayé. De toutes ses forces. Mais justement, c'était au-dessus de ses forces. Et à cela, on ne peut rien. Muguette s'abîme en elle-même, sa personne l'aspire, et les autres ne deviennent que des échos d'elle-même, ou alors des embûches sur son chemin… vers elle-même.

Le constat est dur, probablement sévère, mais je l'assume. Et je n'ai pas été victime de Muguette. J'ai été aveuglé par mes désirs, ma concupiscence puisqu'il faut l'appeler par son nom. Ce qu'on qualifiait alors de « bas instincts ».

Quand j'ai rencontré Marie-Hélène, ce n'est pas le désir qui m'a chaviré. C'est elle. Sa personne. Le désir est venu confirmer le sentiment. Avec Muguette, le désir a nommé un sentiment qui offrait une sorte de passeport de moralité à un état de choses que j'aurais été incapable de regarder en face.

Je sais, aux yeux d'aujourd'hui, cela paraît inimaginable. Quand je pense que Stéphane pourrait lire ces mots évoquant un concept de moralité qui est totalement évacué de nos jours, j'imagine qu'il aura envie de jeter tout ce délire au feu. Mais il faut revenir à une époque où le sexe était tabou. Caché. Maintenant, il est surexposé. Dans ma jeunesse, il était sous-évalué. Mais en soi, le sexe et le désir sexuel restaient pareils. Aussi puissants et dérangeants.

Sylvain a été élevé après la révolution sexuelle, après la libération des femmes, et pourtant… il n'était pas plus explicite ou plus lucide dans sa gestion de la sexualité. Je ne pense pas révéler un secret en disant qu'il s'est marié parce que Stéphane arrivait. En ce qui me concerne, c'est dans cette réaction surprenante que j'ai compris à quel point cette annonce le réjouissait. C'est facile après coup de dire que c'est l'idée de sa descendance qui l'a gardé en vie. Mais je le crois.

Comme c'est étrange… l'arrivée d'un enfant a poussé Sylvain à se marier, même si ce n'était ni à la mode ni obligé. Et cette même nouvelle m'a empêché de dissoudre mon mariage. Quand mon fils s'est annoncé, je me préparais à quitter ma femme. Je suis resté. Pour mon plus grand bonheur. Comme quoi le bonheur n'inclut pas nécessairement la sexualité, même si elle peut en générer beaucoup. C'est l'amour qui compte. Et mon fils, mon Sylvain, je l'ai aimé. Je l'aime encore, d'ailleurs.

D'un amour pétrifié par son suicide. Un amour criblé de questions, de culpabilité, d'insuffisances redoutées ou avérées. Je n'y échapperai jamais, à cette condamnation. En se tuant, si Sylvain répondait à mes « *inputs* » comme il disait, c'est que mon amour était déficient. J'en suis absolument convaincu. Je me suis montré tellement négligent et futile, je n'ai pas vu à quel point il avait besoin de moi. Comme j'étais là uniquement à cause de lui, je croyais que c'était suffisant pour prouver ma bonne foi et mon attachement.

Mais qu'est-ce qu'il en savait, lui ? Il n'était pas dans la partie conjugale de ma vie, il se débattait dans la partie familiale. Et puisque je voulais quitter sa mère, pourquoi aurait-il tenu mordicus à ce que ça reste comme c'était ?

Les enfants préfèrent la famille unie, dit-on, même si elle est bancale, malsaine ou difficile à supporter. C'est ce que je croyais. C'est aussi pour ne pas perdre une journée de vie avec Sylvain que j'ai renoncé à mon projet de partir.

La culpabilité, la vraie, c'est que je suis porté à croire que Sylvain a souffert autant que moi de la personnalité de sa mère. Ce qui me permet de me délester sur ses épaules à elle du poids de la faute. Si un suicide indique une faute. Si on veut à tout prix trouver un responsable. Une bonne raison. Et Dieu sait si on veut, si on creuse !

Ce que je viens d'écrire est ignoble. La mère de Sylvain, ma femme, a fait ce qu'elle a pu avec ses moyens. C'est peut-être bien humain d'essayer de départager les responsabilités, mais c'est aussi dangereux. La vérité de Sylvain lui appartient. Ce n'est pas à moi de me poser en maître et de la décoder en faisant une distribution des torts. Est-ce que quelqu'un peut se tuer, même si on n'a aucun tort envers lui ? Je le suppose. Mais on a des torts envers Sylvain. Le premier étant de ne pas avoir été heureux et d'avoir escamoté le sujet. Sylvain est né dans un désert conjugal — évidemment qu'on peut copuler sans s'aimer, sa mère et moi, on n'a fait que ça, d'ailleurs — et il a recréé ce désert. Copié le pire portrait conjugal possible. Bon, peut-être que j'exagère, je ne battais pas sa mère, elle ne se droguait pas aux Valium comme tant de femmes désœuvrées de l'époque, nous avions toujours un ton poli, presque courtois, puisque, elle comme moi, nous détestions les scènes.

Mais les scènes étaient là, sous-jacentes, incarnées dans de petites remarques assassines, des allusions anodines qui perçaient l'opacité du silence.

Endurer, supporter, c'est bon pour un ego de martyre, mais c'est du poison pour les enfants. On pousse l'audace jusqu'à leur faire porter la responsabilité de cet arrangement. « Je le fais pour lui. »

J'ai écrit : pour ne pas rater un seul jour de sa vie. Combien de jours ai-je soustrait à sa vie pour combler ce désir égoïste de n'être privé de rien ? Je ne le saurai jamais. Je peux élaborer autant d'hypothèses, de théories que je veux, je peux m'enfoncer dans une culpabilité morbide, je peux m'amuser à tout détruire pour me prouver que je n'ai pas eu tort, la seule vérité, c'est que mon fils n'est plus là, qu'il avait ses raisons et qu'il n'a pas cru bon de nous les communiquer.

Des mois après son geste, j'essaie encore de refiler la culpabilité à quelqu'un d'autre. Nous sommes tous responsables. De n'avoir ni vu ni entendu…

Mais quand j'en arrive là dans ma réflexion, j'aboutis aussi à cette pensée : ce geste est une accusation faite à tous ceux qui ont connu Sylvain. Ce geste proclame que nous n'étions pas assez pour qu'il reste.

Un déni de notre amour.

Une condamnation de nos misérables efforts. Un bulletin à zéro.

Comment être d'accord avec lui et continuer ?

Pour continuer, on doit — je dois — lui donner tort.

Il y a mille façons de considérer le suicide de Sylvain. Il n'y a aucune façon d'y échapper.

Vivant, il ne voulait rien nous imposer.

Il s'est rattrapé par sa sortie.

Oui, je pense que je lui en veux encore. Et je l'aime encore. Même en naissant, cet enfant a provoqué une déchirure dans ma vie. Mais je pouvais vivre avec, grâce à lui. En mourant, il m'a écartelé.

Je vis toujours, mais certains soirs, je cherche mes raisons.

Charlène

T'appelais pas souvent. Presque jamais. T'arrivais, c'est toute. Je l'ai-tu guettée, la porte du bar ! J'étais pas mal accro, mais je t'ai jamais appelé. Je connais ça, les hommes mariés : ça veut rien savoir de toi quand y sont à maison.

Pas toi. T'étais pas de même. Jamais vu un gars marié vivre comme toi. Je sais pas c'était quoi ton contrat avec elle, mais c'était pas le genre de femmes à t'enfermer. Peut-être qu'elle savait s'y prendre, finalement. T'as jamais parlé vraiment de la laisser. J'ai jamais pensé que tu ferais queque chose de même non plus. Sérieux, j'y pensais pas. Je prenais ce que tu me donnais. Elle faisait peut-être pareil de son bord.

Une fois, t'as appelé : tu partais déboguer une compagnie dans le Bas-du-Fleuve. T'en avais pour quatre jours. Je voulais-tu venir ? Devine si je voulais…

La planification pis toi, c'était deux. Le vent virait, ça te tentait, on y allait. Pareil quand ça faisait pus ton affaire. Mais tu t'énervais jamais. On aurait dit que tu pouvais tout contrôler. J'imagine les énervés qui avaient fucké leur système informatique quand y voyaient ton grand six pieds pas énervé arriver. Y devaient se calmer le pompon, pis vite !

On y est allés dans le Bas-du-Fleuve. Pis c'était beau. L'automne dans son *peak*. Le fleuve qui te faisait capoter. Tu m'as réveillée à cinq heures du matin pour aller voir le soleil se lever sur les battures. J'étais en crisse. On gelait. Un vent à t'arracher la face ! Tu riais. Plus j'étais de mauvaise humeur, plus tu riais. Tu m'as pris dans tes bras en me plaçant face au fleuve, t'as mis ta face dans mon cou pis t'as dit de regarder ben comme faut, qu'y a pas une aurore pareille pis que celle-là, elle était pour moi.

Je le sais pas si t'avais commandé un combo, mais on a vu la lune se coucher d'un bord pis le soleil se lever de l'autre. J'ai arrêté de grelotter.

Pis t'avais raison : j'en ai regardé pas mal d'autres aurores, mais jamais ça a été aussi beau que celle-là. Mais y a personne qui s'est collé le long de mon dos pis qu'y a mis sa face dans mon cou comme tu faisais, par exemple.

Une fois, après une de nos baises olympiques, j'ai dit que c'était le cul qui nous tenait ensemble. T'as dit, ben tranquille : « Je pense pas, non. »

J'ai cru que t'allais me faire une de tes pirouettes pour arrêter ça là, mais t'as demandé si c'était pour ça que j'étais avec toi.

T'as ben ri quand j'ai répondu que je courais après le trouble, que j'aimais ça me compliquer la vie.

Charlène

Tu sais-tu quoi ? J'aurais aimé mieux ça que ça soye rien que le cul.

Ça fait moins mal quand le gars se suicide.

Depuis son échec avec la maison de campagne, Muguette avait un goût de fiel dans la bouche. Sa rancœur lui donnait des brûlures d'estomac. Elle partait des journées entières visiter des maisons, des condos, et même des appartements, alors qu'elle savait pertinemment qu'ils n'habiteraient jamais un endroit aussi exigu.

Au bout d'un mois, la démonstration qu'elle ignorait être en train de faire était complétée : rien sur le marché immobilier ne se comparait à la maison dans la Gatineau. Elle évitait le sujet avec son mari, mais guettait l'occasion qui s'offrirait immanquablement si elle faisait preuve de patience.

Quand soudain son beau-père est mort, Muguette a vu ses espoirs s'effondrer. Elle connaissait le sens du devoir de son mari et elle ne doutait pas que sa belle-mère serait beaucoup plus présente dorénavant.

Ce qu'elle n'avait pas vu venir, c'est la déprime de Vincent. À la mort de son père, il s'était écrasé. Muguette n'en croyait pas ses yeux : il se traînait, chipotait dans son assiette sans avaler plus qu'une bouchée, se levait la nuit pour prendre un verre en s'assoyant dans le noir, et se montrait plus que silencieux.

Alors que jamais, pas un seul instant de sa vie, Muguette n'avait envisagé l'éventualité du suicide de son fils, cette pensée la hantait depuis qu'elle voyait son mari s'enfoncer dans la déprime. Le plus étrange, c'est que sa belle-mère tenait le coup beaucoup mieux que Vincent. En coupant court aux nuances, Muguette en conclut que l'amour filial était de loin le plus puissant. Et elle n'avait jamais voulu avoir d'enfant ! Quand ils en avaient discuté, son mari et elle, ils avaient la vie devant eux et tellement de désir que la planification leur semblait superflue. Vincent espérait que la nature ferait son œuvre, et Muguette aidait la nature à rester de son côté en se faisant poser un stérilet. De cette façon, son mari ne s'apercevrait de rien et elle n'aurait pas à débattre de la question. Elle connaissait Vincent, il aurait fallu s'expliquer, inventer des raisons, argumenter… toutes choses qui ennuyaient Muguette. De toute façon, selon elle, cela ne le regardait pas.

Mais devant cette tristesse bien tangible qu'elle n'arrivait pas à atténuer, elle a eu peur de le perdre. En fait, elle le perdait, elle en était convaincue.

En premier lieu, son réflexe avait été de s'allier avec sa belle-mère, de favoriser sa présence, de montrer à Vincent qu'il avait des devoirs envers elle… en espérant que cette conscience s'étendrait jusqu'à sa personne. Mais rien ne semblait tirer Vincent de sa torpeur.

Un jour qu'elle déjeunait avec sa belle-mère, Muguette s'était mise à lui parler de la maison de campagne qu'ils avaient failli acheter. C'était un jour printanier de mars, quand le soleil réchauffe le paysage et donne des envies d'été. Devant l'intérêt de sa belle-mère, Muguette avait organisé une visite. Jamais elle n'aurait cru gagner une telle complice.

Ravie, enchantée, sa belle-mère ne comprenait pas que la chose ne se soit pas faite. Muguette n'avait plus qu'à attendre de voir Vincent expliquer cela à sa mère.

Ce jour de printemps a marqué le début de ce que Muguette appelait dans son cœur la « reconquête de son mari ». Et elle n'a pas ménagé sa peine. Les objections de Vincent ramollissaient. Grâce aux commentaires de sa mère, il avait accepté de visiter la maison et, même si ce n'était pas l'enthousiasme franc, il l'avait qualifiée de charmante. Ce qui dépassait de beaucoup les espoirs de Muguette.

Pourquoi a-t-elle commencé alors à évoquer la possibilité d'un enfant, elle ne saurait le dire, ayant balayé de sa conscience le fait que l'amour filial et surtout le deuil difficile de son mari lui avaient indiqué la route à suivre. Elle constatait que chaque fois qu'elle parlait famille, Vincent l'écoutait un peu.

Leur mariage avait neuf ans, elle se disait qu'un enfant le ressusciterait. Et puis, tisonner les cendres de leur vie conjugale avec cette perspective serait mieux que de supporter l'éloignement et la froideur de son mari.

Dans son esprit, elle offrait une solide perche à l'homme qu'elle aimait. Elle le sauvait en se sacrifiant, puisque l'enfant ne faisait pas partie de ses rêves. Mais quand Vincent serait redevenu lui-même, elle pourrait obtenir ce qu'elle désirait.

Début juin, elle faisait retirer son stérilet. En août, elle était enceinte. L'enfant naîtrait pour leur dixième anniversaire de mariage. Muguette avait vingt-neuf ans et elle se disait qu'à cet âge il lui serait facile de retrouver sa ligne.

L'achat de la maison s'était signé alors qu'elle était enceinte de dix semaines. Les nausées étaient si violentes et si fréquentes qu'elle n'avait même pas pu accompagner Vincent chez le notaire. Mais la maison était la leur. Et Vincent parlait déjà de l'endroit où il installerait la balançoire. Si les désagréments de ce début de grossesse n'avaient pas été aussi contraignants, Muguette aurait été aux anges.

Mélanie-Lyne

Je pense que la *fuck friend* de Stéphane est en train de se faire un chemin vers une autre sorte de relation. Ça fait deux jours qu'il n'est pas rentré. Au moins, il m'appelle pour m'avertir. C'est beaucoup pour moi. À vingt ans, j'étais pas très délicate avec ma famille et je les trouvais tellement arriérés. Mais mon fils pourra pas me faire ce reproche-là. La première fille qu'il a emmenée ici, il avait seize ans. J'ai toujours dit que j'aimais mieux qu'y fasse ça ici, au chaud, sans risque d'être surpris que dans le fond d'une ruelle ou sur un siège de voiture. J'ai le souvenir d'une Volks pas mal étroite... pis je peux pas dire que c'était inoubliable, sauf pour le trouble de s'organiser pour faire notre affaire. Alors, si je peux lui éviter ça, ce sera avec plaisir.

J'imagine ce que ceux qui m'ont élevée penseraient de moi ! De toute façon, je m'en fiche. Je les vois jamais. Je vois plus monsieur Côté qu'eux autres. Lui, par exemple, y me juge pas. En tout cas, s'il le fait, y me le dit pas. Pour plein de gens, Stéphane s'en va tout droit dans le mur, pis c'est moi qui le pousse parce que je l'oblige pas à étudier. J'aime pas mal mieux l'attitude de Vincent Côté. Y est aussi désolé que moi de voir Stéphane partir dans la vie avec un secondaire trois pas fini, mais y garde espoir.

Ma mère… Quand j'ai fait mon cours de coiffeuse, c'était niaiseux, quand je suis devenue gérante du salon, c'était pas pour longtemps… essaye donc d'avoir confiance en toi avec du monde de même ! Ça fait que, mon Stéphane, je crois en lui pis j'y dis. Pis si y m'écoute pas, au moins y écoute son grand-père. Y sait trop comment me prendre, le petit maudit ! Quand y veut de quoi, y lâche pas. Aucun déficit d'attention quand y s'est mis de quoi dans tête. Comment est-ce que je pourrais les croire, avec leurs diagnostics ?

Au salon, en coiffant, j'en entends, des histoires. Pis j'en vois, des parents dépassés pis inquiets. C'est pas toutes des épais, quand même ! Y en a qui ont beaucoup d'allure. Les enfants, on fait pas ce qu'on veut avec. Ma famille devrait comprendre ça : j'ai tellement pas faite ce qu'on me disait de faire. Ma mère, c'est une féministe enragée du temps où tout le monde couchait ensemble. Elle a toujours été ben fière de me dire qu'elle s'est fichée des lois paternalistes en vivant dans une commune pis en couchant avec tout le monde. Le top de sa fierté, c'est de pas savoir exactement c'est qui, mon père. Pis le top de sa honte, c'est de se dire que ça peut pas être le grand acteur qu'on voit à tévé puisque je suis « rien que » coiffeuse. Le gars qui a signé pour me reconnaître, ça a l'air que ça peut pas être lui, mon père. Pis elle, la tarte, elle me sort ça le jour où je lui apprends que je suis enceinte de Sylvain pis que je veux garder le bébé. Aye ! La crise, toi ! Elle a pris rendez-vous pour moi dans une clinique d'avortement. Elle était toute fière de m'expliquer que c'est grâce à elle si on peut le faire aussi facilement. Grâce aux féministes comme elle qui se sont battues. Je me revois assise là, à me demander comment y faire comprendre que je le voulais, mon bébé ! Au moins, la femme qui m'a posé la question a écouté ma réponse. Elle a fermé le dossier, elle a parlé sur un ton sec à ma mère qui s'énervait, et elle m'a donné plein de papiers pour que je sache où aller si j'étais inquiète de l'élever toute seule.

Quand j'ai dit que j'avais un compagnon et qu'il était le père et qu'il n'était pas question de solitude, la femme médecin a regardé ma mère avec des yeux que j'aurais voulu photographier. Je pense que ma mère est venue tellement en maudit qu'elle m'a sorti l'affaire de mon père pour me punir. Pour me montrer qu'on gagnait pas avec elle.

Sylvain capotait ! Y en revenait pas que ma mère aye faite ça. Pour l'avortement, pas pour mon père.

Je le connaissais pas tant que ça, Sylvain. Je savais pas qu'y tiendrait au bébé. Mais là, ce jour-là, y a été très clair : on se marie, on a un enfant qui va s'appeler Côté, pis ça finit là. Tes parents, si y ont de quoi à dire, y viendront me le dire.

Personne y faisait peur. Un peu *bum*, c'est sûr. Pis des fois, inquiétant. Peut-être que je dis ça parce qu'y a fini comme y a fini. Mais c'est surtout que je savais jamais comment y allait réagir. J'arrivais pas à le deviner. Y me surprenait toujours. Je suis pas sûre que je le comprenais non plus. Je veux dire, au fond, je pouvais pas savoir qui il était ou comment il allait. C'est difficile à expliquer. Y était changeant. Y a des affaires qui y faisaient rien, pis moi, ça me faisait *freaker*. Pis d'autres qui l'achalaient, mais moi, je savais pas pourquoi. Comme l'argent. Y en faisait pas mal. Ça marchait fort, son affaire. Toujours la tête dans ses ordinateurs, toujours en train de patenter de quoi. L'argent rentrait, mais lui, y pouvait oublier de payer le loyer ou l'électricité. On a failli se faire mettre dehors ! Y riait. Y avait oublié, c'est tout. Pas grave.

J'ai décidé de prendre le budget de la maison en main. La plupart des gars, y auraient pris ça pour un reproche. Mais pas Sylvain.

Moi, quand y m'a dit que la nuit, c'est lui qui s'occuperait de Stéphane, je l'ai mal pris. Comme un reproche, justement. Sylvain m'a expliqué qu'y passait ses nuits sur l'ordinateur, alors, s'occuper de Stéphane, c'était pas un problème. La première année du bébé, y a pas pris un seul client qui l'aurait obligé à s'en aller. Si tu voulais que Sylvain règle ton problème d'informatique, fallait pas y demander de quitter Montréal. C'était ça ou rien. Y s'en fichait de perdre des clients ou ben de l'argent. « L'informatique, ça mourra pas pis y aura toujours quelqu'un pour fucker le système ! » Pis lui, y savait comment réparer un *fuck* d'informatique.

Peut-être que ses parents qui avaient des moyens le rassuraient pour les finances, mais je pense pas que c'était des accroires, son affaire. Sylvain, y disait jamais de menteries pour te faire plaisir ou pour te rassurer. Genre, pour faire le bon gars. Pas lui, ça. Là-dessus, tu savais où t'allais. Sauf qu'y parlait pas souvent.

Quand notre bébé a eu presque deux ans, Sylvain a recommencé à prendre des clients ailleurs. Ça nous faisait des *breaks*. Y voyait ça de même. Y aimait ça, partir, y aimait ça, revenir. Aussi simple que ça, ça a l'air ! J'ai jamais douté. J'ai jamais vraiment compris non plus. Un peu comme si y vivait tout seul, mais avec nous autres pareil. Je me disais qu'y était pas faite comme moi. Et j'avais Stéphane.

Le bout de temps où j'ai été avec Raynald, y disait tout le temps que Sylvain prenait encore de la place dans ma tête, que même si y était mort, c'était l'homme de ma vie. C'était tellement pas vrai ! Y était important parce que c'était le père de mon fils, parce qu'y a été super correct pis cool avec moi. Mais c'était pas l'homme de ma vie. Au sens où on dit ça d'habitude, j'en ai pas eu. Mais à mon avis et comme je le sens, c'est mon fils, l'homme de ma vie. C'est juste que c'est mon amour. Sans sexualité, évidemment. Mais mon amour quand même. Mon fils, je pense pas qu'un homme puisse venir *toper* ça dans mon cœur.

Si y en a un qui a compris ça, c'est le père de Sylvain. Pis si je lui ai permis de rester dans nos vies, à Stéphane et moi, c'est à cause de ça. Maintenant, vu que mon fils a vingt ans, je le comprends un peu mieux, monsieur Côté.

Quand Sylvain est mort, y a vraiment essayé d'en savoir plus sur nos vies, notre couple, comment on allait. Ça le gênait, mais il les posait quand même, ses questions. Y avait besoin de savoir, de comprendre, qu'y disait. Mais moi, je savais qu'on comprendrait jamais. En tout cas, pas avec ce que je pouvais lui dire. Le mystère de Sylvain, c'est pas moi qui pouvais l'éclairer. Personne pouvait, à mon avis. Pas un ami, personne. Je l'ai aidé comme j'ai pu, monsieur Côté. J'y ai donné les noms, les numéros de téléphone que j'avais.

Mais Sylvain gardait ses secrets. J'étais pas celle qui en savait le plus long. Ça l'a tellement étonné, son père ! Y comprenait pas que j'étais pas jalouse. Curieuse, ou je sais pas trop, que ces cachettes-là m'énervent. Mais Sylvain pis moi, on connaissait nos limites. On en parlait pas, on les respectait. Y aurait eu une autre fille dans sa vie, je l'aurais probablement pas su. Je m'en faisais pas pour ça. Ça me dérangeait pas. On avait Stéphane et c'était notre lien, notre colle pour les morceaux éparpillés. Monsieur Côté a ben essayé d'en savoir un bout sur notre « entente conjugale », comme y disait. Notre histoire sexuelle, quoi !

Y avait pas grand-chose à dire. Sylvain s'est jamais imposé, y me suivait. Ça me tentait ? *Let's go* ! Ça me tentait pas ? Pas grave. Dans ce temps-là, je me doutais pas que c'était rare. Avec Raynald, y fallait s'expliquer, donner des raisons, faire le tour de la question, comme y disait. Là, j'avoue que les silences de Sylvain me manquaient. J'aimais mieux baiser que m'expliquer. Moins long. Raynald était toujours en train de se comparer, pis y finissait en disant que j'avais pas fait mon deuil de Sylvain et que c'était pour ça que ça faisait pas de feu d'artifice, notre affaire.

Je pense que si y avait eu l'équipement de base de Sylvain, le feu aurait peut-être pogné plus vite. Mais je suis pas sûre… je suis pas une bête de sexe, moi. Ça me prend de temps en temps, mais je pense pas toujours à ça. Ça m'obsède pas. Ça me manque pas tant.

Sylvain, lui, y demandait pas mieux. Quand on a fait Stéphane, c'était pas mal intense. Après, quand y est né, j'ai été un grand bout sans vouloir, sans en avoir envie. Pis un jour, ça m'a pris. La face de Sylvain ! « Ah oui ? *Go* ! »

Je le sais ben qu'y s'est amusé ailleurs, l'année où je voulais pas trop coucher avec lui. Parce que ça l'aurait dérangé, sans ça. Mais c'était le genre de gars qui s'arrange avec ses troubles — pas le genre à te faire embarquer dans une thérapie parce que tu viens pas. Peut-être qu'y a toujours été voir ailleurs. Je le sais pas, pis je veux pas le savoir. Nous deux, c'était Stéphane, notre affaire, pas le sexe.

Quand Sylvain est mort, j'en ai eu encore moins envie qu'à la naissance de Stéphane. Un jeûne de trois ans certain, peut-être même plus. Pis après, quand le petit était à l'école, le lundi, quand le salon était fermé, j'ai eu deux, trois histoires. Toujours avec des hommes mariés. Des clients du salon. C'était plus simple pour moi. Mais y en a jamais eu d'aussi beaux que Sylvain. Une chance que c'est avec lui que j'ai fait un petit. Finalement, y avait peut-être raison, Raynald: Sylvain, c'était l'homme de ma vie.

Je pensais pas que ce serait comme ça, que c'était juste ça, cette expression-là.

Vincent Côté

Il y a eu quatre révolutions dans ma vie. La première a été de courte durée, c'est la sexuelle avec Muguette. Comme quoi le sexe, quand il n'est qu'hormonal ou génital, s'avère bien pauvre et bien peu porteur de durée. C'est aussi expéditif qu'une éjaculation. Et aussi urgent.

La deuxième a été amoureuse, et si je ne craignais pas d'avoir l'air d'un vieux radoteur qui laisse ses pensées lubriques exalter ses souvenirs, si je ne craignais pas de dégoûter mon petit-fils, je donnerais des détails et des exemples sur de nombreuses pages. Il est même possible que le plaisir de me remémorer ces instants soit un moteur puissant. Mais, quoique fondamentale, cette révolution restera discrète. Ça a quand même constitué une intense félicité. Un bonheur profond, absolu.

Les troisième et quatrième révolutions pourraient n'avoir qu'un seul prénom : Sylvain.

Mon paradis et mon enfer. Mon enfant et mon tortionnaire.

La fameuse fibre maternelle me semble extrêmement douteuse si je considère le talent de Muguette à être mère.

Apprentissage difficile s'il en fut. Mais, à ma stupéfaction, ma fibre paternelle a été non pas développée, apprise ou importée, mais elle s'est imposée. Pour ne pas dire qu'elle m'a explosé en plein cœur. À partir de l'annonce de la venue de cet enfant, la révolution a eu lieu. J'étais alors un zombie, une caricature d'homme, je me desséchais dans un chagrin d'amour ravageur, et soudain, à l'idée d'avoir engendré, le ciel s'est éclairci et l'espoir est né. Je désirais tellement cet enfant. Garçon ou fille ou les deux, tout me contentait, rien n'altérait mon enthousiasme.

Vraiment, le seul bémol de ces mois d'attente a été l'état de santé de Muguette et ses humeurs changeantes. La guerre des hormones sévissait et son bonheur demeurait bien réservé… s'il existait. Mais je ne veux pas parler de Muguette, je ne veux pas céder à la facilité de brosser un portrait malveillant d'elle — portrait qui laisserait la porte ouverte à une éventuelle faute originelle.

Revenons à cette révolution fondamentale : la naissance de mon fils a signé la naissance du père en moi. Et cela même si je me suis avéré médiocre père — quiconque a un enfant qui se tue portera un jugement semblable. C'est inévitable, même si ce n'est pas toujours exact. Cette fonction, cette relation, cet amour, ce rapport à l'autre m'a changé totalement. Je me suis découvert bâti pour être père.

Un enfant ne fait pas qu'exister, il règne, il exige, il tyrannise même. Autant ces verbes seraient insupportables pour la vie amoureuse, autant ils m'ont semblé prévisibles et même souhaitables pour un enfant. J'ai consenti à mon fils du fond du cœur. Même les ennuis de santé de Muguette à sa naissance m'ont permis de me rapprocher immédiatement de Sylvain, de le materner d'une certaine manière, de prendre toute ma place.

Ai-je exagéré ? Empêché que se crée une complicité mère-enfant essentielle ? Comment le savoir… et à quoi servirait aujourd'hui de le savoir ? Je ne risque pas d'être père de nouveau. La chance que j'ai eue m'a permis de m'extirper de la détresse amoureuse dans laquelle je sombrais. Mais pour m'extirper de la détresse totale dans laquelle m'a jeté le suicide de Sylvain, il n'y avait rien.

Rien.

La dernière révolution de ma vie est survenue le 26 avril 2000. Mais je ne l'ai su que le 27 avril. Et cette apnée, ce temps mort où rien en moi ne m'a crié le danger et l'horreur, me fait douter de ce que j'ai appelé ma fibre paternelle.

Une fois Sylvain enterré, rien n'a plus subsisté du passé. Tout a éclaté en morceaux. La révolution apportée par la mort passe par la mort de quelque chose en soi. Il faut vraiment consentir au temps pour trouver une issue, une sorte de fissure au mur étouffant qui nous emprisonne. Consentir à se perdre. Consentir à perdre ou à avoir perdu. Consentir à passer à travers tous les anéantissements et tenir bon, sans savoir pour qui, pour quoi on tient bon.

On cherche, on s'accable, on pose mille questions, on rejette toute réponse — on voudrait tellement être autre chose que cet impuissant livré à la violence. Parce que c'est d'une telle violence. Parce que c'est inhumain, d'une atrocité innommable. Penser une seconde qu'on aurait pu faire quelque chose, dire un mot, ouvrir les bras, quelque chose pour empêcher le désastre, et les portes de l'enfer s'ouvrent. Et on s'engouffre dans les mille pourquoi qui ne mènent qu'au refus que cette mort nous crache au cœur. Comme si mon fils me hurlait: tu n'y pouvais rien, tu n'étais pas assez pour me retenir. Je choisis ma solution, celle qui t'exclut à jamais, celle qui te nie, celle qui te tuera beaucoup plus lentement et sûrement que ta propre mort.

À partir du 27 avril 2000, j'ai été aspiré dans la noirceur la plus totale, et j'ai traversé le désert le plus aride de ma vie. Mon cœur avait explosé, mais ma tête cherchait frénétiquement une solution, une évasion, une raison de calmer la folie qui s'emparait de moi: trouver pourquoi et tuer la cause. Surtout si c'était moi. Exécuter la cause de la mort de mon fils.

Tout nous revient. Le moindre mot, le rire, le sourire le plus énigmatique, les silences… et on réinterprète tout à la lumière brutale du dernier geste.

J'ai cherché. Comme le malade que j'étais. J'ai cherché. J'ai trouvé tant de fois. Je me suis acharné sur moi, sur sa mère, sur Mélanie, sur ses amis… mais pas sur Stéphane, son fils si petit.

J'ai tellement voulu expliquer, rationaliser, dresser des bilans, les analyser, les forcer à rendre un verdict. Je me suis débattu à m'en rendre fou.

Et puis, j'ai compris.

Qu'il fallait consentir.

Respirer à fond la douleur, ressentir à fond la brûlure de l'abandon, y aller, cesser de me démener pour échapper à ce qui est et sera pour toujours, avec ou sans raison, à ce qui, pour toujours, fera de moi un homme qui connaît son malheur et qui l'admet : Sylvain s'est tué.

Et il n'a pas laissé un mot.

Il n'a appelé personne à l'aide.

Il s'est tué, le soir du 26 avril, dans la maison de son enfance, là où ses parents le trouveraient.

Point.

Charlène

Aye, Shooter, je t'ai-tu dit que j'ai vu ton père ? Beau bonhomme. Trop vieux pour moi quand même, mais beau pareil. Dans le genre monsieur, un peu trop poli. C'est pas un aussi beau petit biscuit que toi, mais c'est pas facile de t'accoter, on s'entend là-dessus.

C'est Éric qui me l'a montré aux funérailles. Premier banc d'en avant. Entouré de deux femmes, mais c'était pas ses deux femmes. Je veux dire y en a une qui était ta mère, pis l'autre qui était la sienne. Ben oui, encore la grande fouine d'Éric qui savait ça, fouille-moi comment. La gueule y arrêtait pas, à Éric. C'était sa façon de pas s'écraser. Y avait un commentaire pour chaque rangée de bancs. Fatigant.

Je l'écoutais pas. Je regardais l'écœuranterie de fleurs sur la belle boîte brillante qui contenait ce qui restait de toi, pis j'essayais de pas fixer ta blonde pis ton petit qui se tenaient à gauche. Pas que j'étais jalouse ou ben, je sais pas, curieuse d'elle. Mais tout le monde qui avait pas la face dans un kleenex les fixait. Dans le genre : c'est qui qu'y a câlissé là ? C'est qui qui va manger sa pelletée de marde parce qu'un grand six pieds est rendu dans une boîte carrée qui fait la grosseur d'un dictionnaire ? Crisse ! Ta photo était plus grande que la boîte ! Ça fesse quand on a connu de quoi t'avais l'air. *Anyway*. À un moment donné, ton petit a profité du silence pour demander ben fort : « Mais y est où, papa ? »

Personne a dit : « Regarde en avant le monsieur en robe qui fait son show de boucane autour d'une boîte. Y est là, papa. Dans boîte. »

Si moi, à vingt-quatre ans, j'étais pas tellement capable de le croire, imagine ton petit bout de cinq ans ! C'tait pas fort, Shooter, pas fort pantoute. L'espace d'une couple d'heures, t'as oublié que t'avais un petit, han ? C'est ça, l'affaire ?

Parce que, si tu y as pensé, c'est encore moins cool. Pis t'étais cool.

Après la question du petit, y a quelqu'un qui s'est mis à chanter. Éric a *tchoké*, y s'est tu, pis après, y a tellement pleuré que j'en étais gênée.

Moi, j'ai pas pleuré. Pas une larme. J'étais trop en crisse. Je voulais pas te donner ça. Je regardais ça d'en arrière de l'église, pis y avait pas grand monde qui pleurait pas. Mais ton père était raide sec. Les deux femmes pleuraient, pleuraient, pis lui, rien. Quand y ont remonté l'allée, y tenait les deux femmes, mais y regardait le monde dans chaque banc, comme pour s'en souvenir. Comme si y cherchait de quoi. Je peux te dire une affaire drette là : ton père en revenait pas. Y le croyait pas. Comme moi.

Je peux pas te dire le nombre de fois que je me suis retournée au bar en entendant la porte s'ouvrir, sûre que ça serait toi. Assez longtemps pour me tanner pis changer de bar. Y a des clients qui se tannent des fois, y reviennent pas. Ben, j'ai faite pareil. Un soir, j'ai fermé, j'ai mis l'alarme pis bye ! J'ai remis ma démission. Ah, je suis encore barmaid, mais ailleurs. Je le sais, c'est pas fort être encore barmaid à mon âge. Pas d'allure. Mais c'est payant, c'est parfait pour mon *beat*, pis je sais rien faire d'autre. Je me vois pas me lever le matin pour rentrer au bureau. Pas pour moi, ce trip-là.

Le soir de tes funérailles, j'm'en suis payé toute une ! Perdu la carte ben raide. Tu me croiras pas : j'ai pas lavé mes draps, je les ai jetés. Ouais ! Les draps où t'es venu baiser avant de te clencher, je voulais plus les voir. J'ai mis les ciseaux dedans. Pis c'était pas pour faire des guenilles. Quand j'ai dessoûlé, le lendemain — ou peut-être ben le surlendemain — j'ai vu le tas dans poubelle.

Ça te donne une idée de mon état d'esprit.

Éric arrêtait pas de chialer en disant qu'y te comprenait, lui, que la vie, ça écœure. Ben j'y ai dit de se fermer la gueule si y voulait me revoir. Parce que si y te comprenait au point de faire comme toi, moi je voulais pus rien savoir de lui.

Je pouvais lui dire ça, à Éric, je le savais qu'y le ferait pas. Y disait ça pour faire l'intéressant. Lui, c'est une brosse de sauna qu'y s'est payée après tes funérailles. On était pas beaux à voir, ni un ni l'autre.

Ton père, je l'ai revu. Je travaillais à l'hôtel, j'étais même plus à la place où je t'ai connu. Y est rentré, y s'est assis au bar et m'a regardée dans les yeux : « Charlène, c'est ça ? Vous étiez une amie de mon fils, je pense. Sylvain Côté. »

Me suis demandé ce qu'y voulait. C'est pas comme si c'était la semaine d'après les funérailles. Ça faisait plus qu'un an que c'était arrivé.

C'était pas dans le genre enquête, plutôt pèlerinage ou je sais pas trop. Y a faite de quoi que j'ai aimé, ton père : y a pris un scotch de qualité, un *single* de dix-huit ans, y m'a demandé si y pouvait m'inviter à souper quand j'aurais congé, pis quand j'ai accepté, y a fini son scotch tranquillement, pis y est parti en laissant un tip correct. Pas trop, tu sais ? Pas dans le genre : je sais ce que tu veux, je vas t'acheter. Non. Un bon tip, pas plus. Pas *cheap* pis pas gros riche qui regarde toute avec des signes de piasses.

Ça m'a faite une bonne impression.

Muguette détestait être enceinte. Les nausées ne diminuaient pas. Comme si son corps se révoltait de l'invasion. Le fameux sentiment de plénitude, de bien-être absolu dont se vantaient les autres femmes lui était totalement inconnu. Une épreuve. Un fardeau de neuf mois.

Le seul bienfait que sa grossesse lui apportait, c'était d'avoir ramené le sourire sur deux visages, celui de son mari et — gain supplémentaire mais qui comptait — celui de sa belle-mère qui s'était mise au tricot.

C'était sa belle-mère qui la secondait pour l'installation de la maison de campagne. Rien ne semblait la décourager : surveiller le plombier ou les peintres la réjouissait, alors que l'odeur de peinture précipitait Muguette aux toilettes. Faire le tour des boutiques d'antiquaires pour dénicher un luminaire, trouver l'électricien qui l'accrocherait, tout cela passionnait sa belle-mère. Elle s'appelait Blanche et son prénom semblait illustrer sa tête neigeuse. Comme elle le disait : « J'ai enfin mérité mon prénom. Quand j'étais jeune, ça faisait oie blanche, mais là, ça fait exactement ce que je vais devenir, une grand-maman toute blanche. »

Elle était parfaite. À tel point que Muguette concluait secrètement que la mort de son mari l'avait en quelque sorte libérée. Qu'elle s'était ouverte, détendue. Vincent n'était pas d'accord, il affirmait que sa mère avait toujours été la même, et Muguette taisait ce qu'elle pensait de son manque d'observation. Ces dernières années, son mari s'était montré plus qu'absent et elle aurait pu se teindre en rousse à petits pois qu'il ne l'aurait pas remarqué. Mais elle savait apprécier le changement d'ambiance dans sa vie familiale et elle ne tenait qu'à une chose: que ça continue, même si c'était au prix de constants désagréments pour elle.

Elle s'inquiétait toutefois de la suite des choses: la nouvelle maison installée, la chambre du bébé fin prête tant en ville qu'à la campagne, Muguette cherchait frénétiquement ce qu'elle pourrait bien faire pour éviter que son mari retombe dans son marasme, une fois la nouveauté de la naissance passée. Elle s'en était ouverte à sa belle-mère, tout en demeurant évasive sur l'ampleur du désastre conjugal qu'elle avait traversé.

En mettant la « mélancolie » de Vincent sur le compte du deuil paternel, elle espérait que Blanche saurait lui expliquer comment éviter certains pièges. À son grand étonnement, la réponse ne concernait pas tant Vincent qu'elle-même. Sa belle-mère ne voyait rien d'anormal à être déprimé après la mort de quelqu'un. Elle comprenait que Muguette — qui connaissait peu son beau-père — n'ait pas éprouvé de chagrin, mais elle estimait que la tristesse faisait partie de la vie, au même titre que la joie. Elle donnait pour exemple que la venue du bébé la réjouissait profondément, mais que la pensée que son mari ne connaîtrait pas son petit-enfant l'attristait. Pour Blanche Côté, la vie était constituée de cycles et Muguette serait bien romantique d'espérer y échapper.

Ce n'était pas la réponse escomptée. Agacée, Muguette avait eu envie de provoquer sa belle-mère, de la déstabiliser. Elle avait annoncé qu'une fois l'enfant né elle projetait d'obtenir une licence d'agent immobilier et de commencer à travailler à son rythme, pas pour le salaire, mais parce qu'elle ne voulait pas passer sa vie à s'occuper d'un mari plus ou moins sensible à ses attentions. Blanche l'avait beaucoup encouragée : l'idée lui paraissait excellente. Elle pourrait s'y consacrer dès que son enfant serait sevré.

C'est ainsi que, après avoir lancé une boutade pour contrarier sa belle-mère, Muguette a finalement choisi un métier.

Vincent ne s'était soucié que d'une seule chose : la présence maternelle auprès de l'enfant. Ce à quoi avait rétorqué Muguette : « Il aura un père, aussi, pas juste une mère ! Pour une fois, tu rentreras à des heures raisonnables et tu t'en occuperas. Il faudra bien que ce soit à mon tour de vivre, un jour ! » Et, effectivement, son tour était venu. À la naissance de Sylvain, l'ordre des priorités de Vincent avait changé du tout au tout. Mais même si Muguette n'était pas bien, même si elle traversait un post-partum pénible, son mari accourait pour une seule personne : leur fils. Il l'entourait, le cajolait, souriait de ses moindres grimaces, et elle aurait pu défaillir à côté, il n'aurait rien vu.

Paradoxalement, le dévouement total de Vincent auprès de leur fils l'irritait encore plus qu'une éventuelle incurie. Un peu comme le changement d'attitude de sa belle-mère lui avait semblé soudain, la sollicitude de son mari était « trop belle pour être vraie ».

En cherchant à régler un problème, elle en avait créé un autre. D'indifférent, son mari était devenu prévenant. Cela aurait dû la satisfaire, mais elle en concevait une inquiétude encore plus grande : cet enfant allait-il lui voler le mari qu'elle venait de récupérer ? Elle avait eu un enfant pour ressusciter un amour, et elle se retrouvait avec un père empressé et un mari toujours aussi peu concerné par elle.

Vincent Côté

Je voulais savoir s'il buvait beaucoup. S'il se droguait. S'il était joyeux ou taciturne. S'il avait le vin triste ou gai. Avec nous, à la maison, il buvait peu. Raisonnable… c'était le bon mot. Ça nous réjouissait, sa mère et moi. Raisonnable, oui, sauf pour les heures passées devant l'ordinateur. Mais c'est silencieux, un écran, surtout avec les écouteurs.

Donc, j'ai été voir cette barmaid, Charlène. Je me suis senti un peu ancien avec mes manières. Elle m'a tutoyé dès sa première phrase, comme si on se connaissait.

Elle est… comment dire ? piquante. Oui, c'est le mot qui me vient. Parfaitement à l'aise, les yeux vifs, plutôt beaux, d'ailleurs, dans un visage plus anodin. Une bouche charnue, mais pas très souriante. C'est sa vitalité, sa présence forte qui m'impressionnait. Directe et pas très bavarde. Les phrases étaient courtes, comme si elle les accompagnait d'un haussement d'épaules. Je ne pense pas que je l'importunais. Elle sait écouter, cette fille. Elle ne pose aucune question et on a quand même envie de parler. Son métier qui veut ça, sans doute.

C'était plusieurs mois après la mort de Sylvain. Le restaurant où je l'ai emmenée était simple et bon.

J'avais rencontré déjà plusieurs amis et connaissances de mon fils. Ma récolte était mince. Tout le monde l'aimait, personne ne se doutait, personne n'en revenait. On m'offrait beaucoup de sympathie et peu de renseignements. Je m'étais imaginé qu'il avait une autre attitude quand il voyait ses amis. Qu'il se laissait aller, qu'il sortait de sa réserve. Pas vraiment. Ou alors, on protégeait cet aspect de sa vie. On ne m'en parlait pas.

Cette jeune femme m'a écouté attentivement. J'ai répété le peu que je savais et ce que je cherchais. Au dessert, au lieu de me parler de lui, elle m'a demandé comment j'étais, moi, à son âge.

Ça m'a scié. Je n'ai rien répondu. Je devais avoir l'air d'un idiot, la bouche ouverte, perdu dans mes calculs. À vingt-neuf ans, Marie-Hélène était dans ma vie. Elle me réveillait le cœur, l'esprit et le corps, et je me sentais béni des dieux. Si mon fils avait pu rencontrer sa Marie-Hélène, peut-être qu'il pourrait m'en parler aujourd'hui. Il serait sûrement là encore.

J'ai balbutié que j'étais très heureux à cet âge-là, que ça n'avait aucun rapport avec mon fils qui n'était pas encore né.

Elle m'écoutait et je sentais son impatience. Elle avait envie de m'envoyer chez le diable, je la sentais trépigner. Pour une fille aussi vive, ça devait exiger beaucoup d'efforts de m'écouter sans répliquer. Je me suis excusé de l'avoir embêtée avec mes histoires.

De tous ceux que j'ai rencontrés, c'est la seule qui a posé la bonne question. Et c'est sorti franc et net, comme si mes excuses l'avaient irritée au plus haut point.

« Qu'est-ce que tu cherches ? Une raison ? Un drame ? Y aimait les shooters après sa bière. Ça te donne-tu queque chose de le savoir ? Si y avait voulu te dire de quoi, y était pas gêné, y te l'aurait dit. Y a rien dit ? Y a rien à chercher. Tu veux quoi ? Passer le reste de ta vie avec une flashlight pour découvrir des bouttes de raisons qu'y t'a cachées ? Bonne chance ! T'as pas fini de trouver ça long. Je me demande ben c'qu'y dirait de te voir faire ça, Sylvain ! »

Que c'est long, comprendre le bon sens… Sortir de sa peine. Je dirais la sortir de soi. La colère, la révolte, l'incrédulité, le remords… c'est vraiment long à liquider. Si cette jeune fille avait mieux connu mon fils, elle aurait eu à se débattre avec les évidences qu'elle me lançait à la figure.

C'est vrai que Sylvain avait agi comme il le voulait. C'est moi qui ne voulais pas que ce soit ce qu'il voulait. Le temps où je fouillais pour débusquer ses raisons « avec ma flashlight », comme elle disait, c'était ce qui me restait pour être encore avec lui. Vivre avec lui. Pour lui. Par procuration peut-être, mais quand même avec lui. Et je me fichais bien que ce soit long. Il fallait que ce soit long. Interminable. Exactement comme ma résistance à accepter. Pas juste qu'il soit mort, mais qu'il ait fait ça.

Pendant deux ans, j'ai été incapable de me souvenir de Sylvain petit. Les souvenirs ne revenaient pas. Comme si la fin annulait le passé. Comme si je n'avais tellement rien vu de ce qui se passait pour lui que ça avait détruit la validité du passé. Mes souvenirs étaient inutiles. Je cherchais à réinventer la totalité de mon fils à travers un seul geste : son dernier. Il fallait absolument que quelque chose se soit mal passé.

Elle avait raison. Je voulais un drame équivalent au drame que sa mort était dans ma vie. Donnant, donnant. Et ça n'avait aucun rapport. Ma peine ne serait jamais la sienne. Il s'était écarté volontairement de toute peine. Il n'avait rien à faire de la mienne.

Quant à ce qu'il aurait dit de me voir me démener comme ça, ridiculement, naïvement… pour la première fois depuis sa mort, j'ai senti que j'étais aussi en colère. Donc, vivant et me débattant pour le rester.

Merci, Charlène.

Après la découverte du corps de son fils, Muguette ne supportait plus rien. Le choc ne passait pas. Terrorisée par le moindre bruit, elle s'enfermait dans sa chambre et refusait d'en sortir. Assister aux funérailles avait constitué sa dernière sortie. Et encore : sous l'emprise de puissants calmants, elle avait à peine conscience de la réalité qui l'entourait. Même la haine féroce qu'elle ressentait pour l'homme qui avait été son mari, elle n'arrivait pas à en discerner la source exacte. Du jour au lendemain, cet homme si peu secourable était devenu son ennemi. Il lui parlait comme à une grande malade et la consultait pour des choses horribles, comme de décider s'il fallait incinérer leur fils. Si elle connaissait sa préférence ! Comment, pourquoi saurait-elle une chose pareille ? Qu'il aille demander à la sans-génie qu'il avait épousée, qu'il aille constater si elle avait une réponse intelligente à une question aussi stupide. Elle voulait qu'il se taise, qu'il quitte sa chambre et la laisse tranquille. Elle ne voulait plus jamais avoir affaire à lui.

La seule présence qu'elle supportait était celle de sa belle-mère. Blanche, terrassée, brisée, ne pouvait refuser de l'aider. D'autant plus que c'est Vincent qui le lui demandait. Sinon, il se serait rongé d'inquiétude, alors qu'il était déjà démoli.

Depuis trois mois, leur vie avait complètement basculé. Vincent habitait l'appartement de sa mère qui, elle, occupait la chambre d'amis chez lui, en prenant soin de Muguette. Vincent avait mis la maison de campagne en vente et il s'apprêtait à aller se perdre dans la forêt et à rénover ce qui était encore une grande cabane de bois sans beaucoup d'aménagements pratiques.

La maison s'est vendue telle quelle, entièrement meublée. Vincent se fichait pas mal de perdre au change. Mais il fallait la vider des effets personnels. L'épreuve lui avait paru colossale. Il avait appelé sa fidèle secrétaire — « Si je peux quoi que ce soit pour vous aider, n'hésitez pas » — et ils avaient trié, jeté et donné pendant des jours. Il avait tellement serré les dents qu'il en avait fait une inflammation des joints temporo-mandibulaires.

Finalement, sa fuite dans la maison au fond des bois ne tenait plus : malgré tout le désir d'isolement qu'il ressentait, Vincent n'avait pas le cœur de laisser le fardeau de Muguette reposer entièrement sur les épaules de sa mère. Elle n'était plus jeune. Deux fois par semaine, il passait la prendre et sortait avec elle. C'était indispensable pour sa santé mentale, Muguette étant presque délirante à l'occasion. Son discours s'égarait entre les époques, elle confondait tout, s'arrêtant soudain pour demander à Blanche si c'était son mari ou son fils qui était mort. Elle avalait des tranquillisants selon son envie et Blanche n'arrivait pas à savoir si cette confusion provenait des médicaments ou d'un désordre mental. Elle racontait tout à son fils. L'état de sa bru la laissait perplexe. Ils passaient beaucoup de temps à déterminer s'il fallait la forcer à voir un spécialiste ou si elle reprendrait pied avec le temps. Pendant ces rencontres, Vincent donnait des nouvelles de Mélanie et de Stéphane. Blanche repartait encouragée parce que son fils, même triste et marqué par l'épreuve, pensait aux autres et s'y intéressait. C'était le pire aspect de Muguette, ce détachement rageur de tout autre sujet que ses problèmes et ses rancœurs.

Blanche n'était pas convaincue qu'une partie du cerveau de Muguette n'avait pas éclaté en trouvant son fils. Sinon, elle ne pouvait pas comprendre pourquoi son petit-fils la laissait indifférente.

Que son mari soit rejeté, accusé du pire, c'était possible. Dans sa vie, Blanche avait vu bien des gens se décharger de leur culpabilité en chargeant l'autre. C'était un vieux réflexe de survie dans bien des couples. Mais que l'enfant de son fils disparaisse des préoccupations de Muguette lui semblait bizarre. En discutant avec elle, en lui montrant des photos, elle se rendait compte que Muguette confondait les deux enfants. Stéphane à quatre ans était Sylvain à quatre ans. Et elle repartait vers sa chambre en disant qu'elle ne voulait pas y penser.

Au bout de six mois, Blanche était épuisée. Les sorties avec Vincent s'étaient multipliées pour lui permettre de tenir le coup, mais elle avait quatre-vingt-deux ans et elle manquait de force pour affronter les crises de sa belle-fille encore capable de se débattre.

Et puis, comme aucune amélioration n'était détectable, il lui semblait qu'il devenait urgent d'amener Muguette consulter un spécialiste plutôt que son généraliste un peu complaisant avec les calmants.

En remettant les pieds dans cette maison qui était la leur, Vincent a ressenti un dur choc. Il n'avait pas revu sa femme depuis quelques mois. L'état des lieux n'était rien à côté de celui de sa femme. Amaigrie, hébétée, les cheveux en bataille, bicolores puisqu'une longue racine blanche s'étirait jusqu'à mi-longueur, Muguette avait l'air d'une itinérante qui aurait échoué dans cette chambre en désordre qui puait la sueur et l'urine.

Elle le regardait s'approcher, un sourire dégoûté aux lèvres.

« Tu viens voir le résultat de tes efforts ? »

Vincent ne comprenait qu'une chose, et c'était qu'il devait consulter, et vite. Rien n'avait été simple. Il fallait trouver quelqu'un qui se rendrait à la maison et qui ne lui ferait pas peur. Si possible, quelqu'un qu'elle connaissait. C'est en faisant des appels qu'il était parvenu à convaincre un vieil ami retraité de reprendre du service auprès de Muguette. Ce psychiatre réputé avait cessé de pratiquer, il donnait des séminaires à l'occasion, mais refusait de prendre des patients. Pour son ami, il avait convenu de passer « prendre le thé » chez eux en prétextant une rencontre avec Blanche, qu'il n'avait pas revue depuis longtemps.

Muguette l'avait reconnu et lui avait demandé de ses nouvelles, poliment. C'était une de ses bonnes journées. Sa coiffure laissait toujours à désirer, mais elle avait fait un effort et elle s'était habillée et surtout, lavée. La conversation sans fluidité demeurait quand même courtoise. Il y avait bien eu un silence soudain quand le médecin avait rappelé à Muguette que sa femme, dont elle s'informait si gentiment, était morte d'un cancer depuis dix ans. Muguette avait alors enchaîné avec des excuses un peu superficielles : son mari avait oublié de le lui dire.

Quand, doucement, le médecin lui avait rappelé qu'elle était venue aux funérailles et que lui avait assisté à celles de leur fils, elle l'avait aimablement fixé sans rien dire.

Un quart d'heure plus tard, elle se levait et annonçait qu'elle venait d'accoucher et qu'elle devait se reposer. En dévisageant le médecin, elle avait ajouté d'un ton posé : « Dites bonjour à votre femme pour moi. » La phrase, ponctuée d'un petit rire moqueur, pouvait passer pour une réplique parfaitement calculée à la rebuffade qu'elle avait subie ou alors un signe patent de démence. Le doute subsistait, mais le médecin n'avait eu aucune hésitation avant de prescrire une cure fermée.

Mélanie-Lyne

Stéphane est enfin revenu. Sans vouloir lui faire des reproches, j'ai quand même dit que je trouvais ça dur quand il s'absentait aussi longtemps. Il avait pas l'air choqué du tout. Mais il a mis son téléphone sur la table et il m'a dit qu'il voulait me parler. J'ai eu peur, sur le coup. C'est rare qu'y lâche son téléphone.

Stéphane veut s'en aller en appartement. Coloc de sa *fuck friend*. Ça y coûterait pas cher parce qu'il s'installerait avec un autre gars, un de ses amis. J'ai demandé qui, pour dire de quoi, pour pas me le mettre à dos en partant.

Je le connais pas.

Finalement, je connais personne : ni la fameuse *fuck friend*, ni celui avec qui il va cohabiter. Je me demande si c'est normal, ça. Si y arrivait de quoi, comment je le saurais, moi ? Comment ça se fait que je fais si peu partie de sa vie alors qu'il est toute la mienne ? J'en revenais pas. J'ai essayé de savoir ce qui lui manquait. Ce que ça prendrait pour qu'y reste. Rien. Je suis parfaite, mais il veut faire sa vie.

Comme si je l'empêchais de faire quoi que ce soit !

J'ai même essayé de lui faire voir que ça serait pas bon pour ses études, que s'il fallait gagner son loyer, il retournerait jamais étudier. Il m'a regardée comme si j'étais une idiote finie: est-ce que je croyais vraiment qu'il irait encore perdre du temps à étudier? Je comprenais pas que c'était plate pis que c'était fini, ce temps-là?

C'est pas quand t'es coiffeuse que tu peux expliquer comment c'est important d'étudier. Même l'exemple de son père, je pouvais pas lui donner. Il a travaillé, il a eu une vraie bonne job, mais il avait pas étudié. En tout cas, pas à l'université. Ça prend un métier, de quoi qu'on aime faire dans vie! Sans ça, on est mal. Y veut quoi? Être emballeur toute sa vie? Comment y va faire?

Je le sais pas si y est rêveur, mais il dit qu'il est en passe de « monter », de passer presque gérant, là où il travaille. Ça veut dire quoi, ça, presque gérant? Gérant emballeur-déballeur? Quelle porte d'avenir ça y fait d'être grand boss déballeur?

« Déconne pas, O.K.? Fais-moi confiance. »

C'est moi qui comprends rien, en plus! Qu'est-ce que je peux répondre à ça? Y sont où, mes raisons d'y faire confiance? Je sais même pas qui y fréquente, si y prend de la drogue, si y en vend. Je sais rien! C'est pas facile de faire confiance quand l'autre dit rien.

Y me fait-tu confiance, lui?

Y a vingt ans, y est majeur, y fait ce qu'y veut. Je peux dire ce que je veux, je peux pas l'empêcher. Y voudrait que ça se passe bien. Y voudrait pas qu'on se fâche pis qu'on s'organise pour que ça soye plate pis qu'y aye pus envie de venir me voir de temps en temps. Est-ce que je peux comprendre ça ?

Ben oui. Ben sûr. Je peux certain. Son père était pareil. Y partait des grands bouts de temps sans me donner le nom de la ville où y allait. Pour le rejoindre, c'était facile, y avait un cellulaire. Quand tout le monde en parlait et que presque personne en avait, Sylvain, lui, y l'avait !

C'est sûr que c'est mon fils, pas mon mari. Mais même si ça fait malade, je vas le dire : ça me fait plus de quoi de voir partir mon Stéphane que Sylvain.

Sylvain, veut, veut pas, y fallait le prendre comme y était. Stéphane, c'est moi qui l'a élevé, c'est moi qui y a montré presque tout ce qu'y a appris. Comment ça se fait que j'ai si mal réussi mon coup ?

Comment ça se fait que j'ai pas réussi à y donner des beaux plans de vie ou ben de carrière ?

Charlène

J'ai quand même faite ma petite enquête : Éric m'a juré qu'y avait jamais rien dit, mais je voulais être certaine que ceux qui savaient avaient fermé leurs gueules.

Sur la gang que j'ai appelée, ton père en avait rencontré cinq. Y a la grande gueule à Simard qui a avoué en avoir « un peu parlé ». Il aurait dit que tu as eu des histoires avec des filles, mais rien de sérieux. C'est sûr qu'y voulait rembourser son souper, lui ! Y avait rien à dire d'autre, Simard, parce que tu y parlais pas vraiment.

Le seul dangereux, c'était Éric. Pis je sais qu'y va garder ça pour lui. Y est mémère, y aime ça, toute savoir, mais y connaît mes limites. Pis mon histoire, est à moi, pis à personne d'autre. Ton père aurait rien à gagner à savoir ça. Je le sais pas ce qu'y cherche, mais je peux pas l'aider. Y peut m'emmener dans toutes les cinq étoiles de la ville, j'ai rien pour lui.

De toute façon, c'est quoi, ça, revenir des mois après la mort de quelqu'un pour savoir ce qu'y pensait, ce qu'y aimait pis avec qui y baisait ? Y vient de se réveiller ? Ça vient de faire *twink* dans sa tête ? Y s'est dit que son gars avait peut-être une vie avant de se tuer ? Si y voulait tchèquer si on t'avait donné une raison de faire ce que t'as faite, ben c'est non. Aucune raison, monsieur. Votre fils est mort bien baisé, bien sucé. Y est mort satisfait. Pas beau, ça ?

Crisse ! Qu'est-ce qu'y avait à venir fouiller dans ma vie, lui ? J'allais ben. J'y pensais presque pus. Han, Shooter ? Me semble que ça faisait un boutte que je te parlais pus ? M'as te dire de quoi : si tu t'étais pas tué en sortant de chez nous, je t'aurais déjà oublié, O.K. ? Tu serais un bon souvenir, parce que t'avais tes qualités, mais tu serais pus dans le décor et tu m'obséderais pus. Pis si jamais t'avais envie de changer de vie, tu pouvais. Ça se fait, fermer la porte. Ça se fait, démissionner, divorcer, décâlisser. Toutes les verbes en « de » se font, tu sauras. Pas obligé de te crisser au bout d'une corde pour te dé-merder !

Si je me fie à ton père pis au temps que ça y a pris pour poser ses questions, tu t'es peut-être tué pour de quoi qui s'est passé ben avant de me connaître.

Ça change-tu de quoi, ça ? Rien pantoute.

L'affaire, c'est que rien peut changer ça. Tu nous as crissés là avec tes problèmes. Ton bonhomme, y fait ce qu'y peut. Tout le monde fait ce qu'y peut. T'aurais pas pu te forcer pis faire un peu mieux que ça ?

Vincent Côté

« Ce sont les six premiers mois qui sont les plus durs. Après, ça se tasse. Faut se méfier de ce qu'on boit. Ça peut débouler pas mal vite. Appelle-moi si t'as besoin. Quand t'as besoin. »

Sur le coup, aux funérailles et juste après, on pense qu'on ne se souviendra de rien, qu'on est dans un état second, un peu là et extraordinairement absent. J'étais tellement sonné et, en même temps, tellement dans un état de panique intérieure, que rien ne semblait m'atteindre. Des phrases comme celles-là, j'en ai des centaines en mémoire. Je ne me souviens pas toujours de qui les a dites, mais les phrases sont là, vissées dans ma tête. Celles-ci, c'est Jean-Pierre qui me les avait dites. Lui, c'est sa femme qui s'est tuée.

Les six premiers mois… c'est là qu'on voit que l'expérience des autres, ça ne nous sert à rien. Que chacun fait comme il peut.

Le plus drôle, c'est que j'ai vraiment fait attention à ma consommation d'alcool pendant les six premiers mois. Après… ça a déboulé, comme il a dit. Jean-Pierre aurait mieux fait de parler d'un an. Le scotch *single malt* hors d'âge.

J'ai énormément mesuré ce que je m'octroyais avant d'aller dormir. Puis, un peu moins. Ce n'était pas pour me soûler. C'était pour relâcher la tension. De « raide comme une barre », je passais à un peu plus détendu. Jamais soûl. Jamais mélangé au point de confondre les dates et les gens. Bel exemple de rigueur, comme dirait Muguette en s'enfilant deux tranquillisants.

Ça non plus, je ne l'ai pas vu venir. L'état mental de Muguette. Le délabrement. Je ne l'ai pas vu pour une raison très simple : je ne voulais pas la prendre en charge.

Finalement, j'ai passé ma vie à fuir ce qui ne me convenait pas au lieu de le dire, de discuter, d'essayer de changer les choses. Ça me coûte moins de militer pour la survie des bélugas que de parler à ma femme de ce qui ne va pas.

Les six premiers mois, ce n'est pas le deuil de Sylvain qui a été difficile, c'est le deuil à vie de ma fausse tranquillité d'esprit. On ramasse tout ce qui se trouvait sous le tapis quand un tel évènement survient. Tout ce qui a été balayé, retardé, évacué, tout cela revient te hanter. Si je veux être honnête — et je ne veux plus que ça, de façon presque obsessive — depuis la naissance de Sylvain, ma femme dérapait. Je ne dis pas, je ne pense pas que ses… comment dire, ses errements ont causé le suicide de notre fils, mais je suis persuadé que l'ambiance était malsaine. Triste. Je le sais parce que c'est ce qui m'a fait m'éloigner de la maison, en fin de compte. Je me suis mis à travailler plus tard, à m'impliquer dans mon association professionnelle, à courir les congrès… et les distractions qu'on y trouve facilement pour peu qu'on ouvre les yeux. Ça demeurait de l'ordre du divertissement passager, de la sexualité agréable et sans conséquence. J'avais eu ma leçon avec Marie-Hélène — je ne voulais plus m'attacher ou cultiver ce dont j'étais dépourvu sans le savoir : le sentiment. Aucun risque que je m'égare, mon corps avançait au radar et jamais je ne me suis approché de quiconque avait une conversation prenante. Aussi humiliant que ce soit à admettre, je cherchais des têtes de linotte qui avaient de l'élan et des attentes raisonnables. Très facile à trouver, malheureusement. Une de mes amies remarquait dernièrement que les « vieux » vont vers des femmes de plus en plus jeunes, malgré tous les sacrifices esthétiques que font les plus âgées (et elle a dit « les vieilles »). Ce n'est pas très compliqué à expliquer : comme ça, on règne en maîtres de la situation et aucune question fondamentale ne viendra troubler notre superbe.

La première année qui a suivi la mort de Sylvain, j'ai été estomaqué de la futilité des gens. Ce qui avait de l'importance, ce dont on discutait, débattait, les inquiétudes, les indignations portaient sur tant d'insignifiances ! C'était monstrueux à mes yeux. Je sentais le navire s'enfoncer et on me parlait de la propreté des toilettes !

Je ne trouvais presque personne qui voyait le monde et ses dérives avec mes yeux. Quand Muguette a été placée en cure fermée, les gens me regardaient comme une victime et ils se disaient que c'était la cause du suicide de Sylvain. Ce n'était pas vrai. Ou alors, seulement en partie vrai. Le suicide de Sylvain a causé le naufrage de ma femme. Ma malhonnêteté a causé une partie de ses problèmes mentaux. Et elle avait sans doute des dispositions. Je suis écœuré de la facilité avec laquelle chacun interprète les comportements humains. Ce n'est pas parce qu'on a lu un livre de « croissance personnelle » sur le « lâcher-prise » qu'on est en mesure de décoder ce qui assure une santé mentale ou la menace. Ce n'est pas parce qu'on a lu *L'Interprétation des rêves* qu'on sait de quoi est fait l'inconscient.

Sylvain a commis un acte désespéré. L'était-il ? Sans doute. Il n'a rien dit, rien écrit, rien laissé pour nous aider à comprendre. Ça signifie peut-être qu'il ne souhaitait pas être deviné, compris ou entendu. Ce qui ne me rend pas moins responsable. De ma vie. De celle des gens qui me sont chers. Ce n'est pas parce que j'ai échoué à discerner ce qui arrivait à mon fils que je suis disqualifié pour toute entreprise humaine. Les grands de ce monde sont parfois de piètres personnes dans l'intimité. On dirait bien qu'on ne peut pas être grand partout et en tout.

Et je ne suis pas en train d'excuser mes insuffisances ou mes torts. J'en ai. Mais me tromper ne peut pas me paralyser. Je donnerais tout ce que j'ai et jusqu'à ma vie pour que Sylvain me dise ce qui lui manquait à ce point. Pour qu'il me fasse des reproches, s'il en a, pour le retrouver un instant et avoir la chance de tendre mes bras vers lui et de lui jurer que rien ne lui fera jamais défaut, surtout pas moi, que rien d'horrible ne lui arrivera qui mérite qu'il se tue.

Mais cet instant est passé. Et mon fils a saisi cet instant de vide pour s'y engouffrer. Ce n'était peut-être même pas une décision comme un coup de tête — une petite faille entre deux continents qui a produit un tsunami dans nos vies. Un moment d'éclipse où la lumière lui a semblé disparue à jamais.

L'instant fatal, comme on dit dans les mauvais scénarios. L'instant de vide absolu qui n'appelle aucune mémoire et qui exige un acte absolu.

Tu ne te souvenais pas de moi, Sylvain. Ni de ton fils, ni de sa mère ou de qui que ce soit qui t'importait. Pendant un instant, plus rien n'a existé et tu t'es précipité dans ce rien.

La seule fois où j'ai pensé à me tuer, le moment où cette idée s'est imposée, une certaine nuit de vide et de totale noirceur, je n'ai pensé qu'à faire cesser l'oppression par une autre oppression.

Plus rien n'existait que l'urgence de faire taire l'oppression.

Les gens auraient dit que c'était à cause de toi, de ma femme, de mon passé. Cette nuit-là, quand je suis rentré, étourdi d'avoir été jusque-là, jusqu'au bord du vide, j'ai au moins su que se tuer pouvait arriver parce que l'occasion se présente — le temps d'une faille.

Tout simplement.

Mélanie-Lyne

J'ai ben failli rater la couleur de ma dernière cliente. J'ai de la misère à me concentrer. Je sais tellement pas quoi faire pour empêcher Stéphane de me laisser. Je veux dire de s'en aller. Y se rend pas compte. Y a pas de base pour partir dans vie. C'est pas que j'ai pas essayé, c'est qu'il est pas intéressé.

Là, son père me manque ! Y saurait quoi faire, lui. Y est même passé par là : pas gros d'études mais une vraie job, pis un vrai succès. Pas des histoires d'avancement d'assistant-gérant. Propriétaire. Président-directeur général de sa business à vingt-sept ans. O.K., son père avait allongé une couple de mille... peut-être de dizaines de mille pour la partir, sa business, mais Sylvain l'a remboursé en dedans d'un an. Ça marchait pas, ça courait ! Faut dire que le maudit bogue de l'an 2000, ça faisait peur à ben du monde. Quand un gars connaissait ça comme Sylvain, c'est pas ses diplômes qu'on y demandait, mais « Arrange-moi ça pour que toute pète pas entre 1999 et 2000 ! » C'était comme une épidémie : tout le monde voulait un *backup*. Ça le faisait ben rire, mon Sylvain. Y voulait appeler la compagnie « Backup ». Finalement, c'était juste un numéro. Y était trop occupé pour trouver un nom. Je pense qu'y a faite le tour du Québec dix fois, en 1999. Y était jamais là, toujours parti déboguer quelqu'un ou ben *padder* quelqu'un d'autre.

Moi, je dis que ce qui est arrivé, c'est à cause du surmenage. On a beau être jeune, travailler de même, pas dormir plus que trois heures par nuit, ça épuise. Y était jamais fatigué, mais c'est pas parce qu'il le savait pas que ça veut dire qu'il l'était pas. Quand y rentrait, y se mettait à zigonner dans les ordis qui faisaient des piles partout dans l'atelier. Y voulait engager quelqu'un pour la maintenance, mais y en avait pas d'aussi calé que lui. Le dernier, je pense qu'y a travaillé trois jours avant que Sylvain le mette dehors. Y était tellement en maudit ! Y gueulait contre lui. Y avait pas moyen de comprendre ce que l'autre avait fait, juste qu'y avait « fucké l'ordi à vie » ! J'aurais pas voulu être à la place du petit gars. Disons qu'y a pas demandé son 4 %.

Ben ton fils est en train de fucker de quoi à vie, lui aussi. Sa vie pis la mienne, parce que si ça marche pas pour lui, je pourrai pas être bien.

Des fois, je trouve ça dur d'être toute seule pour toute régler. Élever un gars toute seule, c'est pire que le salon de coiffure dans le temps des fêtes. Bon, je suis pas la première à qui ça arrive, pis c'est ben ce que je m'enlignais pour faire quand j'suis tombée enceinte. Alors, je me plaindrai pas. Je vais appeler monsieur Côté, qui va m'aider comme il l'a toujours fait. C'est pas donné à tout le monde d'avoir un beau-père aussi aidant. J'en connais pas d'autres qui auraient fait ça. Pas mes parents, certain ! Surtout pas le gars qui a faite semblant d'être mon père non plus. Gros épais ! Quand je pense que j'ai passé ma vie à l'appeler « papa » pis que c'était même pas lui ! C'est comme de se faire dire qu'on est adoptée, ça. Je sais pas pourquoi ma mère s'est pas faite avorter. Ça devait y tenter d'essayer ça, avoir un petit. Elle devait être rendue là dans son « cheminement ». Le pot, le hasch, la commune, les couchettes en gang, le LSD pis accoucher. Encore chanceuse que je soye normale. Quand tu sais même pas avec qui tu fais un petit, quand t'as proche quarante ans, disons que ça s'appelle prendre des chances. Mais c'est ça qu'elle a fait toute sa vie, ma trippeuse de mère. Pis là, ben, est rendue raide maigre parce qu'elle mange rien que de l'herbe consacrée par je sais pas quel maudit shaman.

Je remercierai jamais assez monsieur Côté de m'avoir pris comme j'étais, sans me juger pis me condamner. Y aurait pu me regarder de haut. Il l'a jamais fait. Pis Stéphane peut se vanter d'avoir un grand-père fantastique pis aidant.

Oui, je vais l'appeler. Ça va me faire du bien de parler avec lui.

Quand Blanche s'était assise près d'elle et lui avait parlé de se faire soigner, de se rendre dans une clinique où on l'entourerait, Muguette s'était sentie à la fois trahie et soulagée. Au fond d'elle-même, dans cette dérive paniquée et haineuse qu'elle combattait sans énergie, comme dans les pires cauchemars, elle aspirait à une pause. La voix calme, amicale de Blanche la rassurait. Ce qu'elle proposait semblait envisageable. Au point où elle en était, Muguette ne jonglait plus avec beaucoup de solutions, elle fuyait et ses forces la lâchaient. Elle n'avait plus que celle d'identifier ses ennemis. Et Blanche n'en était pas une.

Malheureusement, elle ne pouvait conduire sa bru toute seule à l'endroit où elle se reposerait. En voyant Vincent, Muguette avait refusé de se mettre en danger en acceptant de l'accompagner. Malgré la présence de sa belle-mère, elle s'était débattue et avait obtenu gain de cause : Vincent était parti et elles avaient pris un taxi.

Muguette n'aurait pas su expliquer en quoi son mari la répugnait, mais dans l'état où elle était, la perspective de l'avoir près d'elle signifiait un péril imminent. Vincent possédait un pouvoir occulte sur son esprit : il provoquait une panique épouvantable et, même si elle en ignorait les causes, elle savait qu'il fallait fuir, ne pas le laisser s'approcher.

Le 15 juillet 2000, Muguette entrait dans une clinique aux murs pastel et, dans son souvenir, les contours de tout ce qu'elle regardait étaient flous, cotonneux, et les sons lointains.

De mémoire, la traversée des nuages avait duré longtemps.

Elle éprouvait un certain confort à s'abandonner aux soins qu'on lui prodiguait, à être prise en charge, à cesser de courir pour fuir. Mais jamais dans son esprit nébuleux, la petite lumière d'urgence n'a cessé de clignoter. Dans toute cette détente forcée, jamais Muguette n'a totalement baissé la garde : elle demeurait la seule personne qui pouvait la sauver et la prémunir contre l'horreur, elle en était persuadée. Et ce n'est pas parce qu'elle ne pouvait la décrire que l'horreur était moins réelle ou menaçante.

Le jour où elle est sortie de ce faux éden, Muguette pouvait nommer l'horreur. Il lui restait à apprendre à composer avec elle. Amputée de sa joie de vivre, calme, posée, elle avait un long chemin devant elle et peu d'espoir de parvenir à le parcourir.

Blanche l'attendait dans le hall. La longue écharpe de cachemire dont elle avait entouré ses épaules sentait doux et bon. Et elle l'a tenue dans le réconfort de sa chaleur en ce jour d'automne frisquet.

Mélanie-Lyne

Monsieur Côté dit qu'on peut rien faire ! Rien. Que Stéphane est en âge de décider pour lui-même, pour sa vie.

Y a beau dire qu'y me comprend d'être inquiète, de pas trouver que c'est bon pour lui, rien n'empêche que c'est sa décision et qu'il a l'âge de la prendre. Il dit qu'il faut la respecter. Que c'est le meilleur moyen pour que Stéphane me fasse confiance et revienne vers moi quand ça marchera plus, son affaire.

Y est bon, lui ! Y sait pas pantoute dans quel état ça me met ! Attendre ! Attendre quoi ? Qu'y aille pas bien du tout, qu'y le dise à personne pis que je me retrouve avec un autre accident sur les bras ? Pas envie qu'y finisse comme son père, moi ! J'ai pas passé ma vie à le protéger pour le voir se tuer parce que j'ai été patiente. Pas question !

Y s'en souvient peut-être pas, monsieur Côté, mais sa belle compréhension pis son respect, ça y a rien donné à son gars à lui. Il l'a pas appelé, y a quinze ans.

J'ai pas eu besoin d'y dire, je pense qu'y m'a vue le penser. Y s'est mis à m'expliquer que Stéphane, c'était pas Sylvain. Que le contexte est différent. Qu'y faut pas avoir peur. C'est-tu ça que je voulais entendre, moi ?

Non. Je voulais qu'il lui parle, à Stéphane, qu'il lui dise que sa vraie bonne chance dans vie, c'était de rester encore avec moi, de prendre des cours du soir si y veut absolument gagner de l'argent dans son entrepôt le jour, pis de décider quel métier y veut faire dans vie.

M'as y en faire de la patience, moi ! C'est pas tellement respectable de s'installer avec une *fuck friend* pis un autre gars pour faire des cochonneries que je peux même pas imaginer, tellement c'est pété. Ma mère le comprendrait peut-être, mais pas moi.

Pis je veux pas qu'y ressemble à ma mère. Ça serait ben le boutte de toute !

Ni à son père ni à ma mère — c'est-tu trop demander, ça ?

Je sais pas si son grand-père y a parlé, je sais pas ce qui s'est dit, mais le résultat est ben plate : y part.

Je me suis énervée. J'ai dit à Stéphane qu'y avait pas d'allure, qu'y pouvait pas me faire ça, qu'y avait pas le droit après tout ce que j'avais fait pour lui. Ben oui, la scène, la grosse maudite scène qu'y faut pas faire, je l'ai faite. Pis ça l'a pas empêché de partir. Au contraire. Y est parti encore plus vite. Y a laissé plein de t-shirts pis de vêtements dans ses tiroirs. Quand je l'ai appelé pour y dire, il m'a répondu de les donner, qu'y mettait pus ça.

Comment je me suis sentie, moi, quand y m'a dit qu'y s'habillait pus de même ?

Comme une vieille guenille qu'on jette.

Charlène

Y est tenace, ton père, han ? Quand y a une idée dans tête, lui, il l'a pas ailleurs !

Y est revenu. Pas pour me parler, pour prendre un scotch.

Je peux-tu l'empêcher de prendre un verre au bar d'un hôtel chic ? C'est ça. J'y sers son scotch, il me demande poliment si ça me dérange qu'y reste au bar. Je lui dis que c'est un endroit public qui est même faite exactement pour ça, pis y rit.

C'est là, quand il rit, que je vois que c'est ton père. Quelque chose dans la bouche, ou dans les dents. Je sais pas trop. Je m'en retourne à l'autre bout du bar, je veux pas voir ça.

Y m'a pus jamais posé une seule question sur toi. Comme si le travail, ça se mêlait pas avec le reste. Je suis pas folle, il vient pour en savoir plus. Pour se fourrer le nez où y a pas d'affaire.

Pourquoi y veut savoir avec qui tu t'envoyais en l'air pis si c'était le fun, par exemple, ça me dépasse ! Bon, quand ton gars est vivant pis que tu trouves que c'est pas *safe* pour la famille, je peux toujours comprendre. Mais là… on peut pas dire que ça menace de quoi. Si y a une chose, c'est que ta femme est super protégée contre l'adultère, à l'heure qu'il est ! Les morts, ça baise pas.

Si y s'imagine qu'il peut s'essayer sur moi, y est dans le champ pas à peu près. Aye, y doit avoir dans les soixante-cinq ans ! Je suis pas un organisme de charité, moi. Pis je baise pas pour de l'argent. Ni pour faire plaisir à l'autre. C'est personnel, baiser. Privé.

Je dis ça, mais c'est pas vrai : y s'essaye pas. Je les connais, les vieux qui viennent rôder pour du cul. Y te font comprendre qu'ils ont du cash pis une chambre dans le boutte des étages où ça prend une carte spéciale si tu veux que l'ascenseur t'amène. Sont toutes pareils : y boivent trop pis y tipent trop. J'ai rien contre les tips, remarque, mais à un moment donné, ça devient gênant pour le bonhomme. Pas pour moi. Moi, je sais que je suis pas de même. Lui, y sait pas qu'y a l'air d'un pauvre gars qui veut essayer sa petite pilule bleue. Ils payent des deux bords, les gros pleins : la fille pour baiser pis la pilule pour bander. Fait pas pitié, ça ? Faut vouloir se mettre, han ? Ou se prouver de quoi en se mettant…

Mais pas ton père, je te rassure. En tout cas, pas avec moi, pis pas à mon bar. Y a pas l'œil qui tchèque, tu sais ? Pas l'air de se chercher un plan pour la nuit. Y prend son scotch. Y le boit pas en sauvage. Il déguste. Il garde sa place, y a même pas l'air de me surveiller du coin de l'œil.

Alors, qu'est-ce qu'il veut ? Je sais pas.

Disons que c'est dans mon bar qu'y a envie de prendre un scotch. Un seul. Un bon, mais pas deux.

Pis y part en disant : « Merci, Charlène. Bonne soirée. »

Ouain, y a de la classe, ton père, mon Shooter. De la grosse classe. Pis y saura jamais comme y te ressemble quand il rit.

Le premier Noël sans Sylvain, Muguette ne voulait pas le passer à Montréal. Trop de souvenirs. Elle venait à peine de se rétablir, sa médication était encore lourde, elle voulait être n'importe où sauf un endroit où elle avait déjà mis les pieds. Peu importe le climat ou le prix.

C'est ainsi qu'elle a décidé de réserver un « tout compris » dans les îles Vierges. Quand Blanche a refusé de l'accompagner, sous prétexte qu'elle ne pouvait laisser son fils seul à Montréal, même s'il ne réclamait pas sa présence, Muguette en a été agacée, puis troublée. Dans son esprit, Blanche était passée du statut de belle-mère à celui d'amie. Mais la réalité demeurait la même : Vincent était son fils, Sylvain, son petit-fils. Et c'était aussi leur premier Noël sans lui. Muguette avait complètement évacué de sa conscience le lien parental. Jamais sa belle-mère ne nommait Vincent ou ne faisait allusion à lui ou à Sylvain. Elle collait au discours de Muguette, elle ne le menait que rarement. La seule fois où ça avait été le cas et dont Muguette se souvenait, c'était cette conversation avant qu'elle n'entre en cure.

Alors, quand Muguette a longuement considéré Blanche en silence avant de lui demander comment elle allait, et si elle pouvait passer Noël sans trop de mal tout en demeurant à Montréal, sa belle-mère a eu beaucoup de peine à retenir ses larmes. Enfin, un signe d'amélioration ! Enfin, Muguette sortait de son cercle vicieux et tenait compte d'une autre personne qu'elle-même et d'émotions autres que celles qu'elle éprouvait.

Depuis sept mois, Blanche avait l'impression de ramer à contre-courant dans une embarcation bien frêle pour le genre de tempêtes qu'elle affrontait. Elle remettait son jugement en cause presque chaque jour. Ce qui arrivait dans sa vie depuis sept mois la dépassait. Rien ne pouvait la préparer au drame de la mort de Sylvain. Le déchirement du couple de son fils, la violence de Muguette, sa hargne, son acharnement à l'égard de Vincent lui laissaient entrevoir les lambeaux d'un mariage raté qu'elle n'avait jamais soupçonné. Sa présence auprès de cette femme brisée et haineuse, elle l'avait offerte pour soulager son fils. Elle ne voulait pas qu'il subisse ces assauts démesurés. Il se débattait pour survivre, et le mettre à l'abri des fureurs de Muguette lui avait semblé la bonne solution. Quand, trente ans plus tôt, son mari était mort, sa belle-fille avait été d'un grand secours. Elle l'avait prise sous son aile, le temps qu'elle retrouve son équilibre et son erre d'aller. Une certaine complicité était née à ce moment-là et Blanche savait qu'en aidant à meubler et à organiser la maison de campagne ses liens s'étaient resserrés avec sa bru. Mais ce n'était pas quelqu'un de facile à aimer. Changeante, instable, Muguette avait une fragilité violente. Blanche n'avait jamais connu quelqu'un d'aussi compliqué. En une heure, sans raison apparente, son humeur basculait et passait de joyeuse à aigre. Les méandres d'un tel esprit lui échappaient totalement. Alors que Blanche savait toujours ce que seraient les réactions de son fils, elle était sans filet devant Muguette. Et cet aspect de sa personnalité avait empiré quand elle avait été enceinte de Sylvain. À tel point que les sautes d'humeur de Muguette étaient devenues des sujets d'inquiétude pour tout le monde. Personne ne savait comment la prendre. C'était chaque fois un quitte ou double. Et Blanche n'était pas joueuse. Malgré ces aspects rébarbatifs, la naissance de Sylvain avait été une joie profonde dans sa vie.

Les premières années où Muguette se débattait avec une sorte de dépression, Vincent et elle avaient pris le relais. Sylvain avait toujours été un enfant enjoué et déterminé. Il décidait de tout. Même avant de parler, il pouvait refuser quelque chose en se détournant et en repoussant l'offre avec vigueur. « Non » avait d'ailleurs été son premier mot. Un non clair, ferme et sans appel. Ils avaient tous trouvé cela très drôle. Ensuite était venu « papa », et Blanche priait pour que « maman » suive de près. Mais c'est « Ban » qui était venu, « Ban » pour grand-maman et Blanche… que tout le monde a fait semblant d'interpréter comme « maman ». Ces efforts pour rapprocher les sons ressemblaient à ceux qu'ils faisaient pour rapprocher Muguette et son bébé. Elle était perdue, absente, il fallait attendre que cela revienne. Même son mari l'agaçait. Pourtant, il se montrait si présent, dévoué. Jamais Blanche n'aurait imaginé qu'un enfant attendrirait autant son fils. Ni que ce même enfant refroidirait autant sa mère. Mais elle n'était pas froide. Elle était mal dans sa peau, mal dans son rôle, mal dans sa vie, voilà ce que pensait Blanche. Et le jeu des hormones aggravait les choses. L'équilibre, ce cadeau distribué de façon bien arbitraire par la nature, était malheureusement absent du caractère de Muguette. Une fois compris cet aspect maladif de sa belle-fille, Blanche avait eu plus de patience avec elle. En fait, elle éprouvait de la pitié. Pas du tout une pitié condescendante, mais un véritable sentiment d'affection désolée, une sympathie impuissante.

Bien sûr, elle s'était posé beaucoup de questions sur les conséquences d'une telle fragilité sur son petit-fils. Mais toute sa vie, et ce, depuis sa petite enfance, Sylvain avait été quelqu'un de vif et de sauvagement indépendant. Un rieur, un batailleur et un intrépide. Une fusée qui traverse le firmament et qui va où elle veut bien aller. Incontrôlable dans son élan. Son autonomie était non seulement exigée de façon tonitruante, mais elle était incontestable.

Sylvain avait traversé leur vie à sa façon, et il les avait quittés à sa façon. Sans discussion. Arrangez-vous avec moi.

Le tempérament de cet enfant dépassait largement les compétences de sa grand-mère. Contrairement à sa mère, il ne souhaitait pas être compris ou qu'on s'attendrisse sur lui, il voulait agir, prendre ses risques et foncer. Dès qu'on l'ennuyait, il laissait tomber et allait voir ailleurs, jouer à autre chose. Et, contrairement à sa mère, il ne boudait jamais.

Pour Blanche, rien chez Sylvain ne le prédisposait à un tel geste ultime. C'était un émotif sans colère. Un charmeur qui se fichait un peu des gens qu'il séduisait. Une grande stabilité apparente, une solidité même, et en même temps une sorte de détachement qui laissait entendre que tout se valait sans distinction.

Blanche se souvenait qu'à la maternelle il avait un succès fou. Son entrain était magnétique. Un jour, alors qu'elle le ramenait à la maison, il lui avait expliqué que deux filles voulaient être sa petite amie. Choix difficile ? avait-elle demandé. Il l'avait regardée sans comprendre : « Pas obligé de choisir. J'aime ça. Pis les deux veulent. »

Elle n'avait pas poussé son enquête pour savoir exactement si les deux le voulaient ou si elles acceptaient d'être deux sur les rangs. Chose certaine, devant l'abondance, Sylvain ne penchait pas vers l'austérité. Ce qu'on lui offrait, il le prenait sans s'embêter. Rien n'était raisonnable chez lui. C'était son charme. Et sans doute son danger. Quand tout se vaut, comment faire un choix éclairé ? Mais quand rien ne vaut rien, comme pour Muguette, comment échapper à la déprime ? Quoique, en y réfléchissant, Blanche n'est pas persuadée que les excès de sa belle-fille ne sont pas plutôt une sorte d'intensité ajoutée qui a pour résultat que rien n'est simple ou dénué de tragique.

Si elle n'avait pas connu Muguette d'aussi près, elle n'aurait jamais pu comprendre à quel point le pouvoir des êtres humains est limité. Contrairement à son petit-fils, elle savait qu'elle devait choisir ses combats non pas en fonction de ses seuls principes, mais aussi de ses forces.

Cela lui a permis de passer les fêtes avec Vincent et avec des amies veuves qu'elle n'avait pu revoir depuis avril.

En s'assoyant dans son divan, le 31 décembre au soir, elle a eu une pensée douce pour son mari. Il était mort depuis trente ans, mais c'est lui qui lui avait montré le chemin de la tolérance. Et celui du dévouement. Pas le côté dame patronnesse, mais plutôt la main tendue à ceux qui traversent un moment pénible.

À sa façon, Muguette lui avait un jour tendu la main.

Peut-être que le mieux qu'elle pouvait faire pour ce petit-fils disparu trop tôt, c'était de prendre soin des parents qu'il avait désespérés.

Sylvain, elle laissait son mari s'en charger dans l'au-delà.

Charlène

Il les a pris vite, ses habitudes, ton père. Le lundi soir, c'est certain. Des fois, pas tout le temps, il se montre aussi le mercredi. Jamais après. À partir du jeudi, c'est comme trop de monde pour lui. Trop de bruit.

La place au bout du bar est devenue la sienne tout de suite. Y a des clients de même, jamais ils s'assoient ailleurs, jamais y essayent seulement. Ça leur prend leur coin.

Quand ton père prend un Cardhu, ça veut dire une demi-heure, une heure max. Quand y commande un Talisker, un Macallan ou un Lagavulin, là y reste un bon bout de temps. Il m'a plus jamais achalée avec ses questions. Bizarre, non ? On dirait presque qu'y est bien au bout du bar, dans son coin.

C'est moi la première qui y a parlé. Capoté, han ? On aurait pas dit ça. Mais au bout de trois, quatre lundis, j'ai compris qu'y serait pas achalant. Ton père a jamais pris de shooter. C'est pas un énervé comme toi. Ça presse pas, l'effet, avec lui. Y est pas toujours en train de rusher.

C'est sûr qu'à son âge on a moins de quoi à faire.

Une fois, y m'a parlé qu'y rénovait une maison dans le fond du bois. Y avait un gros *plaster* sur le pouce. J'y ai demandé si le chien l'avait mordu. Y a encore ri comme je m'habitue pas de le voir rire. Avec ton air.

Y m'a expliqué ce qu'y faisait. Savais-tu qu'y peut partir dans le bois pis marcher deux, trois heures ? Savais-tu ça qu'y reconnaît les oiseaux avant qu'y chantent, juste à leur façon de voler ?

Il dit que la structure est terminée, le gros poêle à bois qui chauffe la place est installé. Y pensait faire des pièces, mais y aime mieux tout ouvert. Même le bain, il l'a pas caché avec des murs.

Je lui ai dit que c'était parce qu'il était pas bon avec le marteau, pas parce qu'y avait pas d'ambition.

J'aime ça, le faire rire. Ça me fait de quoi quand y rit.

Y dit qu'y fera pas de pièces parce qu'y veut personne dans sa maison.

Gages-tu que si t'étais pas mort, t'aurais été le premier invité ?

Pis t'aurais aimé ça.

Vincent Côté

Parmi tous ceux qui ont connu mon fils, Éric me semble le plus proche. Son évidente homosexualité, absolument peu discrète, m'a un peu dérouté au début. Je me suis même demandé s'il y avait eu une attirance possible pour Sylvain. Encore cette manie de vouloir expliquer ! De vouloir à tout prix cerner le problème. Et même trouver un problème. Que j'ai du mal à me rentrer dans la tête que ça ne peut pas amoindrir ma perte d'en connaître la cause exacte !

J'ai lu — ou plutôt essayé de lire — un livre ne contenant que les mots laissés par des suicidés. Je ne sais pas pourquoi j'ai fait ça. Mais au bout de dix pages, j'étais furieux de constater l'orgueil et l'égocentrisme de ces gens. L'effet était désolant, comme si chacun affirmait que son impression était la bonne et qu'elle justifiait son geste. Même quand ils s'excusaient, on ne sentait pas un réel intérêt pour ceux qui allaient se débattre avec leur décision. Obnubilés par eux-mêmes, par leur nombril, leur problème. Je n'étais sans doute pas en mesure de comprendre quoi que ce soit à ce livre. Ou alors, je voulais à tout prix excuser le fait que Sylvain n'a laissé aucun mot.

Je vais écrire une chose idiote: s'il avait pris la peine d'écrire, il aurait mis tellement de temps à corriger ses fautes qu'il ne serait pas passé à l'action.

Mais ce n'est pas vrai. Sylvain ne se relisait pas. Il passait justement à l'action, à autre chose. Le temps que sa mère a mis pour lui inculquer la patience! Et l'orthographe... qui demande de la patience. Ça n'a jamais été facile pour lui, l'école. Il adorait découvrir, il détestait s'appliquer. Pourtant, sur ses ordinateurs, quand un problème subsistait, il ne renonçait pas. Tant que ça se trouvait dans un engin appelé ordinateur, il s'obstinait jusqu'à obtenir gain de cause.

L'aventure, l'imprévu, voilà ce qui l'intéressait. Si tous les ordinateurs avaient eu le même problème, il les aurait lâchés, c'est ce que dit Éric. Et ça me semble cohérent avec ce que je sais de mon fils.

Il ne parlait jamais de lui, de son enfance, de nous, ses parents, ou même de Mélanie. Il trippait sur des niaiseries comme les nouveautés électroniques, certains jeux trop compliqués pour Éric — selon ses dires — et l'idée d'inventer quelque chose. « Penses-tu que je vais réparer des ordis toute ma vie? Y a plus grand-chose de surprenant là-dedans. » Ça, c'est la phrase la plus proche du découragement qu'Éric lui a entendu dire. Lui aussi, il cherche la raison. J'ai même failli lui sortir la phrase de Charlène! Aussi étonnant que cela puisse paraître, elle n'a pas tort, cette fille: qu'est-ce qu'il penserait de cela, Sylvain? De nous voir fouiller dans ses raisons comme on le ferait dans ses tiroirs secrets? Ma réponse a été pas mal proche de ma réaction à la lecture des mots d'adieu: il s'en ficherait. C'est ça, mon problème: il s'en fichait et il s'en ficherait. Il ne s'est pas tué pour dire « Vous avez fait une erreur ». Il s'est tué parce qu'il a oublié qu'on existait. Qu'on était là.

Il l'a oublié.

Et notre cri : comment as-tu pu nous oublier ? est aussi égocentrique que le fait de nous oublier.

Ça pèse pas lourd, l'amour.

Après sa mort, j'ai failli perdre aussi Muguette. Je ne parle pas de notre couple qui était fini depuis longtemps. Je parle de sa vie. Quand quelqu'un perd la carte, le poème de Rimbaud *Le Bateau ivre* devient saisissant. Elle sombrait. Il n'y avait plus que ses voix intérieures qui comptaient. Ses voix déchaînées contre moi. Sa virulence dépassait de beaucoup ce que Sylvain a fait. Le lien avec la mort de Sylvain était ténu. Les racines étaient profondes. Je ne pense pas que les racines de la haine soient dans l'amour, ou même proches de l'amour. Je pense que ça a à voir avec l'ego, ce qu'on pense de soi, ce qu'on estime être soi. J'ai eu peur que Muguette se tue. Elle se tuait. Jusqu'à son entrée en clinique, elle se tuait. Elle était très dangereuse. Et même si je ne l'aimais plus, même si je ne pouvais plus l'aimer depuis longtemps, sa haine me permettait de me supporter. Sa haine envers moi, je la comprenais, et elle me faisait du bien parce que je la partageais. J'étais d'accord. On devait me haïr comme elle me haïssait.

Quand elle est enfin allée se faire soigner, j'ai vu ce que c'était que de se haïr. Et bien sûr que quand quelqu'un qu'on aime se tue, on se hait profondément. Et quand quelqu'un qu'on a aimé sombre dans un délire paranoïaque, on sait bien qu'on a quelque chose à y voir, même si ce n'est pas tout. Le mensonge, l'absence, la fuite muette, ce sont des façons de rendre fou, ou du moins de garder fou. Il faut un terrain fertile, mais écrire « qu'on a aimé » en dit long sur le calvaire de Muguette. Je ne sais pas ce qui l'a fait sombrer précisément, mais je regardais maman la soutenir et je me sentais soulagé de n'avoir pas été élu par ma femme pour l'aider.

Ce qui me rend bien peu sympathique à mes yeux. Mais me haïr un peu plus ne me tuera pas. Ça me permet de voir que mon ego n'est pas près de se dissoudre. Étrangement, c'est maman qui m'a montré la façon de me sortir de cette spirale. Être là pour l'autre quand on peut, et si on ne peut pas, reculer.

Quand maman a refusé de partir dans le Sud avec Muguette, elle avait peur de la voir retomber si elle était seule, mais elle n'avait pas la capacité d'y aller, c'était trop pour elle.

Elle voulait être près de moi, aussi… même si mon besoin était moins flagrant. Ou peut-être parce qu'il l'était.

C'était un beau Noël, malgré tout. Parce qu'on a parlé de Sylvain. Parce qu'on a ri et qu'on a pleuré. Parce que pas un instant on ne s'est menti sur ce qu'on vivait. Et parce qu'on le vivait pleinement, même quand ça faisait mal.

La mort de quelqu'un qu'on aime, ça nous oblige à considérer comment on vit. À quel prix, à quel renoncement on consent.

La mort de Sylvain m'a obligé à tout remettre sur la table. Et à essayer de voir qui j'étais vraiment.

Et à vivre avec cet homme-là, sans haine.

Quand Muguette est revenue de voyage, j'ai compris que je vivais constamment dans la crainte qu'elle se tue. Accepter de ne pouvoir rien faire pour elle, savoir que j'étais une partie du problème, ça m'a obligé à reculer. À la laisser tranquille. À m'occuper de mes problèmes. C'est à ce moment-là que j'ai voulu rencontrer les amis de mon fils pour en finir avec cette maudite compréhension du fil des évènements.

Je n'ai rien trouvé de nouveau. Ce sont de jeunes gens sympathiques qui tous ont été affectés, ébranlés par ce que Sylvain a fait.

On partageait tous le même gros point d'interrogation, comme l'a dit Éric. Le même sentiment d'impuissance et le même regret de n'avoir rien vu venir.

Sauf Charlène.

En retournant la voir, je pensais la percer à jour, découvrir un aspect de mon fils qui m'avait échappé.

Finalement, j'aimais être là, savourer mon scotch sans parler et profiter de sa présence.

Pas achalée, pas achalante — c'est Charlène.

C'est la seule amie de mon fils vers qui je suis retourné pour elle-même, pour son côté direct si reposant, et non pas pour ce qu'elle pourrait me dire de lui.

Mélanie-Lyne

Je sais pas ce qu'ils ont toutes à me conseiller de le laisser faire, de pas me braquer, de pas l'ostiner. Je voudrais bien les voir, moi ! Quand leurs enfants leur faisaient des crosses, ils avaient pas assez d'une coupe pis d'un brushing pour m'étaler tous leurs problèmes. Je les ai-tu écoutés, oui ou non ? Je leur ai pas dit quoi faire ou quoi penser ! Pourquoi y veulent que je me taise ? Y en a même une qui trouvait que si je me prenais un amant, ça irait mieux. Ça se peut-tu ! J'ai pas de problèmes de cul, j'ai mon Stéphane qui veut sacrer son camp ! Qui est déjà parti, en fait. Qu'est-ce qu'un amant viendrait faire là-dedans ? Elle s'imagine-tu que je couchais avec lui ? Faut-tu être malade dans tête !

J'ai tâché d'être fine, de montrer à Stéphane que je le laissais faire et que je m'intéressais à sa nouvelle vie. J'ai voulu voir comment y était installé. Est-ce qu'y m'a donné son adresse ? Pantoute. Y veut pas me voir là et y veut pas que j'essaye de le trouver. Y a son cellulaire, j'ai rien qu'à appeler.

Est-ce qu'une mère normale s'inquiéterait ? Me semble !

Y pourrait déménager dans une roulotte, un château ou un motel, pis moi, sa mère, je le saurais pas ?

Qu'est-ce qui me reste ? Aller me planter devant son maudit entrepôt et attendre qu'y sorte ? Y va me tuer. Y va tellement être gêné. Y avait huit ans, pis y m'a demandé d'arrêter de l'attendre à la sortie de l'école. Je savais pas que c'était si trippant, moi, l'autobus scolaire ! « Tout le monde le prend ! » Pis ? Être le seul qui prend pas l'autobus scolaire, ça serait gênant ?

J'ai fini par le mettre dedans, son maudit autobus. Ses résultats se sont pas améliorés, par exemple.

Si au moins y recevait du courrier, je pourrais l'appeler pis y dire de venir le chercher.

J'y ferais un spaghetti.

Mais y reçoit toute sur son téléphone, évidemment.

À part tomber malade, je vois pas ce qui l'amènerait ici. Pis encore…

Maudit que c'est dur, avoir des enfants.

Charlène

Je te parle de même, Shooter, mais je suis pas en train de me faire accroire qu'on était plus que ce qu'on était. Ça s'adonne que je trouve ça le fun, te parler. J'ai commencé ça pour me vider le cœur, mais j'haïs pas ça revenir de temps en temps pis m'asseoir avec toi.

Pour un gars qui restait pas en place, c'est spécial, han? On fait ce qu'on veut avec les morts, t'avais rien qu'à rester en vie si tu voulais t'en mêler. Pis si c'était le cas, on serait pus ensemble, pis je te parlerais pus. Quand t'arriverais au bar de l'hôtel, on ferait semblant qu'y a jamais rien eu. J'en vois-tu, tu penses, des ex qui s'ignorent? Des ex en maudit, pis des ex qui payent des verres, en espérant que ça s'arrange pour le prix d'un shooter. Je vas te dire de quoi: ça va pas fort, dans le monde. Y en a qui sont perdus vrai. Y en a qui s'imaginent que se faire un chum, ça va toute régler. Ou que baiser va toute réparer. Je sais pas où y ont pris ça. C'est sûr que ça peut te calmer pour une couple de jours, mais c'est tout le temps à recommencer. Ça dure pas. Comme ben des affaires, finalement. Manger, ça dure pas. Boire, ça dure pas. Pis laisse-moi te dire que l'effet de la boisson est moins long que celui d'une baise. Ben... ça dépend de la baise, on s'entend. Y en a que même pendant, ça dure pas, imagine ! Pas facile de trouver son *match* parfait. Y a tellement de gars dont je me souviens pas. Tiens ! Je viens de parler comme ton père. « Dont », ça me ressemble tellement, d'abord !

Je me demande si c'était une bonne baise dans le temps, ton père. Y doit être encore capable, mais y cherche pas, je peux te le jurer. On le voit tu-suite, ceux qui cherchent. Y ont toutes l'air du chien qui attend qu'on lance la balle. Prêt à sauter dessus. Les oreilles ben droites, une patte en l'air, y attendent juste de voir quel bord la balle va prendre. Pis y se mettent en action en maudit.

Pas ton père. Tu l'as knocké, ton père.
Ça va revenir, y travaille fort, mais y est knocké ben raide.

Éric est en passe de se faire adopter, je pense. Y vient encore de se péter la gueule sur une histoire d'amour impossible. Éric, c'est le champion des amours impossibles. Y a des filles spécialistes, c'est vrai, mais y a rien qui l'accote. Je le guette parce qu'y pourrait même tomber pour ton père. C'est te dire comme y a pas d'allure. Un : ton père est *straight* comme ça se peut pus, y a jamais pensé approcher un gars, je le jurerais, et deux : y pourrait être son père.

Je le sais : Éric se choisit un père tous les six mois. Mais quand même, y pourrait essayer de pas toute faire comme c'est marqué dans le livre. Le grand crisse de livre des explications, tu sais ? Le genre d'affaires que tout le monde se dépêchent de dire quand y comprennent rien. Devine si j'en ai entendu quand tu t'es tué ? Y avaient leurs théories prêtes, pis y se gênaient pas pour les sortir. Si y en a un qui pense qu'Éric va se calmer le pompon parce qu'y a trouvé un père qui est capable de l'écouter plus que vingt minutes, c'est parce qu'y connaît pas Éric.

Tu sais comment y est ? Pas de peau, comme un écorché. Toute y fait mal, mais y essaye encore pis encore. Moi, ça fait longtemps que j'aurais flushé ça, ses histoires de père. T'en as pas, t'en as pas. Pis t'as pus l'âge d'en avoir, ça fait que cherche pas ! Passe à un autre appel. Ben non, pas Éric !

Faut y donner ça, y est patient, ton bonhomme. Y écoute, y pose des questions, y lâche pas. Éric est presque en train de se remettre. Je dis « presque » parce que je me méfie de ses *backups*. Je l'ai déjà vu retourner en enfer sans même exiger des excuses.

L'autre jour, une fois Éric parti, j'y ai offert un verre. À ton père. Y m'a regardée avec un drôle d'air : pas nos habitudes, ça.

J'y ai dit que c'est Éric qui voulait le remercier. Y a souri. Pas sûre qu'il m'a crue.

Ce qu'y sait pas, c'est que c'est toi qui y as offert.

Muguette ne s'attendait à rien d'autre qu'à un dépaysement. Si en plus la nourriture et le paysage étaient passables, elle s'estimerait heureuse. Elle n'était jamais allée dans un « tout compris » et la formule l'enchantait.

En premier lieu, elle a sympathisé avec le personnel du bar de la piscine. Le rhum avait sa préférence. Puis, elle a fini par remarquer un homme qui avait les mêmes horaires qu'elle.

Évidemment, sa médication supportait mal l'alliance avec le rhum. Muguette avait amèrement regretté ses consommations en se réveillant en plein soleil, la poitrine et les bras rouge vif. Quelqu'un avait posé un chapeau de paille sur son visage et une serviette sur ses jambes, lui évitant l'insolation. C'était Philippe. Philippe Bolduc, qui lui a ensuite expliqué avoir longuement hésité à la réveiller.

De fil en aiguille, ils ont fait connaissance et se sont liés d'amitié. Le rhum n'était pas tout ce qu'ils avaient en commun. Ils partageaient non seulement la même date de naissance, mais aussi la même année. Ils avaient tous deux été mariés et étaient séparés sans être divorcés.

Là s'arrêtaient les similitudes. Philippe avait deux filles, des jumelles. Et trois petits-enfants. Muguette ne lui confia pas les évènements des derniers mois. Elle était là pour se distraire et ne voulait pas gâcher son plaisir en décrivant ce qui pouvait attendre… s'il y avait une suite à cette attirance purement amicale. Pour elle, le seul fait de se regarder dans le miroir en se demandant de quoi elle avait l'air était une amélioration notable.

Elle n'était pas pressée. Elle était hésitante. Philippe était distrayant, mais son humour manquait de finesse. Peut-être que la longue fréquentation de Vincent l'avait rendue snob, mais la fine couche de vulgarité qui émanait de cet homme l'attirait tout en la rebutant. Très confondant. Elle se dit qu'elle-même avait posé pas mal de raffinement sur un fond plutôt quelconque… et que Philippe était peut-être « de son rang », finalement.

Elle s'était persuadée que Sylvain le lui avait envoyé ! Pourquoi elle ressentait le besoin de justifier cette attirance, elle l'ignorait. Mais si son fils veillait sur elle — alors qu'il ne l'avait jamais fait de son vivant — elle allait en profiter.

Le médecin l'avait mise en garde contre un enthousiasme ou un bien-être passager qui lui ferait paraître la médication superflue. Il lui avait fortement recommandé de se conformer à la prescription et de boire très raisonnablement… s'il le fallait.

Muguette imputait sa libido à zéro au compte de ces pilules qui égalisaient son humeur et aussi sa vigueur sexuelle.

Le soir où Philippe l'avait embrassée, elle lui avait permis certains gestes, mais avait refusé de le suivre dans sa chambre. Malheureusement, cette première intimité avait incité Philippe à lui murmurer des « Mumu » qui l'avaient glacée. Jamais elle n'avait supporté ce surnom ! Les grivoiseries pouvaient passer, mais « Mumu », elle ne s'y ferait jamais ! Philippe avait beaucoup ri de la voir monter sur ses grands chevaux et par la suite, dès qu'elle s'énervait ou manifestait de la désapprobation, il lui donnait du « Mumu » en rigolant. Il ne la prenait pas au sérieux ! Ce qui l'a poussée à adopter la même attitude.

Muguette, sans être collet monté, avait des principes et... des angoisses. L'idée que cet homme puisse commenter son corps et sa performance sexuelle comme il le faisait des jouvencelles en bikini qui les entouraient lui donnait envie de fuir. C'est donc sans faire exprès qu'elle a appliqué un classique de la séduction : lui tenir la dragée haute tout en affichant un intérêt certain. Philippe, convaincu d'atteindre son but avant le retour à Montréal, n'en finissait pas de s'allumer. En vain.

Il en est venu à croire qu'il était amoureux.

Muguette, quoique tentée, prenait du bon temps en savourant le cadeau du ciel envoyé par son fils.

Elle revint à Montréal bronzée, détendue et sans avoir couché avec Philippe.

Au bout de trois jours, il l'appelait.

Vincent Côté

La lettre de Marie-Hélène est arrivée presque un an après la mort de Sylvain.

Elle avait appris la nouvelle pendant le temps des fêtes et depuis, elle voulait m'écrire. Elle ne pouvait pas rester silencieuse devant un tel malheur. Perdre un enfant… cette seule idée la tétanisait.

C'était une belle lettre remplie de sincérité et de compassion. Probablement d'amour aussi… si on le définit comme un intérêt réel pour quelqu'un d'autre que soi.

En la lisant, j'ai été ému et étonné. Je voyais encore cette femme comme l'absolu de l'amour auquel j'avais — nous avions l'un comme l'autre — renoncé. Et dans ce renoncement, je voyais de la grandeur.

Trente ans après la rupture, je comprenais que c'est elle qui avait fait un choix, qui avait décidé de rester dans son mariage.

Toutes ces années — qui étaient les années de vie de Sylvain — cet amour, cette passion me semblait illustrer mes qualités d'homme de cœur. Chaque fois que je me sentais moindre que ce que je me rêvais, je me référais à Marie-Hélène et me persuadais que si cet amour avait duré, s'il avait été totalement vécu, je n'en serais pas là.

Aujourd'hui, en relisant cette lettre, je dois reconnaître mon indécrottable romantisme. Et je n'accorde aucune valeur positive à ce terme.

Je me suis servi de Marie-Hélène pour nourrir une image flatteuse qui n'avait aucun lien avec qui j'étais. Comment ai-je pu tant m'illusionner ? Croire que j'étais un autre, au fond ? Que je savais qui j'étais sans « pouvoir » l'être ?

C'est si facile, si lâche que c'en est risible. Mais pourquoi avoir besoin de s'estimer exceptionnel ? Je ne sais pas où commence cette course à la perfection, mais j'y ai adhéré de toutes mes forces en ayant l'inélégance de me penser unique parce que j'avais renoncé à une femme que j'aimais. Elle a choisi et j'ai entretenu en moi l'idée d'une vraie passion qui m'avait grandi à travers le renoncement. Et j'y ai cru férocement. Pendant trente ans.

Cet aveu humiliant, je ne le fais pas pour trouver des raisons aux actes de mon fils. Je le fais parce que la lucidité est ma seule alliée depuis sa mort. Mon seul recours.

Si je veux rester vivant — et je le veux, malgré tout le mal que j'éprouve à vivre — je dois faire place nette et cesser de nourrir de vieilles images réconfortantes qui sauvent la face. Sylvain a fait éclater ma façade. Sylvain m'a envoyé un déni de père, et ce n'était même pas l'objet de son geste.

Mais je vis avec son geste. Je vis avec ce qu'il signifie à mes yeux. Pas aux siens. Je les ai perdus à jamais, j'ai perdu son regard, son rire et son élan à jamais.

Ses raisons de mourir sont les siennes. Mes raisons de vivre m'appartiennent. Ma façon de vivre aussi. Je ne suis l'objet d'aucun artifice, d'aucune puissance externe. Pourquoi est-ce si long de m'en convaincre ? Pourquoi ai-je si mal de devoir le faire ? Alors que j'étais si peu présent dans la vie adulte de Sylvain, pourquoi ai-je gardé vivant le souvenir de Marie-Hélène, qui, elle, n'était plus là ?

Je regarde mes mains qui ont tenu fermement un fantasme et mollement une réalité. Je regarde cette lettre posée sur mon bureau et je ne pense qu'à ce mot que Sylvain ne m'a jamais écrit. Sylvain ne se trompait pas, sans doute, il ne parlait pas aux absents. Que dirait-il de me voir parler au mort qu'il est devenu ?

Je n'ai pas ta lucidité, mon fils, je n'ai pas ta vivacité. Celle qui t'a tué. Je suis un homme qui se bat contre lui-même. Pour trouver un peu de vérité et vivre avec elle, sans masque. En prenant mon cœur déchiré pour ce qu'il est : un cœur aveugle qui n'en ressent pas moins la perte. Un cœur tellement, tellement désolé de n'avoir pas su se réveiller avant aujourd'hui.

Je ne pouvais rien pour te garder vivant. Rien que j'ai tenté de faire, en tout cas.

Je ne te dois qu'une chose, le respect.

Et je dois vivre dans le respect de cette chose que tu as repoussée : la vie.

Ta vie, mon Sylvain.

Quand tu es mort, je peux bien te le dire, j'ai attendu un signe, un mot, une lettre de toi. Je voulais tellement exister à tes yeux. Être quitté, et que tu le prouves en t'exprimant.

J'ai attendu la poste, j'ai fouillé tes affaires sans pudeur, j'ai même sondé tes amis, en essayant d'entendre tes mots. Pas tes raisons, mais un adieu. Un « Bye, p'pa ! », une sorte de salutation.

Tu n'as rien laissé à ton fils, pourquoi te serais-tu occupé de ton père ?

Quand tu as fait ça, j'ignore en proie à quel démon tu étais, mais je sais qu'il est inutile de le chercher, de le nommer. Encore plus de le vaincre. Ton démon était le tien.

La lucidité, ce soir, ce serait de renoncer à la connaissance.

Tu t'es pendu dans la maison de ton enfance — et c'est peut-être le seul mot avec lequel je dois m'arranger. Que ce soit pour épargner cela à ta famille, à ton fils, ou pour me dire que tu me crois assez fort pour te décrocher et te laisser être ce que tu es à jamais : un mort sans explications, je vais tenter dorénavant de prendre ce que tu dis par ton silence et de m'y résoudre.

Il y a trente ans, j'ai perdu l'idée de l'amour.

Avec toi, j'ai perdu un amour de vingt-neuf ans à qui je n'ai pas donné assez.

Mon orgueil peut bien prétendre que je le pouvais, ma lucidité me dit que je ne le pouvais pas. Quand un homme arrive à croire à une flamme éteinte pendant trente ans, il n'est sûrement pas foutu de sentir la chaleur véritable de l'amour de son fils.

Tu ne peux plus m'enseigner cela.

Je suis seul pour apprendre. Pour grandir.

Je l'écris pour ne pas l'oublier : à partir d'aujourd'hui, je vais essayer d'aider ceux qui en ont besoin, d'être là pour les pauvres humains qui cherchent désespérément leur pauvre vérité. Même si elle les tue. La vérité de leur vie.

Ta mort me renvoie à ma vie. Il le faut.

Pas à mon passé auquel je peux faire dire n'importe quoi, ou presque.

Pas au tien, que je peux interpréter selon mes besoins de rédemption ou de condamnation.

Je ne te ferai pas subir l'odieux de me servir de toi pour justifier une incompétence à vivre.

Je vais honorer la vie, je vais la choisir en toute conscience chaque jour.

Je vais vivre, quel qu'en soit le prix.

Je vais vivre, quel que soit le poids de mon cœur privé de toi.

Mélanie-Lyne

Ça fait seize jours. Pis y a appelé une fois. Une!

J'ai pas appelé. Je sais très bien que ce serait le meilleur moyen de me le mettre à dos. Alors, j'appelle pas. C'est pas l'envie qui manque. Mais je me retiens.

Ça ressemble à quand j'ai arrêté de fumer. Tellement dur. Tout le temps en train de penser à ça, de compter combien de jours ça faisait, de me dire que c'était la bonne chose à faire même si, sur le coup, ça avait l'air de toute sauf de ça. J'étais pas de bonne humeur pis y fallait pas venir me marcher sur les pieds!

Ben, c'est pareil. J'endure pus rien.

Pis je compte les jours.

Son grand-père l'a vu… Une fois. Il l'a invité au restaurant pour parler. Évidemment, y a pas dit: ta mère aimerait ça que tu l'appelles, que tu tiennes compte d'elle, de ses inquiétudes. Imagine-toi donc que ton père, finalement, c'est pas un accident qu'y a eu y a quinze ans de ça, non, y s'est tué. Pis ta mère, ben, elle s'en fait de te voir partir dans vie avec pas de diplôme, pas de métier qui a de l'allure. De partir plus démuni que ton père, quoi!

Monsieur Côté y dira jamais ça, parce qu'y m'a juré de pas le dire. Mais aujourd'hui, si y faut lui dire pour qu'y pense droite, je serais presque prête à le faire. Faut le réveiller, mon Stéphane ! C'est ben beau, la liberté pis avoir vingt ans, mais je sais ce que ça donne, moi, pas avoir d'instruction. Ça donne du chômage, du découragement pis de la drogue. Ou de la boisson.

Je suis peut-être rien qu'une coiffeuse, mais j'ai été contente en maudit de l'avoir, mon métier, quand son père est parti. Pas pour l'argent, non. Sylvain avait un motton pis des assurances qui dataient de la naissance de Stéphane. Pour m'occuper l'esprit, pour pas tomber dans déprime pis virer folle comme sa mère. Une maudite chance qu'elle s'est pas mis dans tête de s'occuper de mon fils, celle-là, parce qu'y aurait eu de la bataille. Déjà que c'était pas fort avant la mort de Sylvain…

Je comprends même pas comment monsieur Côté a fait pour la marier. Y avait le choix, me semble : beau bonhomme, dentiste, du cash, une maison qui a de l'allure. Pourquoi choisir une capotée de même, je comprends pas. Peut-être que lui aussi, y a une vis de lousse dans tête. Ça paraît pas en partant, quand on le voit je veux dire, mais y ferme peut-être pas plus juste qu'elle.

Ben non, je pense pas ça. Y a toujours été correct, le beau-père.

C'est ça que ça me fait d'avoir perdu Stéphane. Ça me rend agressive pis je vois du mal partout.

Le pire, c'est quand j'ai congé. Là, la machine à penser croche se met en action. J'en invente des niaiseries pis des dangers. J'ai rien que ça à faire. Maintenant que j'ai fini le grand ménage de sa chambre, Stéphane peut revenir quand y veut. Y me reste rien qu'à l'attendre. Pis à imaginer ce qu'il fait.

Pis à espérer que rien de plate y arrive.

Le jour où elle l'a rencontré, Blanche ignorait totalement qu'elle faisait passer un test à Philippe Bolduc. Muguette était nerveuse et elle se comportait comme une jeune fille inquiète… ce qui donnait un résultat mitigé entre la femme d'âge mûr jouant à la nymphette et celle à qui on ne la fait pas.

La rencontre avait lieu dans le nouvel appartement de Muguette. Finalement, à force de répéter que c'était sans façon, pour le plaisir de présenter une amie à un ami, chacun était mal à l'aise et guindé.

Philippe Bolduc ne voyait pas trop en quoi rencontrer une ex-belle-mère pouvait influencer positivement son dossier, mais en amour comme en affaires, si le projet s'annonçait prometteur, il fonçait. Il a donc mangé une bonne partie des petits sandwichs pas de croûtes en parlant de lui et en racontant comment il avait monté sa business, comment il l'avait vendue avec un substantiel profit pour en remonter une autre la semaine suivante. « Et ainsi de suite jusqu'à asteure. J'ai pas honte de le dire : je suis un self-made-man. »

Blanche n'en doutait pas une seconde. À voir la contrariété sur le visage de Muguette quand Philippe a réclamé « plus fort que du café » sous prétexte qu'il était dix-sept heures, elle se dit que lever la séance soulagerait tout le monde.

Prétextant un peu de fatigue, elle s'enfuit.

Voilà donc l'ami qui avait fait passer de si bonnes vacances à Muguette ! Une chose était limpide : cet homme n'avait aucune affinité avec Vincent. Si Muguette s'associait à lui comme elle semblait être tentée de le faire, c'est qu'il y avait une erreur quelque part. Ou Vincent ne lui convenait pas du tout — et elle s'était sacrifiée à l'époque — ou elle se précipitait vers une déception majeure qui viendrait encore la déséquilibrer.

En rentrant chez elle, Blanche se dit que le mieux serait la première option. Si Muguette retrouvait enfin sa vivacité avec cet homme, si elle était à l'aise avec lui, pourquoi pas ?

Et c'est exactement ce qu'elle a dit à Muguette quand celle-ci l'avait appelée pour obtenir son verdict. Philippe Bolduc n'était pas vraiment son genre d'hommes, mais sa bonhomie, sa simplicité étaient rafraîchissantes.

Elle avait un peu patiné, mais Muguette avait eu l'air soulagée de l'entendre. En raccrochant, Blanche se promit quand même de ne pas multiplier les rencontres avec le « self-made-man ». Ça lui semblait bien ironique qu'elle puisse dire « pas son genre d'hommes » sans que Muguette relève quoi que ce soit. Alors qu'elle avait mis tant d'efforts à l'époque pour cacher sa vie privée et « son genre d'hommes » à son fils et à sa belle-fille ! Évidemment, eux avaient la petite trentaine, ils commençaient leur vie de famille et ils ne pouvaient imaginer qu'une veuve de plus de cinquante ans avait encore une sexualité. Elle aurait pensé la même chose de sa propre mère si la question s'était posée. À la limite, cette seule idée l'aurait dégoûtée.

Sauf que la réalité s'imposait, son corps et ses besoins s'imposaient. Et quand l'occasion s'était présentée, prenant son courage à deux mains, elle l'avait saisie. Jamais son fils, sa bru, ses amis même, n'avaient eu le moindre soupçon. Elle pouvait batifoler en paix : à leurs yeux, elle était exclue du champ des activités sexuelles. Hors d'âge.

Aussi étonnant que cela lui paraisse, le seul qui ne l'avait pas condamnée à la solitude sexuelle, c'était Sylvain, son petit-fils. Un jour qu'elle l'avait emmené manger une crème glacée, la file d'attente s'étendait jusqu'au coin de leur rue. Ils avaient attendu leur tour en jasant. Il avait quoi ? Quinze ou seize ans. Un autre client avait engagé la conversation de façon plutôt charmante, mais anodine. En revenant à la maison, l'œil brillant, Sylvain lui avait demandé si elle le trouvait de son goût. C'était clair qu'il parlait de l'inconnu, mais elle avait joué la candide.

Il avait grimacé en disant qu'elle avait le droit de ne pas en parler, mais pas de faire semblant qu'il ne s'était rien passé ou qu'elle n'avait rien vu. Sa première réaction avait été de s'informer si cela ne le scandalisait pas. Son « Non. Pourquoi ? » était tellement sincère, paisible, qu'elle n'en croyait pas ses oreilles ! Aucun jugement, aucune répugnance : c'est ce qu'il voit, c'est ce qui est.

Sylvain l'avait encore plus étonnée en ajoutant que si lui avait le goût du sexe, pourquoi pas elle ?

Ils avaient discuté d'une nuance à apporter entre sexe et amour et, encore une fois, son petit-fils l'avait bousculée : pas de différence. Exactement comme le choix pour élire une amie de cœur à la maternelle ne s'imposait pas selon lui, l'idée de se priver de quelqu'un pour signifier qu'on aimait quelqu'un d'autre lui semblait absurde.

Avait-elle dit alors que lorsqu'il aimerait vraiment, cela s'imposerait ? C'était pourtant un mensonge, ou du moins une certitude qu'elle n'avait plus. Elle pouvait pleurer la mort de son mari et tout de même éprouver avec des hommes qui partageaient ses élans physiques un plaisir plus troublant que tout ce que l'homme de sa vie lui avait offert.

Comme quoi le cœur est quand même au centre du corps…

Charlène

Travailler dans le bar d'un hôtel, c'est pas comme travailler dans un bar tout court. Tu serais jamais rentré ici, toi ! Je t'aurais jamais rencontré si j'avais toujours travaillé ici. C'est pas la même *crowd*. Les habitués sont plus rares. Ou ben y passent moins souvent, comme ceux qui font des voyages d'affaires. Y passent quand y se prennent une chambre.

Pis la façon de s'essayer est pas pareille. Ici, t'as le lit pas loin, tu comprends ? C'est plus direct. Pas de tataouinage : tu dis oui, t'es rendu.

Je connais pas grand monde qui viennent juste « jaser » dans le bar d'un hôtel. Ou ben rire pis avoir du fun comme dans le temps du bar où on s'est rencontrés.

Y disent que c'est plus « sophistiqué ». Mon cul ! C'est plus direct, pis c'est toute.

Tu vois, un gars comme ton père, c'est le bon client pour un bar de même. Distingué, retraité, pas mal plein : une sorte de gros lot pour des madames divorcées qui se cherchent des distractions. Sauf que les madames, y ont l'air en danger de mort si elles trouvent pas. J'en ai vu pas mal s'approcher de lui et essayer de se faire trouver *cute*. Y est poli en crisse, ton Vincent de père. T'aurais pas enduré ça de même, toi. *No way*.

T'aurais sorti ton cell pour te pitonner de quoi, ça aurait pas été long. Pis bye ! j'ai d'autre chose à faire que de parler avec toi !

Vincent, je l'ai vu renoncer à une belle soirée Lagavulin avant de finir son premier verre. La madame comprenait pas. Penses-tu qu'y s'est obstiné ? Y a payé, pis y est parti.

Quand y est revenu le lundi d'après, j'y ai dit que si y était trop gêné pour tasser celles qui l'achalaient, y pouvait me faire signe, je viderais la place.

C'est le genre d'affaires qui le fait rire. Y me voit pas en *bouncer*, ton père. Y serait surpris ! Pas grosse, mais y en a dedans ! Si y savait que je t'ai déjà collé les épaules au plancher, y en reviendrait pas. O.K., tu riais trop pour te défendre, mais je t'ai eu pareil ! Par le rire, on va dire.

Ça fait que c'est ça : les madames courent après ton père qui court après sa paix. Je te dis que ça veut, quand ça veut, une divorcée ! Ça presse de trouver un nouveau poisson. Pis quand y a pas de poisson en vue, c'est à moi qu'elles racontent leurs histoires. Pis c'est pathétique. Pis pas dans le sens où elles pensent. Y ont l'air d'une gang d'hameçons qui se cherchent un bout de ligne pour s'accrocher. Ça leur prend quelqu'un. N'importe qui. Presque n'importe quoi. Y ont pas assez de mots pour te dire toute le mal qu'elles pensent de leur ex, mais elles regardent la porte en maudit pour trouver le *next*.

Pis je suis même pas sûre qu'y en ont envie, là. Juste besoin. Pour pas être toutes seules.

C'est certain qu'un bar, c'est faite pour ceux qui veulent pas être tout seuls. Dans le genre qui ont pas trouvé leur façon d'être. Ou ceux qui veulent du changement. C'est pas pour les solitaires ben heureux sur leur radeau. Ton père, c'est une sorte d'exception. C'est une passe, de même. Il viendra pas s'asseoir au bout de mon bar toute sa vie.

Toi… je le sais pas si t'étais tout seul, Shooter, mais je sais que tu te sentais pas tout seul. Ou que ça t'aurait rien faite de l'être. Tu faisais comme si personne t'attendait, pis comme si t'avais besoin de personne. Entre Éric pis toi, par exemple, on hésitait pas longtemps pour savoir qui avait besoin.

T'étais comme un *bum*. Un maudit beau *bum*. Avec un côté « je m'en sacre ». T'aurais pu être dur, dans le genre requin… Pis c'est pas ça. On aurait dit que ton gaz, c'était pas le même que pour tout le monde.

Une recette spéciale, genre. Un gaz qu'on trouve pas partout.

Le seul moment où je trouve que Vincent te ressemble, en dehors de quand y rit, c'est quand y parle du bois. Là, y est un *bum*. Toute sa belle politesse de monsieur prend le bord, pis là, y marche à son *beat*. Ça se sent quand y en parle.

Toi, t'étais de même en ville. Dans le bruit, dans le fun.

Lui, c'est dans le bois. Ça doit être une question d'âge, han ?

As-tu remarqué que je l'appelle Vincent ? Au bout du compte, c'est plus simple.

Mélanie-Lyne

J'ai pas pu m'en empêcher. J'ai eu beau essayer de me retenir, je pensais jusse à ça.

Je voulais pas l'appeler. Lui, y appelait jamais… C'était trop d'inquiétudes, fallait que je sache.

Pas fière de moi, mais j'en pouvais plus.

Je suis allée à la porte de l'entrepôt, pis je l'ai attendu. J'ai pas exagéré, je suis pas rentrée demander si je pouvais le voir. Non. Je suis restée dehors, ben tranquille, pis j'ai attendu.

J'en ai vu du monde sortir, mais c'était jamais mon Stéphane. Vers la fin, quand y restait pas grand monde, j'ai demandé à un gars qui débarrait le cadenas de sa moto si Stéphane travaillait aujourd'hui.

Qui ? Stéphane Côté.

C'est là que j'ai appris qu'y travaillait plus là. Pis ça faisait pas une semaine ou deux, mais des mois. Des mois ! Y a lâché sa job avant de partir de la maison.

Là, je l'ai appelé.

Je le dérangeais — mais je voulais des réponses.

Ben oui, y a lâché la job plate. Ben oui, y travaille. Et je l'empêche de travailler. Ce qu'il fait ? *Public relations.* Il l'a dit en anglais pour m'impressionner, mais ça pogne pas avec moi. Pour qui ? Des privés qui ont des problèmes à régler avec leurs communications. Pis là, y fallait qu'y me laisse, y était en plein *meeting*.

Y a d'affaire à me rappeler quand ça va être fini, ce *meeting*-là ! Ça sent la grosse menterie, son histoire. Ou en tout cas, la demi-vérité. Depuis quand y serait capable de communiquer, lui ? Y a jamais rien réglé, pis là, y réglerait les problèmes des autres ? Y est pas psy, y est pas champion pour écouter les problèmes de personne, pis là ça serait son métier ? On n'est pas supposé étudier pour faire ça ? Me semble qu'un secondaire trois presque fini, c'est pas assez.

Si y est capable de lâcher sa job sûre avant de partir de chez sa mère, si y est capable de gagner sa vie même si y a pas étudié, pis si y est pas capable de me le dire, ça fait pas de doute : sa job, c'est une sorte de crosse. Pis j'espère qu'y s'est pas faite embarquer dans une histoire de drogue.

Mon pire cauchemar.

Le matin où les ronflements de Philippe Bolduc l'ont réveillée, Muguette ne parvenait pas à se souvenir si elle avait cédé ou non à ses avances. En regardant le désordre de son appartement, le rhum ouvert sur la table basse jonchée des restes de mets chinois qu'elle ne se rappelait pas avoir commandés, elle conclut que sa première nuit avait été consommée.

Rien. Un blanc total — mémoire effacée. Tout ce qu'elle arrivait à trouver dans sa tête, c'est la pulsion d'une méga-migraine… ou d'un vulgaire mal de bloc. Elle se mit en devoir de ramasser en se jurant qu'elle ne referait pas ses provisions de rhum, ce qui devrait la mettre à l'abri des trous de mémoire. Elle ne se forçait pas pour être bruyante, mais l'idée de réveiller son compagnon ne lui déplaisait pas.

C'est un Philippe hagard et piteux qui lui a réclamé du café et des aspirines. Quand il s'est excusé, elle n'a pas répliqué, n'ayant aucun méfait en tête. Quand il a ajouté que ça ne lui était jamais arrivé, une petite lumière s'est allumée : il n'avait donc pas pu profiter de l'occasion ? Le sourire de Muguette et sa magnanimité pour la panne sèche de Philippe étaient sincères.

Elle ne savait pas pourquoi, mais l'idée de céder sans le vouloir ou sans le décider lui semblait mortifiante. Tout comme pour sa virginité, elle voulait négocier l'offre de son corps, ou du moins être consciente qu'elle l'avait offert.

Philippe était prêt à remplir toutes les conditions qu'elle mettrait à son pardon. C'était presque trop facile pour Muguette. Dessoûlée, elle ne voyait plus ce qui l'attirait chez cet homme. Elle croyait même que la médiocrité de son compagnon l'incitait à boire… pour être en mesure de le supporter.

Elle aimait ne pas être seule. Mais elle n'aimait pas trop ce nouvel ami. Comme elle ne se sentait pas l'énergie d'en trouver un autre, elle continuait à le voir.

L'effet principal des fréquentations éthyliques de Muguette a été un relâchement de ses relations avec Blanche. Muguette avait moins de temps mort et elle l'appelait beaucoup moins souvent. Blanche aimait sa nouvelle liberté. L'incessant besoin de sa bru représentait un certain fardeau pour elle, et même si elle y consentait généreusement, elle devait admettre que ses forces atteignaient leurs limites.

Elle reprit son rythme de femme seule — ses mots croisés du matin, la lecture du journal, ses promenades au parc La Fontaine, ses courses, bref, sa vie. Vincent se débrouillait avec ses problèmes sans jamais les lui faire porter, elle le constatait à chacune de leurs rencontres. Ils pouvaient parler en toute franchise… elle comme lui. Et cette nouveauté dans leurs rapports était un baume pour Blanche : son fils s'en sortait bien. Rien ne pouvait lui épargner la douleur qui était la sienne, mais la ressentir et la traverser comme il le faisait lui assurerait une sorte d'avenir plus serein que celui que Muguette se préparait avec sa solution immédiate. Aux yeux de Blanche, et selon son expérience, fuir ne donnait rien : la souffrance court toujours plus vite que nous. Elle nous rattrape. Et, comme le loup dans les contes, elle nous dévore.

Affronter ses démons demande du courage, elle le savait tellement ! Elle ne pouvait pas le faire pour les autres, elle pouvait seulement être là pour eux, quelles que soient leurs décisions et les combats qui en résultaient.

La voix de plus en plus pâteuse de Muguette au téléphone lui signifiait que les médicaments ou la boisson avaient repris leur pouvoir de séduction. Elle n'en informait pas Vincent, qui avait évacué son ex-femme de ses préoccupations, sans toutefois avoir déserté ses responsabilités. Ils avaient assez parlé de ce sujet pour qu'elle évite de l'inquiéter avec les rechutes de Muguette. Que pouvaient-ils y faire de toute façon ?

Pour reprendre le fil de sa vie, Blanche a fait ce qu'elle avait toujours fait : le grand ménage de ses trésors. Chaque tiroir était ouvert, chaque relique était pesée, considérée à la lumière de ses quatre-vingt-trois ans d'expérience.

Cette fois, les lettres de certaines amours éphémères n'ont pas résisté au passage du temps. Ces lettres, comme des zircons brillent dans la lumière directe mais s'éteignent dans le noir, n'émettaient plus que les rayons d'anciennes splendeurs usées par le temps — mais comme elles avaient mis du piquant dans sa vie ! Avoir soulevé un vent de passion, avoir suscité des mots qu'elle n'aurait pas pu entendre parce que trop explicites avait soutenu sa confiance. Par contre, l'idée qu'un jour son fils les trouve et les lise la dérangeait.

Elle se demanda si c'était la mort de Sylvain qui apportait cette nouvelle grille d'analyse dans son grand ménage ou si elle sentait ses forces décliner.

Les deux, voilà ce qu'elle pensait en brûlant les mots surannés.

Charlène

Dans le temps au bar, j'aimais ça travailler à Noël. Pas pantoute le même trip que dans un hôtel.

T'en souviens-tu, de ton dernier Noël? On était à notre top, je cré ben. Tu travaillais comme un malade pour toutes les paniqués du gros bogue de l'an 2000. Noël, c'est famille, papa, maman. Noël, c'est pas le tour des barmaids pis des petites vites entre deux tourtières. T'étais pas venu au bar pis je m'y attendais pas. Mais t'arrêtais pas d'appeler. La sixième fois, y avait tellement de bruit que je t'entendais pas. Je répétais: « Quoi? » et je comprenais rien de ce que tu disais. T'as crié: « Tchèque la porte! »

J'ai levé les yeux pis c'était ben ça, t'étais là.

Ça a été la petite vite la plus vite de notre histoire. Y a personne d'autre qui a réussi ça avec moi: ni avant ni après.

Tu t'appelles pas Shooter pour rien. Méchant remontant!

Ça fait que le Noël d'après au bar, avec les chums qui pouvaient pas s'empêcher de parler de toi, disons que j'ai commencé à me dire que décrisser, ça serait la bonne idée.

Le premier Noël du bar de l'hôtel, c'était un mardi. Ça fait que la soirée la pire, c'était celle du lundi soir, le 24.

Comme d'habitude, comme si c'était pas Noël, ton père est arrivé. Y a pris sa place. Y a pas demandé un Cardhu, mais un Macallan 18 ans, pis j'ai jamais été aussi contente de le servir.

Éric est passé avant d'aller voir sa mère. Y était ben propre, ben peigné, y avait l'air de ce qu'y voulait: un bon garçon… qui aime pas les garçons! Ça, c'est si on veut pas le voir. Parce que si une fille se trompe, faut qu'elle veuille en maudit! Sa mère… d'après moi, il arriverait en jupe pis en talons hauts, pis elle allumerait pas. En tout cas, ça vaut pas la peine d'en parler, on changera pas ça.

J'en connais des pas mal plus fuckés qu'Éric, pis y baisent l'autre sexe, pis personne dit rien. Si toute la gang d'hétéros *kinky* se montraient la face, si tous les pervers haineux qui baisent pour fesser se dénonçaient, les gars comme Éric auraient enfin la paix. J'ai failli dire « fifs », mais là-dessus, Shooter, t'étais *straight* en hostie.

Tu l'aimais ben, Éric, y avait raison de brailler quand t'es mort. T'as jamais dit « fif » ni « tapette ». Tu le respectais. Ça y était pas arrivé souvent, mettons.

Ça doit être de famille, parce que ton père a jamais dit « fif » non plus.

Y fait vraiment pas vieux bonhomme qui s'excite sur le cul, lui. Y est ailleurs. Pas un énervé comme toi.

Éric voulait pas s'en aller. Y aimait notre party privé. C'est vrai que la place était à nous autres. On a vu juste deux clients, pis y étaient pressés de remonter à leur chambre. Ça sentait le *room service* à plein nez.

Éric est parti. Le chef du restaurant est venu nous porter une assiette remplie de fruits de mer. Me porter, mais Vincent en a mangé avec moi.

Pis on a jasé.

On n'a pas parlé de toi. On voulait que ça reste tranquille. Pas de mottons. Pas de crisses de souvenirs qui te font sentir que t'as pus de place nulle part. Juste les souvenirs de quand on était petits pis qu'on croyait au père Noël — ou ben la première Barbie, ou ben la paire de patins pis le bâton de hockey, tu vois le genre ? C'était parfait. Toute le *hot* qui te fait filer croche, c'était *out*.

Je l'ai pas trop faite rire, ça fait que ta face est pas revenue trop souvent.

Quand y a mis son manteau pour partir, y m'a remerciée de l'avoir aidé à passer son réveillon. J'y ai dit d'essayer d'imaginer de quoi aurait eu l'air ma veillée si y était pas venu. Quand y te regarde, ton père, c'est carré dans les yeux, pas à côté.

« Il devait t'aimer beaucoup, mon fils. »

Je le sais pas. Y me l'a pas dit.

Pis y est mort.

Han, Shooter ?

Ce qui me fait chier, c'est que je suis encore contente de pas te l'avoir dit non plus.

Pas à veille de me déchoquer, ça a l'air…

Vincent Côté

L'équilibre a son prix. La liberté aussi. Pour arriver à vivre intensément chaque jour, il faut vraiment s'appliquer. À partir du 26 avril 2000, j'ai l'impression d'avoir tout quitté. Étrangement, j'ai aussi l'impression d'avoir récupéré ma vie. Les choix ne sont pas infinis, quoi qu'on en pense.

Quitter ma pratique professionnelle a été plus simple que je ne le croyais. Se décider à soixante-deux plutôt qu'à soixante-quatre ans ne bouscule pas grand-chose. *Anyway*, comme dirait Charlène, je ne pouvais plus m'occuper de personne. J'aurais été dangereux, tellement j'étais absent. Et si Muguette ne m'avait pas violemment rejeté, je suppose, non, je sais que de mon côté, je ne pouvais plus la voir. Ni la supporter. Ni être témoin de sa glissade vers le néant.

C'est en vidant la maison de campagne de nos affaires personnelles que j'ai compris à quel point j'étais un étranger dans ce couple. Dans cette maison que j'ai pourtant fini par aimer.

J'étais un père qui continuait à partager la vie de sa femme pour faciliter les rapports avec son fils. Même pas !

J'ai été un père fervent — c'est le mot qui me vient — avant de m'éloigner de ma vie familiale pour m'engourdir avec ma vie professionnelle. J'avais des maîtresses inoffensives parce que reléguées au seul usage de la sexualité. Pas question de risquer un bouleversement à la Marie-Hélène sous prétexte que je voulais me perdre dans une extase ou deux.

Et j'ai perdu mon fils de vue quand il a commencé l'école et que Muguette a pris la décision de l'aider. Curieux comme tout semble réglé, tranché en sections nettes. Ça ne se passe pas avec la précision qui me vient en le racontant. C'est plus subtil. Moins clair. Et puis, ce qui était limpide, c'est le soulagement que j'ai ressenti à voir Muguette sortir de son indifférence et arrêter de me rendre malade avec ses jérémiades. Une compagne insatisfaite, torturée d'ennui et de spleen, je dois l'avouer, c'est invivable. Pour moi, ça l'a été. Pour Sylvain, je n'en suis pas sûr. D'abord parce que Muguette me réservait les moments de choix de ses déprimes. Elle faisait des efforts pour notre fils, ce qui me réjouissait. Était-ce quand même pénible pour lui ? Ce n'est pas certain. J'en ai longuement parlé avec maman et elle confirme que jamais elle n'a senti le mal-être qui habitait Muguette avec autant d'acuité qu'après la mort de Sylvain. Le temps où le post-partum a régné, j'étais très présent à la maison. Et c'était moins dramatique. Maman l'aurait vu, elle était tout le temps avec nous au début.

Me revoilà sur la pente tentante des responsabilités mortifères. Pour couper court, disons que Sylvain a eu un élan vers tout ce qui lui permettait de vivre fort et dangereusement, dès qu'il a su marcher. Il fallait le suivre et le surveiller sans arrêt. Et encore : ça ne l'a pas empêché de se fendre la lèvre, le front et de se couvrir de bleus, que ce soit dans l'escalier, en trottinette ou à bicyclette. S'il y avait une seule branche sur un immense terrain plat, on pouvait être certain qu'il la saisirait et l'agiterait jusqu'à la casser ou blesser quelqu'un. Impatient, il tapait sur la tablette de sa chaise haute pour accélérer le mouvement de la cuillère du bol à sa bouche. Et dès qu'il le pouvait, il nous l'arrachait des mains et plongeait directement dans son plat.

Il m'a tellement fait rire avec sa précipitation, son appétit pour le plaisir…

Je vais avouer quelque chose : le père fervent que j'ai été, j'en vois la source dans l'émerveillement que Sylvain créait dans ma vie. Il me fascinait. Il me montrait un chemin que je n'avais jamais emprunté. Mon père était plutôt froid, distant, souvent absent. Maman me trouve sévère, mais c'est comme ça que je l'ai vécu. Alors, quand Sylvain a eu Stéphane, j'ai décelé sa fibre paternelle dans son mariage obligé, mais pas tellement dans son rapport avec son fils. Ce que Sylvain a produit en arrivant dans ma vie, ce n'est pas survenu avec Stéphane dans la vie de mon fils. Je ne crois pas. Il s'en occupait, le baladait, le bousculait jusqu'à ce que sa mère lui crie d'arrêter, mais je ne l'ai pas senti émerveillé ou changé par son fils. J'y ai vu une sorte de… d'aveu de… Ma foi, je ne sais pas comment l'écrire tellement c'est gratifiant. Je me suis dit qu'il n'avait pas à réparer l'image du père puisqu'il en avait eu un, lui.

Comme quoi, sans vigilance extrême, je ramène tout à moi, à mon expérience, à ma vie.

Et ce que je dis, si je me relis honnêtement, c'est que mon fameux émerveillement venait davantage de la chance qui m'était offerte de réparer mon enfance sans père que de la réalité de mon fils.

On repassera pour l'amour infini et le père exemplaire.
Je suis un con fini, un pauvre type, et j'espère que personne, jamais, ne pourra lire ces lignes.

Mélanie-Lyne

Stéphane m'a pas rappelée après son *meeting*, mais il est venu me voir le lendemain. Avec un cadeau. Pis des excuses.

Oui, il a le tour avec sa mère, cet enfant-là !

Il a essayé de m'expliquer son travail, mais c'est compliqué. Ça a commencé avec un coup de main qu'il a donné à un ami : des téléphones pour une sorte de sondage. Comme il s'est bien débrouillé, l'ami l'a rappelé quand il a été dans le jus. C'est comme ça qu'il a abouti dans un congrès de plus de mille personnes, à les orienter, les conseiller, les mettre en contact.

Il prend des contrats. Y veut pas appartenir à une seule compagnie. Il est pas certain de vouloir faire ça toute sa vie. Ça y montre comment parler aux gens, comment bien se présenter et s'arranger pour que les gens aient confiance.

Il m'a dit qu'il se rendait compte qu'avant l'instruction, l'important, c'était l'éducation. Et que cette éducation, c'est sa petite coiffeuse de mère qui lui avait donnée. Mais il pense sérieusement à finir son secondaire. Par Internet. Ça a l'air que ça se peut. Pas besoin d'aller t'asseoir à l'école pour te faire humilier par des plus jeunes rendus plus loin que toi.

J'ai été tellement soulagée.

Pas seulement à cause de ce qu'il a dit (je le connais, y peut monter un bateau pas mal vite, mon gars), mais c'est vrai qu'y a de l'allure: les cheveux coupés, bien rasé, il avait pris soin de son apparence, et ça, veut, veut pas, ça en dit long.

J'y ai demandé des nouvelles de sa *fuck friend*, pis y a failli s'étouffer. Ma quoi? Y avait l'air presque aussi surpris que moi la première fois que j'ai entendu l'expression... de sa bouche!

Ben, sa coloc, sa *fuck friend*, elle est passée à pas mal moins importante depuis sa nouvelle job. Il la voit presque pas. Y ont pas les mêmes horaires. Pis, si les affaires continuent à rouler, y va se prendre un appartement pour lui tout seul.

Et il a promis de me le dire si jamais y changeait d'adresse. Y m'a glissé une petite *joke* que «je pourrais venir vérifier que c'était ben là qu'y restait», mais j'ai compris. Je suis pas à veille de recommencer le coup de l'entrepôt.

Donnant, donnant, je lui ai promis d'arrêter de m'inquiéter. Surtout si y me donne de ses nouvelles plus souvent.

Quand y fait sa face désolée, y a rien que je lui pardonnerais pas.

J'ai appelé son grand-père pour le rassurer. Je l'ai assez achalé avec mon inquiétude, c'est ben le moins que je peux faire.

Vincent Côté

Maman est morte.

Trois mots qui ne prennent pas de place sur la page. Trois mots qui changent toute ma vie.

Maman est morte.

Doucement, miséricordieusement, dans son sommeil.

Mon vieux fond de catho me dit qu'elle a eu la mort qu'elle méritait : rapide, sans souffrance, sans agonie et sans perdre la tête.

Quand j'étais petit, il y a bien longtemps, et que je lisais que « Dieu viendrait comme un voleur », je trouvais cela terrorisant.

Et je voyais exactement ce qui vient d'arriver à maman : un soir, sans malaise, tu te couches et le voleur passe dans la nuit prendre ta vie.

Aucune défense possible. Le voleur décide.

Je venais la voir pour notre petit-déjeuner habituel du début de la semaine. J'ai sonné et j'ai tourné la poignée sans attendre : maman laissait la porte ouverte quand elle m'attendait, je n'avais qu'à entrer.

C'était fermé.

Inquiet de cette entorse à nos habitudes, j'ai pris ma clé et suis entré.

Aucune odeur de café ne m'attendait. Aucun son, seulement le silence.

Je le savais avant d'aller dans sa chambre. J'ai dit « Maman » sans appeler vraiment, comme pour me convaincre qu'elle ne répondrait plus.

Elle dormait. On aurait dit qu'elle dormait.

Toute tranquille, ses mains fanées posées sur le drap rose, les yeux fermés, elle n'était que douceur et apaisement.

Je ne pouvais pas imaginer tableau plus serein.

Le voleur avait bien fait les choses — ni désordre ni lutte. Une certaine paix.

Je suis resté au pied du lit à la fixer, à me convaincre de la réalité, à laisser son absence devenir vraie.

Je regardais cette chose qu'on ne veut jamais regarder : la mort.

Je savais que dès que je composerais le 9-1-1, la grande armada de la peur humaine se déploierait. On prendrait cette chambre d'assaut, on essaierait de ressusciter son pauvre corps à coups de manœuvres qui le feraient tressauter comme une marionnette jusqu'à ce qu'on la mette dans l'ambulance pour la déclarer morte à l'arrivée à l'hôpital, une fois tous les outrages effectués.

Je savais qu'elle ne voulait pas de ça. Ma mère m'avait remis tous les papiers nécessaires. Ce n'était pas une femme imprudente. Au contraire, elle avait vu à tout.

Je pouvais rester là encore un peu, avec elle, pour la dernière fois. Dans sa douceur.

J'observais son visage déjà un peu trop absent, déjà moins elle sans son regard qui me décodait en silence. Avec amour. Elle ne portait que son alliance. Je me suis demandé si papa était mort depuis trop longtemps pour être avec elle dans cet au-delà qui a tout du désert à mes yeux. Puis, bien sûr, j'ai pensé à Sylvain qui l'aimait tant. Sylvain, qui lui a peut-être soufflé de venir, que ce n'était rien, un minuscule pas à franchir.

Maintenant, elle sait la longueur du pas.

Elle sait s'il y a quelque chose ou rien.

Si les nôtres nous attendent ou si c'est le trou noir, abyssal.

J'ignore combien de temps je suis resté à la contempler, à lui dire adieu sans parler, sans pleurer. Quand j'ai posé mes lèvres sur son front, il était frais. Un train a sifflé au loin, dans une sorte d'accompagnement presque cinématographique.

J'ai chuchoté: « Merci, maman. Pour tout. »

Je suis passé au salon pour appeler. Je ne voulais pas la déranger.

Et quand l'armada est arrivée, je ne les ai pas suivis dans sa chambre.

Je ne voulais pas massacrer son dernier cadeau: la mort n'est pas toujours une atrocité arrachante.

Pas toujours.

Charlène

Éric voulait qu'on y aille. Tu le connais ! On dirait que c'est un party pour lui, des funérailles. On a-tu d'affaire là ? Non ! Mais essaye d'y faire comprendre une chose aussi évidente.

Il fallait y aller pour toi, Shooter ! Imagine-toi donc que c'était son gros argument, ça. Pour pas laisser ton père tout seul. Comme si on venait d'inventer ça, nous autres, l'amitié. Comme si y avait pas de famille, ton père.

« Mais c'est sa mère ! » Peux-tu imaginer la face qu'y faisait quand il a dit ça ? Gros, gros drame pour Éric. Gros dossier. Comme si y avait besoin de se pratiquer avant que la sienne y passe.

Je veux pas être dure, là, mais la madame avait quand même quatre-vingt-six ans. C'est pas comme si c'était une surprise. Bon, c'est arrivé sans prévenir, mais vous êtes de même dans famille, ça a l'air.

Même Vincent avait pas l'air démoli. Secoué, ça c'est sûr. C'est sa mère après tout. Pis c'est certain qu'y regarde ça comme un *last call* : quand tes parents sont plus là, t'es comme le prochain sur la liste.

En tout cas, y a fallu y aller, Éric en démordait pas. Y l'aime ben, ton père.

Laisse-moi te dire que c'était pas le même trip qu'à tes funérailles ! Pas mal moins de monde pis de la tête blanche en masse. Elle s'appelait Blanche pis ça me faisait bizarre que le prêtre arrête pas de dire son nom comme si y avaient pris une brosse ensemble la veille. Y font ça pour que ça aye l'air *chummy*, pis c'est pire que toute : y ont l'air de faire tellement semblant que ça finit par faire pas mal plus crosseur que *chummy*. Ouais... Blanche par-ci, Blanche par-là... je vas être contente d'être morte pis de pas entendre Charlène dit de même.

Ça te surprendra pas d'apprendre qu'Éric pleurait à chaudes larmes ? Je pense que j'y ferais jouer le *Panis Angelicus* au bar pis y se mettrait à renifler.

Vincent se tenait ben droit dans son banc. Tout seul.

La femme qui était sur le banc d'en arrière pleurait comme si c'était sa mère, pis le petit gros qui y fournissait les kleenex, ça doit être son nouveau mari. C'est ta mère, ça, Shooter, je l'ai su après. J'y ai trouvé un petit côté démonstratif à la Éric. Pis je peux te dire que ton père aimait pas ça. Il s'est pas tourné vers elle une seule fois. D'après moi, le divorce a mal fini. Y m'en a jamais parlé, mais ça faisait frette pis sec.

Mais supposons que les larmes, c'est une sorte de preuve, une façon de mesurer de quoi : ça donnerait que ta mère pis Éric étaient très proches de ta grand-mère. Pas d'allure, han ?

Faut pas se fier aux larmes.

N'empêche qu'il était content de nous voir là, ton père. Quand il l'a dit, Éric m'a fixée avec son air de triomphe.

O.K., ça a faite la job, mais j'ai pas aimé ça, retourner dans une église pour des funérailles.

Ça fait un boutte que t'es mort, Shooter, on va mieux, on se remet sus le piton pis y faut retourner là voir un prêtre secouer l'encensoir en disant ses formules magiques. Viens pas me dire que ça fait pas *weird*. Quand tu crois pas, pis que tu les vois aller, ça fait secte en maudit, leur affaire !

Té cas.

Pis c'est vrai qu'on va mieux. Je t'en parle pas parce que ça te regarde pas vraiment, mais je me suis fait un chum ou deux depuis que t'es mort. Je t'entends d'ici dire qu'y faut pas gaspiller mon talent... Disons qu'au début je me comprenais pas trop. Je sautais sur un épais et je le lâchais deux jours après. Je baisais comme on prend un coup, ben décidé à se soûler : sans regarder si c'est du vin, du fort ou de la bière.

Pis est venu le gars, celui que je t'ai dit, là... Tout le contraire de toi. De la jasette en masse, mais pas gros de vagues dans un lit. On aurait dit que ça me prenait ça pour m'enligner. Y en posait des questions, lui ! Un vrai psy ou ben un enquêteur de vie privée. J'y ai dit ce que t'avais fait. C'était pas un secret, han ? Y a écouté ça, Shooter, comme si c'était sa vie à lui. Pis après, crois-le ou non, y avait pas de conseils à me donner. Rien. Pas de recettes, pas de jugements, même pas une autre histoire pour me montrer que c'était pas si pire. Non. J'ai dit que j'étais un peu fuckée à cause de ça. Pis là, y a trouvé que j'étais pas mal moins fuckée que je pensais. Que je m'en tirais même plutôt bien avec mon coup de deux par quatre dans le front.

Je l'invente pas : c'est ça qu'y a dit. Pis c'est pas son genre d'exemples. Y parle pas mal mieux que toi pis moi. Ben moi. Vu que t'es pus là.

Les trois quarts du temps, on jasait pis on dormait. Un peu comme avec Éric, sauf que lui — y s'appelle Kevin, je te l'ai-tu dit ? — y est pas homo. C'est jusse que ça l'allumait pas tant que ça. En tout cas, avec moi. J'étais pas à mon top non plus : toujours en maudit après de quoi, toujours les dents serrées pis l'air bête. C'est à croire que t'étais parti avec mon envie de rire.

Y est revenu me voir l'an passé, Kevin. Il savait que j'avais changé de bar, y m'avait même encouragée à le faire. Il disait que je serais pas barmaid toute ma vie. Pas sûre…

Il est venu me présenter sa femme. Y s'est marié avec une rousse à lunettes. Une fille sage. Ben *smooth*, sérieuse. Avec les dents par en avant. Y avaient l'air ben amoureux. J'espère que ça marche, parce qu'il le mérite. C'est un patient, Kevin.

Le genre de gars qui comprend avant que tu parles. Ben rare. Déjà, quand tu parles, c'est pas facile de se faire comprendre.

Gages-tu qu'y vont avoir plein d'enfants ? J'en aurai pas, finalement. Barmaid, c'est pas un métier de mère de famille. Ah, je peux encore y penser. Au métier pis aux enfants.

J'ai pas vu le tien aux funérailles. Ton gars. C'est sûr que Blanche, c'était pas sa grand-mère. Pas vu ta femme non plus. Je sais pas pourquoi. Peut-être qu'ils étaient pas proches, elle pis madame Blanche. J'aime ça, écrire son nom. Je trouve ça beau. Si j'avais une fille, je l'appellerais Blanche. Ça fait neuf, ça fait lavé qui sent bon.

Ton père m'a parlé d'elle. Le soir de sa mort, c'est ici qu'il est venu. Au bar.

Un mardi, toi ! J'étais sûre qu'y était arrivé de quoi. Il était venu la veille, comme toujours. Y arrivait du bois. Y avait faite une grosse job de plancher. Je l'attendais pas avant la semaine d'après.

Il arrive. Il s'assoit. Cardhu. Donc, pas longtemps.

Ben non : il a fermé le bar avec moi ! Ça l'avait ébranlé vrai. Tout à l'envers de ses habitudes. Viré boutte pour boutte.

Je l'avais jamais vu de même. Pas du tout braillard ou perdu. Non. Calme. Pis triste.

Je sais pas comment t'expliquer. C'était vraiment pas comme pour toi. Rien du deux par quatre, même si c'est arrivé vite.

Il arrêtait pas de dire : « C'est bien. C'est ce qu'elle aurait voulu », mais lui, y en aurait pris encore un peu, de sa Blanche. Pourtant, y est pas jeune, jeune…

J'y ai demandé si y croyait qu'après, ça existait. Dieu ou *whatever*, mais après.

Je te mens pas, il est devenu beau quand y a répondu qu'il croyait à une seule chose pis que c'était l'amour.

Ça faisait même pas niaiseux.

Ça faisait comme si c'était la seule affaire raisonnable à penser.

« C'est ma mère qui m'a montré ça. »

Oui, je l'appellerais Blanche, si ça m'arrivait d'avoir une fille.

Pour Muguette, la mort de sa belle-mère était une catastrophe. Comme si sa dernière porte de sortie se fermait. Comme si on l'abandonnait. Elle se mit à pleurer un temps passé qu'elle méprisait avant la mort de Blanche.

Muguette se sentait toujours en retard avec les émotions. Comme si leur force et leur variété l'assommaient. Comme si, jamais, elle ne parviendrait à les contrôler et à vivre normalement.

Dans son esprit, ses problèmes remontaient à la mort de Sylvain, et surtout au moment atroce de son entrée dans la maison. Mais en contemplant le dos raide et la tête grise de Vincent aux funérailles, elle se demanda même si cela ne remontait pas au moment de leur rencontre. Elle s'estimait peu chanceuse avec les hommes de sa vie. Peu chanceuse tout court.

En pleurant Blanche, elle ne pouvait s'empêcher de pleurer sur elle-même, sur sa vie et ses ratés. Elle avait la conviction profonde d'un acharnement du sort. Que Blanche soit morte sans qu'elles se parlent ou se revoient lui semblait une ironie cruelle. Alors qu'elles étaient si proches, alors que sans Blanche, Muguette restait persuadée qu'elle ne serait pas passée au travers.

Elle ne cessait de répéter : « On pense qu'on a du temps. On se dit que demain… » Et voilà ! Plus de temps, plus de demain entre elles deux.

Depuis que Philippe était dans sa vie, Muguette avait espacé ses rencontres avec sa belle-mère. Elle se disait que son remariage imminent contrarierait Blanche ou, du moins, la mettrait mal à l'aise. Elle se doutait vaguement que c'était son propre malaise qu'elle tentait d'éviter. Malgré la réaction positive de Blanche à son compagnon, Muguette percevait une sorte d'incongruité à cette alliance. Le jour où leur consommation de rhum lui avait semblé outrepasser le raisonnable, elle avait décidé de la mesurer et de mettre le holà à tout dépassement d'une limite somme toute assez généreuse. Mais malgré ce frein, avec le temps, un sentiment d'incompatibilité s'ancrait.

Le fait d'éprouver un subtil mépris envers Philippe lui apportait une confiance perdue depuis Vincent. Alors que son mari mettait en relief son incompétence, Philippe ne cessait de l'admirer et de s'extasier devant son bon cœur et son bon sens. Elle ne le croyait pas toujours, mais elle en concluait qu'entre sa piètre opinion d'elle-même et les louanges de Philippe son juste milieu se situait dans l'acceptable.

Ce n'est qu'à la mort de Blanche qu'elle confia à Philippe comment son fils était mort. La discussion s'était mal passée. Philippe posait des questions qu'elle jugeait idiotes, il ne comprenait rien à ses réticences, à son silence passé, à son attitude. Il voulait savoir pourquoi, quels signes avant-coureurs son fils avait nécessairement envoyés. Pour elle, c'était de la torture. L'acharnement de Philippe la ramenait exactement à l'état auquel elle voulait échapper en le fréquentant. À croire qu'il le faisait exprès ! Rien de ce qu'il disait ne la consolait d'avoir fait l'erreur de lui révéler son plus grand secret. Elle qui avait fui toute personne susceptible de la ramener vers la mort de Sylvain, ce n'était pas pour se trouver devant un Philippe désapprobateur et insistant.

Elle en conçut de la rancœur. Tout d'abord à l'égard de Vincent qui n'avait pas mis de gants blancs pour lui annoncer la mort de Blanche. Elle n'excusait ni son manque d'empathie ni le peu de sympathie qu'il lui montrait. Philippe, à qui elle interdit dorénavant de parler de son fils ou même de l'évoquer, goûta aussi à cette rancœur. Mais même s'il se conformait à cet ordre, quelque chose s'était cassé dans leurs rapports. Muguette n'y sentait plus la liberté d'avant, une sorte d'abri. Les bras de Philippe n'étaient plus aussi sûrs. Et malgré son immense soutien aux funérailles de Blanche, malgré le gros diamant qui brillait à son doigt, Muguette se dit qu'elle ne l'épouserait pas.

À partir du moment où le suicide de Sylvain avait été révélé, Muguette était persuadée que Philippe ne resterait pas avec elle. Elle n'analysait pas, c'était une certitude. La manière dont cet échec serait confirmé ou ses raisons véritables lui importaient peu. Le résultat serait le même : Philippe ne pouvait rester dans sa vie.

Et, à partir de cet aveu, elle fit tout en son pouvoir pour lui rendre la vie insupportable. Ce qui l'agaçait, c'est qu'elle n'en éprouvait aucun soulagement. Elle était accablée de peine.

Leur couple s'effilochait et elle avait la conviction que c'était inéluctable. Et c'est là-dessus et sur le deuil de Blanche qu'elle fit porter la cause de son abattement.

Encore une fois, la vie cognait, encore une fois, Muguette sentait qu'elle perdait pied.

Vincent Côté

C'était de belles funérailles. Dignes. Douces.

J'avais choisi méticuleusement la musique qu'elle aimait. Quand le *Tuba Mirum* a joué, j'ai revu cette façon unique qu'elle avait d'écouter: le corps droit, penché en avant, elle soulevait les sourcils à l'entrée de chaque soliste, comme si elle attendait la confirmation du bonheur que lui apportait la perfection de cette partie du *Requiem*.

Le chanteur que j'avais engagé était bien froissé que je fasse jouer un enregistrement plutôt que de profiter du luxe d'avoir une voix réelle. Mais c'était ma mère, et je savais que ces quatre minutes de beauté absolue rendraient justice à quelque chose qui dépassait un détail technique.

Rien ne pouvait m'empêcher de faire de ces funérailles ce que doivent être ces cérémonies: un adieu à celle qui a été, et une prise de conscience du fait qu'une borne vient d'être posée sur ma route.

Tout comme il y aura toujours un avant et un après Sylvain, la mort de maman est une nouvelle coupure dans le cours de ma vie.

J'éprouvais cette tristesse de la perdre et une gratitude profonde pour tout ce qu'elle m'a apporté. Sa présence si marquante des dernières années, son cœur infiniment ouvert et notre complicité me manquent déjà. Mais je les ai eus. Tant que c'est possible de ressentir la perte, c'est qu'on a eu, possédé ce qu'on regrette. C'est déjà beaucoup, non ?

J'entendais Muguette renifler derrière moi, je pensais à Mélanie « qui n'a pas pu venir » et à Stéphane qu'elle refusait de traumatiser pour une arrière-grand-mère... et je savais qu'on baignait en plein mensonge pour les funérailles d'une femme pourtant éprise de vérité.

La lucidité — c'est elle qui m'a montré le chemin — je l'ai abandonnée, j'ai perdu du temps sur des routes secondaires. Mais j'y suis revenu maintenant, maman, et pour rien au monde je ne m'en priverais.

Je ne peux forcer personne à choisir la lucidité. Mais je n'ai pas à me forcer pour fréquenter des gens qu'elle rebute.

Je me suis senti infiniment seul à ces funérailles — et pourtant accompagné. Solide et bâti pour résister aux faux-semblants — et cela, même si c'est un disque qui jouait ce Mozart, alors que le ténor trépignait !

Je ne te dis pas adieu, maman, parce que tu restes en moi jusqu'à ce que je disparaisse à mon tour.

Et ce jour-là, j'espère que j'aurai fait survivre un peu de cette bonté qui illuminait ton regard... et que pourtant je n'ai pas toujours vue.

J'espère que je pourrai la léguer à ceux qui restent, ceux qui continuent la roue de la vie.

Cette solitude qui est la mienne, elle était la tienne aussi. Je ne t'ai jamais entendue te plaindre. En avais-tu envie ? Besoin ? Ou es-tu née à l'abri de cette terrible habitude ?

« Ton fils ne se plaindra jamais. Ce n'est pas son genre. »
Tu te souviens que tu me disais ça ? Finalement, ce qui nous rendait bien fiers, est-ce ce qui l'a perdu ?
Je t'entends me dire de ne plus aller par là. Ni pour Sylvain ni pour toi ou pour quiconque.

Te perdre doucement, c'est quand même te perdre, maman. Je prends le temps, je ne bouscule pas « la saison du deuil », comme tu appelais ta tristesse quand papa est mort.

Je fais du mieux que je peux, mais ce matin, en prenant le dernier pot de confitures aux fraises faites de ta main, je t'avoue que je l'ai serré sur mon cœur en sanglotant.

Mélanie-Lyne

Il a été gentil, monsieur Côté. Il est toujours tellement bien élevé. Correct. À sa place.

Je peux l'appeler si je suis inquiète, je peux lui dire comment je pense, comment je me sens, il va écouter et il ne me sortira pas les choses qu'il faut absolument que je fasse, comme les clients font. Les conseils, ça coûte pas cher, c'est pour ça que tout le monde en donne autant. Si y fallait les payer, on aurait la paix.

J'ai été manger avec lui, l'ex-beau-père. En fait, si c'était pas de Stéphane, on se verrait plus, je pense.

Mais c'est son petit-fils, pis si y a quelqu'un qui peut comprendre qu'on l'aime, c'est bien moi.

J'ai toujours été prudente, par exemple. Je voulais pas qu'y arrive ce qui est arrivé au père de mon Stéphane. Qu'on le veuille ou non, les parents sont un peu responsables, han ? Bon, je pense que monsieur Côté est ben correct, pas du tout une mauvaise influence, mais sa mère, je veux dire, la mère à Sylvain, c'était pas faite solide dans tête.

Elle a l'air de penser que c'est Sylvain qui l'a rendue malade, mais je m'excuse, là, ça serait plutôt le contraire.

Pis y a jamais été question que je laisse mon fils tout seul avec eux autres. Deux bonnes raisons : j'ai pas confiance, pis je sais qu'elle se dépêcherait de dire à Stéphane ce que son père a fait. Et ça, c'est « pas question » !

Monsieur Côté l'a bien compris, lui.

Elle, c'était toujours dangereux qu'elle nous sorte un « Après ce que mon fils a faite… »

Je pense pas que Stéphane serait très affecté. Y avait cinq ans, y a rien compris dans ce qui se passait. Mais j'aime mieux pas prendre de chance. C'est le genre d'exemples que j'aime mieux pas y montrer. J'ai eu assez de misère à l'élever, je laisserai personne venir gaspiller mes efforts.

Charlène

Y vient moins souvent, ton père. Le bois est en train de gagner. Il dit que sa place, asteure, c'est là. Y a du confort en masse, pis la paix. La sainte maudite paix. Évidemment, il le dit pas comme ça!

Je l'aime ben, mais je comprends pas qu'on aille s'enfermer dans le bois. Pas de télé en plus. Rien pour te distraire. Ben, probablement l'ordinateur, mais y est pas comme t'étais, lui, c'est pas un jouet pour lui.

L'autre soir, pour le niaiser, j'ai dit que pour se trouver une femme, le bois, c'était pas fort.

Y a encore ri comme toi.

Y en veut pas, de femme.

Ça, c'est pas comme toi.

Y aurait pu être barman, ton père, parce que quand je l'emmène sur ce terrain-là — les femmes, je veux dire — y a le tour de revirer la question pis de te faire parler.

Mais y m'aura pas: je veux savoir comment y fait pour être tout seul pis pas mal filer.

Y dit qu'y est un solitaire pis qu'y voit du monde quand y vient en ville.

Savais-tu que ton père se considère comme un ami d'Éric ? Et de moi. Y m'a donné son numéro de cellulaire. Si j'ai besoin, je peux l'appeler. Même juste pour jaser.

Cool, han ?

M'as te dire, depuis queque temps, je trouve que la place change. Pis pas dans le bon sens.

Depuis une couple d'années, je pense à décrisser d'ici, ou même à changer de branche. Le gérant de l'hôtel, y arrête pas de me dire que, si je voulais, je pourrais être gérante de ben plus que le bar. Si je savais écrire pas de fautes, je dis pas, mais là... Dans un bar, ton rapport, c'est ta commande. Ben des chiffres, pis pas de lettres. Si gérer une business, c'était rien que des chiffres, je pourrais y penser. Mais si y faut écrire, oublie ça, *man* !

Pis dis pas un mot sur ce que j'écris pour toi, Shooter. C'est ma façon de clairer le méchant pis de pas capoter. Rien à voir avec un rapport. C'est un genre de psy pas de psy, une sorte de thérapie avec personne pour t'écœurer pis te dire que t'as oublié une crotte dans le coin gauche.

Pas cher, pas plate, pis quand je veux. C'est pas toi qui vas venir me dire quoi écrire, han ?

Mais je peux quand même pas croire que je vas avoir quarante ans en train d'essuyer des bouteilles de crème de menthe que personne boit. Disons que quand je figure l'avenir, c'est pas le genre d'affaires qui me fait : ben oui ! Bonne idée !

En même temps, je la gagne, ma vie. Pis je fais plus que m'en sortir.

J'en vois-tu du monde arriver ici tout à l'envers parce qu'y ont pus de job ? J'en vois en masse, pis ça fait réfléchir.

Pis y a Frédéric aussi… je t'en ai pas parlé, je le sais. Toi, Shooter, c'est pire que ton père. T'es le dernier à qui je parle de mes baises. Ben… là, l'affaire, c'est que c'est pas du tout rien que ça. C'est plus. Pis c'est pas Kevin, là. Avec lui, faut pas choisir entre jaser pis baiser. Lui, c'est *full* toute. Pis quand y dit « Charlène », ça fait pas *cheap*. J'sais pas comment y réussit son compte. Ça fait presque beau.

Finalement, j'suis un peu gênée de t'en parler, mais c'est ça : y fait.

Y est même pas marié ou déjà avec quelqu'un, là. Libre, pis pas de dettes. À peine croyable, han ?

Pis attends-toi pas que je te raconte nos baises, ça te regarde pas, Shooter.

Viens pas faire ton Éric avec moi — lui, y se peut pus de Frédéric, y est pâmé ben raide ! Y le trouve parfait. Mais y a-tu un hétéro dans trentaine pis regardable qu'Éric trouve pas trippant ?

Disons que sa bonne cote, c'est pas à toute épreuve.

J'sais pas ce que ton père va en penser, lui.

Certain que je vas y présenter ! Tu me prends pour qui ? Une tête folle ?

Muguette sentait que l'instinct sur lequel elle avait basé toutes ses décisions lui faisait défaut. Il avait des ratés, un peu comme un moteur encrassé. Elle ne savait plus trop comment s'orienter, à quoi attribuer de l'importance. Perdue, elle se tournait parfois vers Philippe dans l'espoir de trouver une main secourable. Mais il n'avait pas le talent de Vincent, et surtout, il ne savait pas lui parler comme Blanche le faisait.

Il lui arrivait de se demander si elle ne devrait pas retourner chez elle, quitter cet appartement et regagner ses pénates. Quand elle s'est rendu compte qu'elle avait encore confondu le passé et le présent, elle a pris une décision qui en disait long sur son inquiétude, elle a cessé de boire.

Philippe trouvait cette lubie particulièrement fâcheuse, mais Muguette avait l'air bien décidée. Elle avait rencontré son médecin et ils avaient mis au point un programme pour l'aider à reprendre pied dans sa vie.

Étrangement, l'abstinence ne lui paraissait pas si difficile. Autant l'effet de l'alcool avait été euphorisant au début, autant il devenait lourd et dérangeant à la fin. Ce qui ennuyait vraiment Muguette, c'était que sa mémoire lui faisait encore défaut, malgré sa sobriété. Dès qu'elle s'éloignait des sentiers battus des habitudes, elle paniquait et cherchait frénétiquement les choses les plus simples : ses lunettes, ses clés, sa voiture. Qu'un nom lui échappe de temps à autre, c'était normal. Mais le jour où elle a ouvert son carnet d'adresses pour appeler son médecin et où elle a contemplé les noms qui y figuraient sans pouvoir mettre de visages dessus, la panique l'a envahie. Au bout de quelques instants, les choses se sont replacées, mais ces clignotements de vide suscitaient une angoisse terrible. Et il lui semblait qu'ils se multipliaient.

Elle n'osait plus apostropher Philippe avec un impatient « Mais de quoi tu parles ? », de peur que ce soit quelque chose qu'elle devait savoir et connaître.

Elle sortait de moins en moins, certaine de ne pas retrouver facilement son chemin. Il lui était arrivé de tourner le coin de sa rue et de ne rien reconnaître. Elle s'est ensuite aperçue qu'elle avait télescopé deux univers : celui de son passé avec Vincent et celui du présent.

Dès qu'elle saisissait la nature de l'erreur, elle se rassurait. Mais les sujets d'inquiétude se multipliaient et elle mobilisait toute son énergie à les cacher à Philippe plutôt qu'à les recenser ou les analyser.

Paradoxalement, pour se tester et exercer sa mémoire, elle s'était mis en tête d'effacer les touches automatiques des téléphones. Et elle s'était initiée au yoga, parce que les nerfs en boule empiraient ses absences. Elle avait instauré un système précis de sonnettes et d'alarmes : jamais elle ne plaçait quelque chose sur le feu de la cuisinière sans régler une minuterie pour l'avertir que le temps était arrivé d'éteindre. Dieu merci, le micro-ondes la soulageait en effectuant le travail… minuterie incluse et sans risque d'incendie.

Une bonne partie de son énergie s'épuisait en détails qui, en temps normal ou en parfaite santé, n'auraient même pas exigé une pensée.

Un jour, le lave-vaisselle s'est mis à dérailler et une eau mousseuse se répandait sur ses pantoufles, envahissant le plancher de la cuisine, inexorablement. Trop énervée pour chercher et trouver le bouton d'arrêt, elle épongeait fiévreusement le plancher sans arriver à stopper les dégâts.

Affolée, elle a composé le numéro de Philippe en criant que c'était urgent, que ça débordait de partout.

À sa grande stupéfaction, c'est Vincent qui s'est présenté : il était en ville, pas loin, qu'est-ce qui s'était passé de si grave ?

Une fois le lave-vaisselle éteint, le plancher essuyé, Vincent l'a regardée attentivement et, sans un reproche dans la voix, il lui a demandé si ça allait.

Pour toute réponse, elle s'est effondrée en pleurant et en balbutiant des excuses. Elle avait cru composer le numéro de Philippe, elle ne voulait pas le déranger, mais le savon, l'eau, le bruit du lave-vaisselle… tout ça la dépassait et la mettait dans un état épouvantable.

L'attitude si rassurante de Vincent, la douceur de sa voix quand il posait des questions faciles encourageaient Muguette. Tout à coup, c'est comme si Blanche revenait enfin prendre soin d'elle. De but en blanc, elle s'est interrompue : « Elle ne reviendra jamais, han ? Blanche ne reviendra pas ? »

Et sans attendre de confirmation, elle a recommencé à pleurer en répétant : « C'est mieux pour elle. Qu'elle voie jamais ça. C'est mieux pour elle. »

Vincent tapotait sa main, en proie à une inquiétude grandissante. Il connaissait bien des aspects de son ex-femme, mais ce genre de discours, cette panique, ces allers-retours de conscience, il n'avait jamais vu ça.

Quand Philippe est arrivé, Muguette a fait comme si Vincent était passé prendre un café à l'improviste. En prenant congé, Vincent a évoqué la nécessité de changer le lave-vaisselle. Une Muguette candide a répliqué : « Tu crois ? », et Philippe, en fermant la porte sur leur visiteur, a demandé si Vincent ne perdait pas un peu la carte.

Muguette était fatiguée comme si elle avait passé des heures à essayer de se tenir très droite alors que ses muscles en avaient perdu l'habitude. En se calant dans les coussins du sofa, sa matinée lui revint en mémoire et elle la raconta à Philippe.

Elle était soulagée de se souvenir, et quand Philippe a voulu savoir pourquoi c'était Vincent qu'elle avait appelé, elle s'est fâchée en répétant que le dossier était réglé et qu'elle ne voulait plus en entendre parler.

Charlène

Depuis queque temps, y a un gars qui fait des ravages au bar. Pas au bar exactement, mais dans la place.

Ça a commencé au printemps. C'est là que je l'ai remarqué, en tout cas. Y avait un congrès à l'hôtel, ça veut dire ben du monde, pis ben du mouvement. Quelque chose de juridique. Pas vraiment des avocats, mais pas loin. Pis beaucoup de femmes. Y ont pris un coup, y ont ri en masse, pis vers minuit, y sont montés à leur chambre pour être en forme le lendemain.

Je te dirais, mon Shooter, que le sexe était leur sujet de conversation préféré. Pis que ça parlait plus que ça faisait. C'est souvent de même, han ? Surtout passé un certain âge.

En té cas. Y en avait une, la cinquantaine, mais *top shape*. Pas grosse, pas ma tante. Pas un pétard, mais dans bonne moyenne. Elle, elle est restée après minuit. Pas vite, vite sur son verre de vin… disons que ça faisait un boutte qu'elle l'avait. J'ai pensé à ton père, tu sais, dans le genre qui pourrait l'intéresser. Pis là, y est arrivé, lui, le roi de la place. Habillé comme un monsieur, mais jeune pas mal. Y devait penser que sa belle cravate allait le vieillir. Beau cul pis ben de l'entregent. Je dirais même de l'entrejambe.

Y s'est mis à la *cruiser*, à la faire rire, à y payer un autre verre. C'est le genre de gars qui fait des sourires à tout le monde, tu sais ? Y te fait un petit signe de la main quand y passe devant le bar pour aller aux toilettes. Jusse de même pour faire comme un habitué qui a oublié de te saluer en rentrant.

La madame a sorti son petit miroir aussitôt qu'y a passé la première marche de l'escalier. Elle s'est examinée, a remis du rouge à lèvres, s'est secoué le toupet pis — tiens-toi bien — elle s'est enfilé une couple de Clorets qui en disaient long sur ses projets. Je te dis que le vin devait être bon après ça !

Quand notre champion est revenu, ça a pas pris dix minutes pour que l'équipe ramasse ses cliques pis ses claques et passe à quelque chose de plus corsé.

Ça arrive. Ça sert à ça, les congrès, je pense. C'est une sorte de perfectionnement, trouves-tu ? Comment y disent ça, déjà ? Faire du réseautage ? Faut que je demande au gérant de l'hôtel. Té cas, y avait le réseau pas mal ouvert, notre beau petit cul.

Je t'en parlerais pas si y était pas revenu. Pis elle aussi. C'est devenu une sorte d'habitude. De temps en temps, elle arrive, elle s'installe toujours à la même table, commande le même verre de rouge, pis ça manque pas : au bout de vingt minutes, l'étalon se pointe.

Depuis cinq mois, elle a changé de coiffure pis ses vêtements font plus jeune.

Ce qu'elle sait pas, Shooter, c'est que le petit cul est revenu pas mal souvent ici. Pis y a fait rire pas mal de madames… Ça sent le quartier général à plein nez.

Bon, on s'entend qu'un bar d'hôtel, c'est la place pour passer à l'action. Je peux même te dire que j'ai vu des filles rôder par ici pis y gagnaient pas leur vie en faisant des ménages. Mais lui... y roule en crisse. Du jeudi au dimanche, ça débande pas gros.

Évidemment, y s'est fait chum avec la barmaid. Ben important, la barmaid. Pour gérer le trafic, pour rien dire au gérant, pour pratiquer ses beaux sourires. Pour renseigner le réseau quand le *buck* est occupé. Parce que ça s'inquiète, ces madames-là. C'est gros pour eux autres, ces petites sorties-là. Coûte cher, à part de ça... Y en a qui ont cassé leur petit cochon pour s'offrir le beau mâle qui fait ben juste la moitié de leur âge.

Zef, qu'y s'appelle. Si tu l'avais vu se présenter! La main tendue, le coude en l'air, à moitié vendeur de chars, à moitié acteur. Une sorte de gros semblant de gars à l'aise, je sais pas trop comment dire. Y veut toujours me payer un verre. J'ai répété son prénom: « Zef, han? »

« Oui. Comme dans z'ai faim. »

Pis y se trouvait drôle! Sa mère l'a sûrement pas appelé de même. Ni Zéphirin, d'ailleurs. Les femmes qu'y baise, y ont l'âge de sa mère. Même moi, je suis trop jeune pour lui. Pis y fait rien que des femmes. Jamais vu avec un gars ici. Y a peut-être un autre *spot*, y mélange pas les genres. Mais Éric dit que non, qu'y touche pas aux gars. Pis je pense que c'est pas gênant de dire qu'Éric connaît ça... y a pas juste essayé les saunas, y vieillit, lui aussi. Ben non, énerve-toi pas, Éric est pas rendu à payer. Mais y a toujours eu l'œil pour l'allégeance sexuelle. Pis y a toujours fait exprès pour tomber amoureux d'un gars de l'équipe adverse.

Ça fait six mois que ça dure, son petit jeu à Zef, pis je commence à trouver ça pesant. Y a le cinq à sept pas mal actif, notre Zef. Pis moi, ben je me vois pas en madame de bordel pour accueillir la clientèle pis la consoler en attendant que notre beau arrive, les cheveux encore mouillés de sa douche pis la lèvre humide. Y prend jamais une chambre, toujours l'affaire de la dame. Lui, y accompagne. Y doit se dire qu'il les laisse libres de choisir le service. Pis quand y ferme sa boutique le soir, y me tippe tellement fort que j'ai l'impression d'être sale.

Les gars qui aiment le cul, tu le sais, j'haïs pas ça.
Les gars qui aiment l'argent, ça peut passer.
Mais les gars qui aiment l'argent du cul, je suis pas capable.

C'est moi qui les vois se rajuster le décolleté, croiser pis décroiser leurs jambes, s'essuyer le coin des lèvres, pis le regarder marcher vers elles avec une face de fée des Étoiles qui voit son premier père Noël arriver.

J'ai jamais pensé que les gars qui se farcissent des putes se faisaient la barbe avant. Quand je les vois, ces femmes-là, ça me fait pitié.

Je dois être sexiste, Shooter, mais ça me tente pas de participer à c'te *game*-là. Mais tu me connais, je suis pas rapporteuse. Fa que je suis bloquée. Je veux pas le dénoncer, je trouve que c'est pas mon métier, pis ça me déprime de voir des belles femmes tomber en sortant leur portefeuille. Les histoires de gars qui s'enfargent le cœur pour une pute, ça fait des maudits beaux films, mais c'est rare en crisse dans vraie vie.

Elles… on dirait qu'y sont toutes en amour.

Je pourrais en parler à Vincent quand je vas le voir. Y vient presque jamais. Y a lâché ça, le bar. Y reste dans le bois. Je pense que je le reconnaîtrai pas la prochaine fois, y va avoir l'air d'un orignal. Quand y vient en ville, y m'appelle avant pis on mange ensemble le midi. Y dit qu'y aime mieux ça, m'avoir pour lui tout seul.

On parle. Toi, tu parlais-tu à ton père ? Pense pas, han ? Pourtant, y est parlable. Y rit quand j'y dis ça. Y dit que c'est toi qui l'as rendu parlable. Ta disparition. Ton silence.

Sans vouloir te faire de peine, Shooter, j'y ai présenté Frédéric. Pis y l'a trouvé super.

C'est biz, han ? Veut, veut pas, c'est fort, la vie.

Je te parle à toi, t'es pus là pis je le sais — je suis restée du bord de la vie en me servant de toi.

Pis ton père est resté de ce bord-ci, lui aussi… pis y est devenu un homme des bois parlable.

Aye, Shooter, je parle-tu toute seule, moi ?

Vincent Côté

Depuis deux ans, l'état de santé de Muguette s'altère. Je devrais écrire « périclite ».

Autant la fin de maman a été miséricordieuse, autant cette fin est torturante. Pour elle et pour tous ses proches.

Dieu sait que j'ai voulu m'éloigner ! Et j'y suis parvenu. J'ai eu ce que Charlène appellerait « un bon *break* ». Mais depuis cinq ou six ans, Muguette s'est réimposée dans ma vie. Peut-être que j'ai toujours su que le divorce ne forçait pas l'éloignement, peut-être que j'ai toujours eu la conviction intime que Muguette dépendrait de moi pour toujours, quel que soit notre état civil.

Ce n'est pas de l'alzheimer à proprement parler, mais une forme particulière d'AVC... Pour simplifier, ce sont les effets de pertes de mémoire de l'alzheimer mais causés par le blocage de certains vaisseaux sanguins. Je ne vois pas toujours en quoi la nuance est importante, puisque les manifestations sont similaires. Mais les médecins insistent : ce n'est pas toute la mémoire qui est touchée. La mémoire récente est éliminée et la mémoire ancienne perdure. Ou presque, parce que là aussi, il y a des petits manques.

Le résultat, c'est que Muguette a effacé ses années avec Philippe, qui, le pauvre, doit se battre pour s'occuper d'elle, alors qu'elle est persuadée qu'il me remplace et que je vais bientôt la ramener chez nous.

Je ne sais pas à quel point cette maladie a rétabli la vérité dans sa vie parce que la rage de Muguette a toujours été sa façon de contester. Au lieu d'argumenter, de s'expliquer, elle explosait. Ses colères étaient quelque chose. Elles le sont toujours. Alors qu'avant elles reposaient sur un évènement tangible, maintenant elles éclatent pour des broutilles, des insignifiances qui ne reposent sur aucune réalité. Mais depuis quand Muguette a-t-elle besoin que ce soit vrai ?

Il me semble que la maladie a choisi sa cible avec une certaine impertinence. Je sais que c'est pitoyable, horrible par certains aspects — et je ne me moque pas — mais Muguette a toujours cultivé la demi-vérité et l'approximation flatteuse pour elle-même. Comment ne pas être frappé par le genre de maladie qui l'affecte ?

Pour oublier, pour ne plus savoir que notre fils s'est tué, elle a pris combien de petites pilules, combien de verres de rhum ? Et maintenant que sa mémoire obéit à ses désirs, les pilules sont là pour freiner le processus, conserver le peu qui reste.

La vie prend de drôles de détours, et ce n'est pas parce que Muguette n'est plus ma femme, plus la mère de mon fils et plus elle-même que je vais l'abandonner.

Elle est réduite à un état de dépendance extrême. Je suis libre, en bonne santé, et j'ai du temps. Je ne peux pas beaucoup pour elle, mais ce que je peux, je le fais. Une fois par semaine, le mardi, je passe ma journée avec elle. Et je répète mille fois la même réponse à la même question qu'elle pose : elle est rendue chez elle et nous n'irons nulle part ailleurs.

Quand j'arrive, elle s'illumine, on dirait une religieuse qui voit une apparition divine. Elle ne se trompe jamais — enfin, pas encore — de prénom. Elle me tend les bras comme une petite fille apeurée qui trouve enfin ses parents. Et je suis ses parents. En fait, je suis son passé ou le peu du passé qui lui reste.

Philippe, qui se bat pour que le présent persiste, est admirable. Bien sûr que ce n'est pas le type d'hommes avec qui j'irais manger pour discuter. Mais son dévouement est total. Et tellement généreux. Il a épousé une femme qu'il savait malade, et il l'a fait pour en prendre l'entière responsabilité. C'est ce qu'on appelle un « aidant naturel » doué, appellation qui me ferait écrire longtemps sur la philosophie d'un gouvernement sans scrupules et honteux, un gouvernement qui pousse le cynisme jusqu'à accoler le mot « naturel » à un effort qui exige tout du surhumain. Rien de ce que fait Philippe n'est de l'ordre commun des choses, même si ce qui arrive à sa femme est une manifestation des forces déviantes de la nature. Quelqu'un tombe, il est naturel de lui tendre la main pour le relever. Mais où est le naturel quand il faut ramper pour soutenir quelqu'un qui s'enfonce ? S'enfoncer soi-même dans les sables mouvants d'une impossible conversation, et se débrouiller jour et nuit pour servir de garde-fou à une société qui s'en fout ? Parce que si Muguette meurt attachée à son lit pendant un incendie, Philippe sera coupable de l'avoir attachée, et si elle met le feu pendant la nuit, c'est qu'il aura négligé de la surveiller.

Il est seul devant l'immense inconséquence de notre société. Seul devant la dégradation, l'humiliation d'une femme qu'il aime et qu'il veut protéger. Quel que soit le prix. Et il se bat contre tout, et surtout contre les misères d'un système médical défaillant qui lui complique l'existence au lieu de le soutenir.

Je ne peux pas le laisser tomber. Je ne peux pas le laisser assumer seul le poids terrible de cette maladie. Et j'ai choisi le mardi comme jour de congé pour Philippe, parce que c'était mon jour avec maman. Sa mémoire et son exemple ont quelque chose à voir avec mon aide. Je ne suis pas identifié comme « aidant naturel », Dieu merci, mais tant que je le pourrai, je vais soutenir Philippe et Muguette. Dans cet ordre, puisque mon ex peut être aidée, mais pas vraiment soutenue. À ses yeux, la soutenir serait la ramener dans notre passé, et pour rien au monde je ne voudrais y retourner.

La seule personne qui ne s'efface pas du tout de sa mémoire trouée, c'est Sylvain. Et là, la vérité est entière et plus forte que du temps de sa santé. Elle montre sa photo qui trône à côté de la mienne sur la commode et elle répète : « Il est mort. Mon garçon s'est tué. C'est-tu assez fou ? Je comprendrai jamais ! »

Et là, dans cette phrase immuable qu'elle répète tant que je ne cache pas la photo, épuisé de l'entendre, là toute la vérité s'étale et prend sa place.

Ce n'est que lorsqu'elle se plaint que l'aumônier — Philippe ! qui devient l'aumônier, le docteur et l'infirmier, selon l'heure et l'humeur — a encore caché la photo que les brumes de l'oubli recouvrent la vérité. Alors que je viens de le faire devant elle !

Je suis hors d'atteinte du moindre reproche avec Muguette. C'est Philippe qui écope de tout ce qui la contrarie. Être le mari de Muguette ne présente aucun avantage : que des devoirs de plus en plus lourds.

Ma vie se réorganise en fonction de ce bénévolat. Je sors du bois le lundi, comme un animal qui fait une cure de domestication, et je retourne au bois le mercredi, ou même quelquefois le mardi soir.

Et quand Muguette n'aura plus besoin de moi, je le ferai pour quelqu'un d'autre, en bénévole. Parce que je crois qu'il faut servir, aider. Parce que je peux le faire et qu'il me semble qu'il y a là une solution à l'immense détresse humaine qui règne sur notre monde insensé et si souvent insensible.

Mélanie-Lyne

Le monde sont pas gênés ! Quand on a des problèmes, y se sauvent en courant et tu peux t'arranger toute seule. Pis quand c'est eux autres qui en ont, là c'est épouvantable si tu te précipites pas pour les aider. *Wo* l'exploitation ! On peut-tu être généreux sans se faire fourrer tout le temps ? Ça se peut-tu, un peu de donnant, donnant ? Pas juste du donnant, fuyant !

Bon, c'est vrai que ma belle-mère fait ben pitié avec sa maladie qui finit pas de finir. Ça serait tellement mieux un cancer ! Là, au moins, tu te vois partir pis t'essayes pas de mettre le feu ou ben de t'embarrer dehors. J'ai une cliente qui a eu ça, de l'alzheimer, pis à la fin, c'était effrayant. Pus là pantoute. Pis encore, c'était pas la vraie fin.

Moi, vraiment, j'aimerais mieux me tuer avant d'en arriver là.

Mais va donc dire ça à monsieur Côté !

Y veut m'emmener la voir. Avant qu'elle me reconnaisse plus. Mais là ! C'est moi qui la reconnaîtrai pas : ça fait vraiment longtemps que je l'ai pas vue. On a jamais été proches, jamais. Même du temps de Sylvain.

Pis après, ben, disons que j'ai pas essayé de la revoir parce que c'était toujours elle, pis elle, jamais une pensée pour ce que ça m'avait faite à moi. Au moins, monsieur Côté y s'inquiète de moi, de Stéphane. Elle, non.

Pis en plus, elle voulait le dire à Stéphane, de quoi son père est mort ! Elle était pas certaine de mon attitude, qu'elle disait. Moi, je suis certaine que son attitude à elle, ça aurait eu rien de bon pour Stéphane.

En tout cas, si j'y vas, ça va être pour monsieur Côté, pas pour elle. Pis pas question que Stéphane vienne ! Je le vois tellement jamais que je gaspillerai pas une de ses visites pour aller voir une grand-mère capotée qui va le regarder comme un étranger. Non, merci !

Je sais pas pourquoi monsieur Côté est pas capable de couper les ponts pis de se refaire une vie qui a du bon sens. Elle est remariée, sa femme ! Pis lui, y a encore de l'allure pour son âge, pis y a des moyens. Faudrait qu'y revienne en ville, par exemple, parce que je connais personne qui irait s'enfermer dans le bois de même.

Y sont quelque chose, mes beaux-parents ! Pas faciles à comprendre. Bon, c'est vrai qu'à ce compte-là je me suis pas remis en couple après Sylvain. Mais j'avais Stéphane ! J'avais-tu envie qu'un gars arrive pis décide de ce qui est mieux pour lui ? Non. Pis la fois que je l'ai fait avec Raynald, c'était pas un succès.

Maintenant, vu que mon gars est parti, je regarde… Je me suis organisé un profil sur Réseau Contact, pis de temps en temps, je rencontre. J'ai pas mal de clientes qui se sont *matchées* sur ça. Pis ça a marché. Aussi bon que les rencontres dans le temps, dans les bars, ou avant, sur la patinoire paroissiale. Je niaise, j'ai jamais fait ça, moi, patiner pour rencontrer.

J'ai des clientes aussi que c'est avec Facebook. Y ont revu des anciens amis, des gens perdus de vue, pis on sait pas trop pourquoi, ça a cliqué. Des années plus tard, toi ! Un peu comme si je revoyais le premier gars que j'ai embrassé en troisième année. Je me souviens même pas de son nom, pas facile à retrouver. Ah oui ! Guillaume. Guillaume Frenette. Je vas aller voir sur Facebook si y est encore dans le coin. Ça serait drôle : allô, t'es mon premier baiser, veux-tu devenir mon ami ?

J'ai passé quarante ans, c'est plus dur de pogner. Mais ça serait juste pour le fun, je pense que ça m'intéresse pas trop à long terme. Compliquée, la vie à deux. J'en sais quelque chose avec mon gars. C'est pas un chum, mais c'est exigeant, un enfant.

Maintenant, comment je vais annoncer à monsieur Côté que je veux rien savoir d'aller voir sa femme ? Ben, son ex.

Pourquoi y me demande ça, aussi ?

Charlène

Méchant numéro, le Zef! Quand tu dis que tu considères ta queue comme ton instrument de travail, c'est pas rien. J'y ai demandé ce qu'y faisait pour se distraire, y a ri de moi. Y va pas au cinéma en tout cas. Y doit pas savoir c'est quoi, le théâtre, pis je mets un deux qu'y a pas lu de livres.

Les jeux vidéo, ça oui, par exemple! Sûre et certaine. Même pas besoin de le demander, rien qu'à le voir pitonner sur son cell. Un vrai *gamer*. Maniaque.

C'est un drôle de *mix*, ce gars-là. Prétentieux, qui aime l'argent pis rien que l'argent, pis en même temps, sympathique. Je le trouve faiseux avec les femmes qui le payent, mais je pense que c'est le « service » qui veut ça. Y doit s'imaginer que c'est ça, des manières.

Avec moi, c'est un autre ton: pas maniéré pour deux cennes, y a plutôt l'air d'un petit bandit, un *bum* qui se pense ben fin, ben connaissant. Mais y est jeune. Y connaît pas grand-chose. Quand ça se complique avec ses clientes, quand les vrais sentiments arrivent — pas les siens, y en a pas à part de vouloir leur cash pis d'assurer le service, c'est-à-dire bander — y patine, le Zef. Pis quand y peut pas se défiler, il les *flushe*.

La moitié des messages sur son cell, c'est des «*flushées* qui supplient», comme y dit. Il comprend absolument pas pourquoi y veulent tant. «*Delete*», «*Delete*», c'est ce qu'il dit à chaque message supprimé. Pis y se prend un petit air achalé de gars dépassé par la demande.

Y est jeune, le Zef, c'est l'abondance, mais ça sera pas toujours comme ça.

Quand j'ai dit ça, y m'a regardée comme si j'étais débile: y fera pas ça toute sa vie, y va se ramasser un motton, pis après, y va partir sa business. Pas de boss, pas d'ordre à recevoir de personne.

Une business de quoi? Aucune idée. Pas grave: quand y va avoir le paquet de cash, y va trouver. Vois-tu si c'est drôle, Shooter? Y fait à l'envers du bon sens. Y va se trouver un rêve quand y va en avoir les moyens. Y doit même se dire que si Steve Jobs était venu au monde après lui, c'est lui qui aurait parti Apple! Y a rien pour le faire douter, je te dis. Surtout pas de son charme.

Un soir que Frédéric est venu au bar, Zef l'a observé, pis quand y est parti: «C'est ton chum, ça? Tu pourrais faire mieux. Je pourrais te présenter quelqu'un, si tu veux...»

J'y ai dit de pas s'en faire pour moi. Je suis ben grande pis ben capable de m'organiser. Qu'y s'occupe de ses madames pis qu'y me laisse tranquille avec ses contacts.

La face qu'y a faite! Y en revenait pas que je le revire de bord. «Aye! Relaxe! J't'ai jamais parlé de payer!»

Calvaire! Ça serait ben le boutte! On n'a pas le même vocabulaire, c'est clair: «O.K. Zef. Merci, mais non. Veux-tu de quoi? J'vas fermer.»

Y m'a trouvée ben susceptible. Pis *heavy*.

La femme du congrès, la première que j'ai vue partir avec lui, elle revient encore. Si ce gars-là peut avoir un début de quelque chose qui serait un cœur, ça serait pour elle. Mais bon, y a pas de *bargain* là, on s'entend. Elle paye comme les autres.

Mais elle, je sais pas comment elle fait. On dirait que payer fait pas de différence. Comme si c'était un détail, mais qu'il l'aimait au fond.

J'haïs ça quand c'est elle.

Ça me fait triste. J'aurais envie de l'avertir. D'y dire d'aller ailleurs se chercher quelqu'un qui a de l'allure. Pas Zef. C'est pas pour elle, ce gars-là.

Un soir, y s'est pas montré. Elle l'a attendu de cinq à onze heures. C'est long en crisse, ça ! Ben droite dans le fauteuil, elle s'est repoudrée à chaque heure à peu près. J'y ai apporté un verre de vin. Sur mon bras. Elle a pensé que je voulais parler. Devine qui a parlé ?

Elle vient de Drummondville. Mariée, pas d'enfant. Cinquante-deux ans, mais franchement, elle les fait pas. Son mari est mort y a deux ans. Depuis ce temps-là, y a rien qui marche dans sa vie. Elle a changé de job, changé d'appartement, essayé de sortir avec des gars de son coin. Rien à faire. L'élan revient pas. Elle a envie de rien.

Le jour où Zef est arrivé dans sa vie, elle s'est dit qu'elle allait essayer ça. Que ça réglerait son problème de cul, si ça y donnait rien d'autre.

Pis ça l'a réglé. C'était parfait. Sans le savoir, c'était exactement ce qu'elle attendait.

C'est ça qu'elle veut, Shooter ! Rien d'autre. Pis payer, c'est parfait. Ça garantit que ça ira pas ailleurs. Pas dans le cœur, d'après ce que je comprends.

Fucké, han ? Est comme un gars. Comme Éric dans le temps du sauna.

Baise-moi, parle-moi pas, demande-moi pas comment je vas. O.K., on était sauvages, nos deux, mais on se parlait, quand même ! Bizarre, han ?

J'y ai demandé si changer de ville la tentait. S'en venir à Montréal. Non. La distance fait son affaire. Voyager fait son affaire.

J'y ai demandé si l'élan était revenu. Pas vraiment, non. Ses allers-retours, c'est un peu de fun dans une vie plate. C'est ça qu'elle dit. C'est la fois où elle se maquille, se fait coiffer pis se donne du mal pour avoir l'air fin.

D'après moi, ça marche pas fort, son truc. Elle a haussé les épaules : on fait ce qu'on peut, han ?

De quoi y est mort, son mari ?

Elle a hésité, elle a commencé par dire qu'elle en parlait jamais. Pis, fouille-moi pourquoi, elle me sort que le jour de ses cinquante ans, elle avait organisé un gros *surprise party*, cinquante personnes, le restaurant fermé pour les autres, la grosse patente.

Son accroire, c'est qu'ils allaient fêter ça au restaurant, juste les deux. Seulement, y arrivait pas. Pas de réponse sur le cell, à maison, même au bureau. Elle est partie voir à maison.

Pis elle l'a trouvé. Exactement comme toi.

Y voulait pas dépasser cinquante ans, ça a l'air.

Devine si elle a fêté les siens, deux mois plus tard ?

C'est ça.

Elle peut ben payer pour un peu de cul. Elle paye pour ben plus que ça, mais elle le sait pas. C'est juste pas marqué sus le bill.

Combien de temps tu penses que j'ai payé, mon Shooter à marde ?

Se tuer, c'est passer son bill à ceux qui restent.
Pis y a pas un crisse de procès qui peut te permettre de pas le payer.

Philippe avait vu la dégradation de Muguette. Il avait bien remarqué qu'elle en perdait des bouts ou qu'elle prenait d'étranges raccourcis. Il mettait ces manifestations sur le compte du rhum. Exactement comme elle, d'ailleurs. Mais il notait quand même que les effets de l'alcool étaient bien différents pour lui. Sa mémoire tenait bon. Son corps, un peu moins.

Curieusement, quand Muguette avait décidé de ralentir sa consommation, il n'avait pas touché à la sienne. Mais quand les effets dévastateurs de la maladie s'étaient amplifiés, il avait immédiatement cessé de boire pour garder sa vigilance intacte. Un verre maximum, c'était la nouvelle règle. Son inquiétude était si envahissante, son souci pour elle si constant, qu'il remarquait à peine le changement provoqué par la sobriété dans sa vie.

Le manque d'alcool ne se faisait pas sentir aussi fort que la crainte de perdre Muguette. Alors qu'elle retournait mentalement à sa vie passée, perdant ses liens avec lui, il ne trouvait aucun soulagement avec les siens, ses enfants, ses petits-enfants ou même sa première femme qui s'inquiétait généreusement de son sort. Muguette était tout son univers et le passé n'existait plus pour lui.

Aussi, quand Vincent lui avait proposé de le libérer les mardis, il en avait conçu un immense soulagement doublé d'une inquiétude tenace. Et si Muguette l'éliminait de sa mémoire ? Si, en rentrant un mardi soir, elle lui demandait de retourner chez lui ?

Il était chez lui, elle était mariée avec lui et elle ne le savait plus. Et lui, comme s'il n'en avait pas plein les bras, il se demandait si sa personne finirait par s'imposer dans l'esprit de cette femme.

Il n'était pas dupe, son mariage était une des premières conséquences de la maladie. Parce que Muguette avait changé d'avis, il le savait. Elle le supportait de moins en moins. Et ce qu'il prenait pour du mépris de sa part avait beau n'être qu'un effet pervers de ses pertes de mémoire, une façon de les camoufler, il avait parfaitement conscience de ne pas être à la hauteur de Vincent.

Mais ne pas être à la hauteur ne l'empêchait pas d'idolâtrer Muguette. Et le besoin de plus en plus constant qu'elle avait de lui décuplait son amour.

En acceptant l'offre de Vincent, ce n'était même pas à lui qu'il avait pensé, mais à elle. À son « voyage dans le temps », comme il appelait ses retours en arrière et ses méprises concernant son état marital. Vincent la contentait comme il ne pourrait jamais le faire, et au lieu de l'humilier, cette constatation le rendait humble.

Il aurait tout donné pour qu'un peu de paix traverse le regard affolé qu'elle posait sur toutes choses, lui inclus.

Et quand Vincent arrivait, le regard de Muguette se remplissait de joie et son visage se détendait.

Alors, simplement, il quittait la maison et laissait sa femme à l'aimable accompagnement de Vincent sans en éprouver ni jalousie ni appréhension : le passé servait de présent à sa femme.

Et tout était mieux que de la perdre.

Vincent Côté

J'ai tenté de rejoindre Stéphane. Si notre lien n'est pas très solide, il est encore plus fragile avec sa grand-mère, Muguette. Je me disais que parmi tous ceux qu'elle a fréquentés, le fils de Sylvain était sans doute le plus significatif à ses yeux. À ceux de Stéphane, par contre, je l'ignore. Je suis passé par Mélanie.

Celle-ci a une vision bien étroite des rapports familiaux. Son fils est sa chose depuis sa naissance, son recours absolu, son rempart contre tous les mauvais coups du sort, incluant la mort de Sylvain.

Mélanie ne trouve mon numéro de téléphone que si elle est inquiète pour son fils. L'idée qu'elle ou Stéphane rende visite à Muguette lui paraît insupportable. Elle veut encore et toujours protéger son fils — il a vingt ans ! — contre une éventuelle gaffe, une révélation de la cause de la mort de Sylvain. J'ai toujours cru que c'était la honte qui la poussait à mentir. Maintenant, je pense que c'est la crainte d'une éventuelle contagion : s'il fallait que le fils sache, il pourrait imiter le père. Je ne connais pas les statistiques, mais la duplicité, le mensonge me semblent plus porteurs de malheur que la vérité, non pas imposée brutalement, mais dite avec ménagement.

Peu importe. C'était sa décision et je l'ai respectée.

Je n'ai jamais compris comment Sylvain en était venu à fréquenter Mélanie. Il ne nous l'a jamais présentée autrement que comme celle qui attendait son enfant. Il n'a jamais eu l'air amoureux ou séduit par elle. Je me souviens encore du jour où il m'a annoncé son mariage : le condom s'est perdu, la fille est enceinte, pas question de se défiler, il l'épouse. Un peu comme si le mariage était une sorte d'assurance paternité ! Selon Éric, le plus proche de ses amis, Sylvain n'a rien changé à ses habitudes sous prétexte qu'il était marié. Il continuait à séduire les filles et à mener une vie de célibataire, même après son mariage. Aucune notion de fidélité n'entrait dans sa compréhension de la chose.

Je l'ai toujours deviné, et j'en ai toujours éprouvé de la sympathie pour Mélanie. Je la trouvais délaissée et peu considérée.

Aujourd'hui, je me dis que ça faisait peut-être son affaire. En tout cas, son attitude avec son fils a été à l'exact opposé de celle qu'elle a eue avec Sylvain : alors qu'elle ne discutait pas avec son mari, son contrôle sur Stéphane était absolu. Alors que Sylvain courait la galipote selon son envie, Stéphane a toujours eu des relations surveillées de très près.

Mais faire comprendre quelque chose à Mélanie — surtout en ce qui concerne son fils adoré — c'est l'Everest ! J'ai souvent renoncé. Lâchement, je dois l'avouer. J'ai sauté les détails, évité les discussions et assisté Mélanie autant que j'ai pu. Les résultats sont à la hauteur de ce qu'elle me permettait : minces. Ma relation avec Stéphane est quasi inexistante. Je ne sais même pas si je le regrette. On s'approche des gens dans la mesure où ils s'ouvrent, on ne peut pas forcer les rapports. Stéphane est resté plutôt froid et distant, même en grandissant. Je ne dois pas être la bonne personne pour lui. Celle en qui il aurait confiance. Et je suppose qu'il a raison et que sa confiance va ailleurs, vers quelqu'un d'autre.

Je crois aussi que respecter les conditions de Mélanie me plaçait dans une position étrange. Comme j'étais associé à sa mère, Stéphane ne pouvait venir vers moi pour s'opposer à elle — si l'idée lui en venait, ce dont je doute. Pour le voir, je montrais patte blanche à Mélanie, mais en le faisant, je lui signifiais qu'aucun soutien à la contestation maternelle ne pouvait venir de moi. Ou comment se « peinturer dans le coin », comme dirait Charlène.

Mélanie ne veut pas démordre de son idée : elle est certaine que j'essaie d'utiliser Stéphane pour aider sa grand-mère à faire fonctionner sa mémoire.

Elle ne voit pas du tout que ce projet insensé n'est pas viable et que c'est à Stéphane que je pense. Peut-être qu'il aurait envie de dire adieu à sa grand-mère avant que l'oubli ne gagne la totalité de son esprit ? Peut-être que ses souvenirs à lui sont importants et porteurs d'affection ?

Je ne sais pas quels ont été les rapports de Muguette et Stéphane pendant les années où je me suis éloigné et je ne sais pas non plus si je peux croire Mélanie quand elle affirme qu'il n'y en a pratiquement pas eu.

J'attends l'appel de Stéphane. Mais depuis qu'il a quitté le toit de Mélanie, il est aussi insaisissable que son père l'était.

Ce qui, bien sûr, ne me rassure pas.

Charlène

Mon ami le gérant s'est mis en tête de m'apprendre à faire des rapports. Penses-tu qu'y s'essaye, Shooter ? Que c'est l'idée de génie qu'il a eue pour me faire sentir obligée de coucher avec lui ? Y a pas compris de quoi, si c'est le cas !

Mais je pense pas. Y est marié, père de famille. Ça veut rien dire, pis t'es là pour le prouver, mais non, je le vois bien qu'y est pas parti là-dessus. C'est un bon gars, un vrai bon gars. Pis sa cocotte, il l'adore. Elle s'appelle Maude et elle a trois ans. Je le comprends de sortir son téléphone pour la montrer aux clients, parce qu'elle est mangeable. Il m'a présenté sa femme, Lucie, le soir où y ont pris un verre avant d'aller au Centre Bell se payer le show d'un chanteur que je connais pas.

Tu m'as jamais présenté ta femme, toi. Pis laisse-moi te dire que tes intentions avec moi, c'était pas clair, c'était *full* évident !

Alors, si je suis encore capable de comprendre ce qui se passe, mon gérant veut vraiment me pousser plus haut que barmaid. Et sais-tu quoi ? J'aime ça, apprendre. Surtout que c'est lui qui me corrige, pas Vincent. Je pense que ton père laisserait pas passer une seule faute. Mon gérant, c'est surtout qu'est-ce que le rapport raconte, pas tellement les « si » pis les accords. Les participes passés pis lui, c'est deux. Pas les principes, par exemple.

Comme j'avais pas envie de *stooler* Zef, mais que je voulais savoir quoi faire avec son beau trafic, j'ai inventé un rapport qui parle d'une fille qui vient lever ses clients au bar. Pas le quart de ce que fait Zef. Ben, mon prof a levé ça d'haut. Y m'a posé tellement de questions, ça se pouvait pus.

Je plains la fille qui s'essayerait ici. Pas de place pour ça. Faut vraiment pas que ça paraisse si jamais ça se fait. Il rit pas avec ça. Pas à cause qu'il a une idée sur ce qui a de l'allure ou pas, mais parce que la prostitution, ça fait *cheap*. Ça te baisse une cote d'hôtel, pis c'est pas long. À moins que ça soye dans le genre escorte de grand luxe que mon gérant appelle « de qualité ». Ce qui veut dire que la fille te coûte la peau des fesses pis que ça exclut que tu touches à ses fesses ! Tu les montres à ton entourage d'affaires. C'est vraiment comme ça qu'il l'a dit : « ton entourage d'affaires ». Bref, l'escorte qui va faire baver d'envie ton boss, c'est oui. Mais la fille qui va te faire la pipe du siècle, c'est non.

Ça m'a pas avancée gros, parce que Zef, c'est limite. Je veux dire dans le côté présentable, ça se peut. Y fait pas *cheap*. Je pense que le service doit être pas mal bon. Comme il me dit : il est « très professionnel ». Il part jamais sans avoir livré la marchandise. Y respecte trop ses clientes pour les laisser insatisfaites. Quand même rare, non ?

Des fois, y passe par le bar quand y a fini. Y se commande une bière avec son sourire de gars fier de son coup : « Encore une cliente satisfaite ! »

Pis y rit, l'animal !

J'avais envie d'y demander si les filles faisaient semblant avec lui. La face qu'y aurait faite ! J'ai pas envie d'y péter sa balloune. Si y est capable de faire 75 % de la job, c'est déjà ça. Je vais le laisser découvrir tout seul que toutes les filles font pas comme dans les films quand y viennent. Pis que celles avec qui c'est comme dans un film, ben… faut se poser des questions !

Lui, les questions, il laisse ça aux autres. Pas le genre à se taponner le bobo. Des fois, y se prend des airs de gars sérieux, réfléchi. « Professionnel », comme il dit.

Je te mens pas, Shooter, y pourrait être acteur. Quand sa grosse carrière d'homme à femmes va être finie, il pourrait devenir acteur. Pas parce qu'y est beau. À cause de sa présence. Y a de quoi qui flambe dans lui. J'ai jusse peur que ça soye son appétit pour le cash.

C'est Frédéric qui a réglé mon problème avec Zef. Ça se passe entre adultes ? Consentants ? Sans violence, sans obligations qui t'enferment dans un cercle vicieux ? Laisse faire ça.

Sais-tu quoi, Shooter ? Ça m'a soulagée. J'aurais eu l'impression d'être devenue quelqu'un d'autre si j'avais dénoncé le petit commerce de Zef. Je l'ai quand même averti : attention au concierge de l'hôtel qui voit tout.

Y m'a fait le clin d'œil que tu me faisais quand t'avais une longueur d'avance : le tip est toujours allongé avant de passer aux choses sérieuses. Le concierge est sous contrôle. Pis y a le front de me dire ça en m'allongeant un gros tip !

Asteure, j'y redonne son tip en y disant que je suis pas la concierge !

Vincent Côté

Cinq jours bien comptés avant d'avoir des nouvelles de Stéphane. Il ne connaît d'urgences que les siennes. Pas de place pour grand monde dans son monde.

Il vient de changer d'emploi et sa mère est toujours aussi « collante », ce qui signifie « constamment à ses trousses ».

Son problème principal consiste à lui faire comprendre qu'il ne reviendra pas vivre avec elle.

« Franchement, grand-pa, ça se peut pas de pas avoir de vie de même ! Pus capable ! »

Est-ce que je le comprends ? Oui. Du peu que je connais de Mélanie, c'est vrai que sa vie entière tourne autour de son fils et que ça doit être lourd pour un gars de vingt ans.

Quand Stéphane a coupé court à ma sympathie en me demandant « Tu veux quoi ? », j'ai eu un petit vertige : est-ce que je ne l'appelle que pour lui demander quelque chose ?

Alors que c'était faux, j'ai répondu « Rien », et j'ai prétendu vouloir seulement de ses nouvelles. Mais pas comme sa mère.

Il était pressé, il avait rendez-vous, j'ai suggéré qu'on mange ensemble. Il allait raccrocher en promettant que oui, un de ces jours… mais j'ai insisté.

Trouver une date devenait impossible et je le sentais trépigner au bout du fil.

Ça ne l'intéressait pas tellement.

Il a proposé de prendre un verre, mais en fin de soirée. Lundi prochain.

Il pensait que l'horaire tardif me découragerait. Il ne connaît pas mes habitudes.

Ça fait longtemps que je parle de Stéphane à Charlène.

Je vais appeler Éric pour qu'il le rencontre aussi.

Charlène

Y était tard. La soirée était pas mal fiasco. Éric venait de partir. Vincent était déçu, son beau plan avait foiré. Après un texto annonçant qu'y serait en retard, son petit-fils se montrait pas.

Zef est arrivé. En jeans, pas en cravate de travail. Pis tout seul.

Je me disais qu'y avait un beau cul en jeans quand je l'ai vu s'approcher de Vincent qui souriait.

Ben content, Vincent.

Zef faisait sa face de cachette : un beau gros crisse de clin d'œil quand Vincent me l'a présenté : Stéphane, son petit-fils.

Pis y me serre la main, pis y ajoute un « Enchanté ». Pis y a l'air d'avoir du fun, le petit crisse.

Acteur, je t'ai déjà dit ? Oublie ça, Shooter. Oublie tout ce que je t'ai dit.

Je le croyais pas. Je le crois pas encore.

Ton gars, Shooter ! Ton fils, crisse ! Le petit cul qui criait « mais y est où, papa ? » à tes funérailles, c'est lui qui fait des passes à des madames en manque. Ton fils, crisse !

Pis j'ai rien vu ! Pas de ressemblance, rien !

J'ai pas allumé. Pas là pantoute!

Alors que là, asteure que je le sais, je les vois-tu, les ressemblances, tu penses?

Même air de s'en crisser, de jouer tout le temps, de pas faire d'histoires.

En partant, y doutait pas une seconde que je me fermerais la gueule. Exactement comme toi, Shooter, toujours ben relax, certain que je te ferais jamais dins mains.

Je l'ai-tu dit ou ben je l'ai pas dit que j'avais eu une histoire avec toi? Pas un mot à personne, crisse! Je t'ai pas faite dins mains. Pis là, ton Zef se dit que je vas faire pareil avec lui? Pas un mot à Vincent sur sa belle job payante?

J'imagine la face à sa mère, si elle apprenait ça.

Je t'imagine la face, oui ta face, si tu pouvais voir ça!

Cé que je fais, asteure?

Je suis même pas capable de le dire à Frédéric! Imagine à Éric ou ben à Vincent!

Y a rien vu non plus, Éric. Quand j'y demandais si y était jusse hétéro ou ben des deux bords, le Zef… Rien! Zéro.

Tu dois être mort pour vrai si on est pas capables de voir l'évidence.

Crisse, Shooter, c'est pas un avenir pour ton gars, ça!

Je fais quoi? Je dis quoi?

C'est ton gars, tu pourrais pas t'en occuper?

Mélanie-Lyne

Je me suis donné un autre nom, évidemment. J'étais pas pour mettre mon vrai nom sur un site de rencontres ! Câline... ben, « Câline 22 », parce que ça a l'air que je suis pas la première à me vanter d'être douce pis compréhensive.

Sauf que moi, c'est vrai.

J'ai jamais tanné Sylvain pour qu'il rentre à heures fixes ou ben qu'y appelle en arrivant à l'hôtel quand y était en voyage d'affaires. J'appelle ça compréhensive, moi.

C'est sûr qu'avec Stéphane ça marche pas de même, mais c'est mon fils, c'est à moi de l'élever. De le surveiller.

J'en ai rencontré pas mal. Des prospects. Pour des cafés, surtout. J'ai pas envie que ça dure longtemps quand le gars fait pas. Pis souper, ça peut être long quand c'est plate. Un café, ça te permet de voir ce qu'y a à voir pis de te faire une idée.

Je sais pas si y ont arrangé leurs photos avec la patente qui efface les yeux rouges, mais c'est pas souvent qu'ils se ressemblent. Pis y sont presque toujours plus vieux que l'âge qu'y ont donné sur le site. Ou ben y ont des grosses vies.

Faut pas croire que c'est seulement les femmes qui mentent à propos de leur âge : je dirais qu'un gars sur trois le fait aussi.

Ça me dérangerait pas si y avaient de l'allure pis de la conversation, mais c'est moi qui fais toute la job ! Eux autres, y s'assoient, y te regardent sans se gêner, pis y payent pas souvent ton café. C'est sûr que c'est pas comme si y m'avaient invitée, mais un café, me semble que c'est pas cher pour ben paraître !

Y se forcent pas. Ou ben j'suis mal tombée. Pis je parle pas de ceux qui viennent même pas. Si y pensent que je le sais pas, ce qu'y font : y regardent de quoi t'as l'air sans rentrer dans le café, pis bye ! bye ! on passe à un autre café.

Faut pas se décourager, faut persister, c'est ce que celles qui ont trouvé m'ont dit. Eux autres aussi, y en ont vu des insignifiants avant de tomber sur le bon.

Je trouve ça quand même décourageant d'être obligée de faire ça. Avant, tu rentrais dans un bar pis tu jasais avec ceux qui étaient là. J'ai ben essayé, mais c'est plus du tout la même affaire : y ont toutes les yeux sur leur téléphone pis personne te regarde. Ça fait qu'avant qu'y te parlent tu peux sécher !

L'autre affaire, c'est que tu sais pas si tu peux les croire. Je veux dire, sur le site de rencontres. Pour l'âge, ça me dérange pas, mais « séparé » ou « en couple », ça m'intéresse que ça soit la vraie vérité, pas des accroires pour se payer du bon temps. Y en a qui ont rien que ça dans tête, le sexe. C'est sûr que c'est une bonne partie de l'affaire, mais y a pas jusse ça ! Câline, ça le dit, me semble ? Ça veut dire de pas y sauter dessus. Ça veut dire attention, on frappe avant d'entrer. J'ai pus vingt ans pis y faut me mettre dans le *mood*. Pas question de me faire sauter en vitesse.

Ceux qui me demandent comment j'aime ça au premier café, les maniaques qui s'excitent en voulant des détails qu'y appellent des « précisions », c'est non. Si je voulais seulement du sexe, je continuerais avec mes clients mariés. Eux autres, y sont sûrs et plutôt câlins. Y en a même un avec qui je me suis retrouvée à prendre un café ! Roger. Mais y s'appelait Pirate sur le site. On a ri. Y était mal. Mais je le savais qu'y cherchait juste des aventures, c'était pas une surprise.

Disons que c'est sa femme qui aimerait moins ça.

Au moins, c'est pas mon problème. J'ai écrit « veuve » sur ma fiche d'identité. Dans la quarantaine, c'est quand même pas si fréquent. Ben, y en a pas trois qui m'ont demandé ce qui était arrivé ! Pas que je meure d'envie de raconter ça, mais ça en dit long sur leur intérêt réel, me semble. C'est une sorte d'indice pour savoir si y veulent te « rencontrer » vraiment ou avoir une aventure.

Je sais pas si je vais continuer longtemps, mais disons que ça aide à passer le temps depuis que mon Stéphane est parti.

J'y ai pas dit ça, ça me gênerait qu'y sache que je suis en peine à ce point-là.

Stéphane n'avait aucun problème moral avec sa nouvelle carrière. Au contraire, quand il avait compris à quel point c'était facile, il avait eu du mal à saisir pourquoi tant d'hommes cherchaient encore comment gagner leur vie.

Selon son entendement, il faisait un travail humanitaire. Un travail de terrain. Au début, il se limitait à Internet. Il se voyait comme un « coach de vie » qui jouait à l'ami compréhensif. Les femmes avaient besoin de lui, voilà comment il qualifiait son apport. À ses yeux, les femmes étaient des créatures à la fois fragiles et exigeantes — des personnes à la fois dépendantes et contrôlantes. Il entretenait des amitiés spéciales avec elles, mais sans les rencontrer. Pour peaufiner son approche, « apprendre à patiner ».

Sa mince expérience se résumait à sa mère. Ses doutes, ses inquiétudes, ses règles strictes et son chantage avaient constitué sa principale source d'enseignement. Après elle, plus aucune femme n'avait obtenu une apparente soumission de sa part sans payer en retour.

Pas toujours en argent, mais quelque chose. Sauf pour sa mère, Stéphane ne voyait pas pourquoi sa présence serait gratuite.

C'est grâce son ordinateur qu'il avait fait son apprentissage. Et il avait commencé tôt. Puisqu'il devait rentrer à la maison tout de suite après l'école, puisque sa mère vérifiait, il s'était habitué à se distraire en fouillant les sites interdits. Il déjouait les tentatives puériles de sa mère et de la « surveillance parentale » en un tour de main. Mélanie avait le même code pour tout, que ce soit pour ses cartes bancaires, les cadenas des bicyclettes ou l'accès à Internet. Elle ne s'était jamais compliqué l'existence : c'était l'adresse du salon de coiffure.

En étant prévisible, sa mère lui avait facilité la vie. Pour Stéphane, si on connaît les envies et les craintes de quelqu'un, on peut s'en servir à l'infini. Dans son esprit, se servir de ses connaissances ne peut pas être malhonnête. C'est le jeu. Et tout est un jeu.

Depuis longtemps, son activité principale est d'obtenir ce qu'il désire en offrant le moindre effort : tout s'échange, tout se négocie. Il n'y a pas d'émotion qui ne se conteste pas : il suffit de prétendre que non, ce n'est pas intentionnellement méchant ou mesquin ou peu importe… à ses yeux, les émotions sont comme des jokers donnant accès à ses objectifs.

Il ne les ressent pas, il s'en sert. Et à voir sa mère se débattre avec les siennes, il est vraiment content de n'être la proie d'aucune émotion aussi prenante. Stéphane considère sa mère comme un prototype des pièges à contourner dans la vie. C'est sa définition de l'éducation. La morale de sa mère étant « ne me fais pas subir ça » ou « ne me désespère pas », il s'est employé à respecter les règles pour avoir la paix, mais sans jamais avoir la moindre inquiétude réelle, la moindre peur. Pour lui, le domaine des émotions est celui des femmes. Pas le sien.

Il n'en a jamais été désolé, ignorant tout de l'attachement. Il comprend rationnellement ces choses, mais il ne les éprouve pas. Ses générosités sont comptables et il n'a jamais été avare de mots pour combler d'aise sa mère… et les autres femmes. Il n'y voit aucune exploitation, plutôt une mise en application de son savoir. Que le cœur soit absent d'une déclaration, c'est son ordinaire, sa façon de vivre.

Il n'est jamais tombé amoureux, il a eu de l'intérêt pour quelqu'un.

Il n'a jamais eu un besoin viscéral, seulement une envie solide.

Du désir, oui, mais sans que son être entier soit sollicité. Toujours, une partie de lui-même demeure en recul, à observer et à arbitrer — la partie selon lui la plus intéressante parce que la plus payante, la plus rentable.

Très jeune, quand sa mère paniquait, quand elle perdait les pédales, il savait prendre un air contrit en observant froidement ses effets sur les émotions débordantes de Mélanie.

Stéphane ne s'estime pas distant, mais prudent.

Son insensibilité lui est trop utile pour l'analyser et trop confortable pour s'en éloigner.

À la limite, il ne la conçoit pas, mêlant continuellement sa compréhension des choses à l'émotion que les autres en ressentent. Il sait sans sentir, et c'est exactement ce qu'il recherche. Sa mère sentait sans savoir, et vraiment, pour Stéphane, c'était le chemin parfait pour être mal dans la vie et s'accrocher à des bouées de secours.

Il allait bien, il faisait son affaire et il ne voyait que des bénéfices à sa logique. Être content, satisfait plutôt qu'heureux ne lui semblait qu'une façon de décrire des choses superflues. Pour lui, ne dépendre de rien ni de personne était primordial — le reste, c'est une question de couleurs et il se sentait plutôt daltonien : que ce soit vert ou bleu n'avait aucune espèce d'importance.

Tout son apprentissage sexuel s'était fait par Internet. Il avait traité sa sexualité comme le reste : un besoin à satisfaire. Puis, il avait testé ses connaissances sur des personnes fictives, sur des noms et des descriptions, toujours sur Internet, principalement en s'inscrivant sur des sites de rencontres. Les images souvent crues qu'il trouvait sur certains sites pornos le renseignaient et l'excitaient, mais c'était toujours seul qu'il arrivait à la satisfaction. Jamais « avec » quelqu'un ou « avec » une image. Très tôt, Stéphane a conclu que le sexe était accessoirement une pratique duale dans laquelle chacun se sert de l'autre pour atteindre un plaisir qui demeure solitaire.

Et comme la totalité de ce qu'il explorait sur l'écran se passait avec des figurants toujours jeunes, il en avait déduit que la sexualité ne concernait que les jeunes, qu'après quarante ans, à moins d'en paraître beaucoup moins, il était exclu d'éprouver un soulagement sexuel.

La première fille qui s'est déclarée amoureuse de lui avait treize ans. Il en avait dix. Sans comprendre, il la voyait rougir, rire trop fort, parler sans arrêt et le contempler avec adoration. Quand elle avait mis sa langue dans sa bouche, il n'avait pas été excité, plutôt désemparé. Il ne comprenait pas qu'elle veuille vraiment faire ce qu'il avait toujours regardé sur un écran. Il avait l'impression d'être un épi de blé d'Inde qu'elle grignotait.

Quand elle avait eu fini de le bécoter, elle avait déclaré qu'ils étaient amoureux. En prenant sa parole pour la vérité, il s'était dit que ce n'était finalement pas grand-chose. Ensuite, chaque fois que son « amoureuse » se jetait sur lui avec un désir indiscutable, il la laissait faire tout en observant son attitude. Ce n'est que chez lui, devant son écran d'ordinateur, qu'il ressentait quelque chose.

Faire le lien entre les images et les personnes réelles a été un apprentissage long et ardu pour Stéphane. Encore là, il savait sans sentir. Il commençait à entrevoir que l'univers comptait énormément d'individus pour sentir et chercher à se perdre dans la sensation. C'était l'époque où Raynald était entré dans la vie de sa mère, et pour lui, c'était le comble de l'ennui. Il n'aimait pas voir sa mère pitoyable. Sans aller jusqu'à le désoler, la chose l'agaçait. Et devant Raynald, elle adoptait l'attitude des suppliantes. Sa mère était la proie d'émotions dont il n'avait aucune idée mais dont il percevait les effets négatifs. Et cet homme, Raynald, avait un instinct de pouvoir qui ne s'arrêtait pas à la personne de sa mère.

Ne se sentant absolument pas concerné, Stéphane avait restreint son univers aux dimensions physiques de sa chambre. Il appréciait à sa juste valeur la détente apportée par Raynald dans ses rapports avec sa mère, mais l'envahissement de son intimité en contrepartie de ces vacances ne valait pas le coup.

L'attitude de Raynald l'embêtait sans le fâcher. Stéphane avait pris l'habitude d'obéir apparemment et de déguerpir par en arrière. Pour lui, la paix méritait tous les mensonges et aucune intégrité particulière n'exigeait qu'il s'embête à discuter. Sa mère le faisait constamment avec Raynald et, de toute évidence, c'était stérile et ennuyeux.

Berner les gens, leur mentir ou inventer des histoires ne constituaient pas des méfaits à ses yeux. Surtout si cela satisfaisait une attente. C'était rendre service aux gens que de les mettre à l'abri de la déception. En tout cas, cela avait toujours bien marché avec sa mère ou les professeurs. Ils avaient besoin d'une raison, d'une cause à ses façons de faire ou de ne pas faire ? C'était facile de leur fournir ce qu'ils désiraient.

La seule personne avec qui son système ne fonctionnait pas à tous coups, c'était son grand-père. Stéphane ne se souvenait pas d'avoir réussi à le contenter. En fait, il ne parvenait pas à déceler ce qui pourrait suffire à ses yeux. Il patinait, ne savait trop quel chemin prendre. Vincent ne lui fournissait pas d'indices. Un peu comme s'il n'attendait rien de lui.

Pour Stéphane, c'était déstabilisant. Il n'avait qu'un grand-père, le père de sa mère ayant été rayé de la carte des fréquentations, il ne savait pas trop pourquoi. Possible que sa mère le lui ait dit, mais il n'avait pas écouté.

Quand il voyait son grand-père, c'était un vrai défi : contrairement à la plupart des gens, il ne voulait pas tant parler qu'écouter. Alors que faire parler les autres était sa force, Stéphane n'y arrivait pas avec Vincent. À tâtons, il racontait des choses en surveillant l'effet produit. Dès que le rire éclatait, il savait comment continuer. Mais son grand-père n'était pas facile à bluffer. Son regard était attentif et sans jugement. Stéphane avait l'impression d'être absorbé par ces yeux, vu tel qu'il était et tel qu'il ne se décrivait pas. Sans masque ou presque. C'était plutôt inquiétant, cette façon que Vincent avait de le considérer sans qu'aucune attente n'interfère.

Dépourvu, Stéphane ne frimait pas, mais ne s'exprimait pas pour autant puisque ce côté de lui-même lui était inconnu.

Quand il essayait de distraire son grand-père avec Muguette ou même avec Blanche, cela ne tenait pas longtemps, Vincent ayant la mauvaise habitude de lui demander ce que lui en pensait.

Étrangement, ce regard attentif et dénué d'expectatives ne lui semblait jamais négatif. Le mot « fuir » qui surgissait dans l'esprit de Stéphane devant tant de gens et auquel il se soumettait sans retard, cet ordre ne venait pas devant Vincent. Il avait été la première personne avec qui il avait entretenu une forme de lien. Avec sa mère, mais dans une tout autre tonalité, c'était la seule relation véritable qu'il avait expérimentée. Son réflexe de survie était de ne pas en abuser et surtout de ne pas permettre à ce lien de le déstabiliser. Il percevait sourdement que l'enjeu de ce grand-père dépassait sa propre compréhension du monde et il ne voulait absolument pas « entrer dans sa *game* ». En même temps, de tous ceux qu'il connaissait, Vincent était le seul être humain digne de confiance qu'il fréquentait. En cas de pépin, c'est le seul qui pourrait l'aider, il en était persuadé sans pour autant être tenté de le tester.

Après sa première amoureuse, Stéphane avait multiplié les expériences et raffiné ses approches. La sexualité était un terrain parfait pour ses goûts et ses dispositions naturelles. Il savait comment faire. Il contrôlait l'entreprise d'un bout à l'autre. Il savait faire parler, écouter et baiser. Il se prétendait bon public, alors qu'il estimait avoir le premier rôle dans un film où tous les autres n'étaient que des figurants. Mais donner le change était son art. Et il le fignolait sans cesse.

Il ne se prenait pas au sérieux pour autant, et c'était ce qui le sauvait de la prétention arrogante.

« Pourquoi se faire chier quand on peut s'amuser ? » résumait sa pensée depuis qu'il en avait une. Alors que la relation à l'autre était son talon d'Achille, il se spécialisait dans le seul type d'échange qui exigeait une capacité à considérer et à se lier à l'autre : le rapport sexuel.

Son expérience, il l'avait puisée entièrement sur les réseaux sociaux, offrant tout ce qu'il était possible d'offrir et allant de plus en plus loin dans la sexualité virtuelle. Son pseudonyme lui venait de son surnom : il était passé de Steph à Zef. C'était bref et, en dehors de deux ou trois clientes un peu entêtées qui tenaient à l'appeler Jeff, cela ne prêtait pas à confusion.

Sans aucun scrupule, il mentait sur son âge. Quand il répondait aux annonces, il regardait la colonne « Cherche » et se pliait à l'âge recherché. Quarante ans ? Aucun problème. La cinquantaine ? Certainement ! Personne n'avait jamais émis de doutes sur son âge dans ses échanges virtuels. Il craignait un peu pour son orthographe qu'il savait déficiente, mais vraisemblablement, les hommes de quarante ans et plus faisaient des fautes, ou alors c'est que les dames avaient l'esprit ailleurs qu'à la correction du français.

Une seule fois, une « Cassandra » lui avait répondu qu'un de ses critères explicites était « cultivé » et qu'elle le priait de ne pas se considérer comme admissible. Ce n'était pas un gros refus, aux yeux de Stéphane. Rien pour ébranler sa confiance : il était admissible pour tant de femmes que ce rejet n'assombrissait pas du tout son tableau. Il s'était d'ailleurs attendu à plus de sévérité de la part des clientes.

Tout s'était déroulé avec une facilité déconcertante. Alors que l'école exigeait des efforts, alors que sa mère instaurait des règlements stupides, il pouvait duper qui il voulait en passant par un ordinateur.

Sa première cliente « en vrai », il l'avait faite à seize ans... en prétendant en avoir dix-neuf. Grand, plutôt bâti, ce n'était pas difficile à croire. On ne le « cartait » plus depuis un an. Sylvie avouait un début de trentaine, mais même sans expérience, Stéphane aurait poussé le marqueur vers le début quarantaine. Peu lui importait. Il voulait surtout voir s'il arrivait à abuser la cliente et lui donner ce qu'elle espérait.

Se servir de son corps lui parut aussi simple que se servir d'un ordinateur. Il faisait croire ce qu'il voulait et la générosité de Sylvie fut à l'origine de ses prix plutôt exorbitants. Ce n'est que beaucoup plus tard qu'il avait comparé avec d'autres offres du même type et qu'il s'était rendu compte que son *bracket*, comme il appelait sa catégorie, était de la grande classe.

Comme il ne connaissait pas les ratés, il ne voyait aucune raison de demander les prix des médiocres.

Il était passé « professionnel » par accident. Un concours de circonstances l'avait placé au cœur d'un congrès de techniciens juridiques majoritairement composé de femmes, véritable nid de clientes surexcitées et ne demandant parfois qu'à admirer.

C'est à ce premier congrès qu'il avait décidé qu'il était temps de couper les ponts avec son passé et de plonger dans l'aventure.

Charlène

Devine si y s'est montré la face, ton Zef? Penses-tu qu'y était gêné ou je sais pas, un peu inquiet, nerveux?

C'est tellement ton fils que je me trouve idiote de pas l'avoir vu avant.

Y trouve ça ben cool qu'on connaisse Vincent tous les deux. Ça prouve qu'on est faits pour s'entendre! Tu vois le genre?

Penses-tu qu'y s'est abaissé à me demander de garder ses à-côtés pour moi? Même pas! Comme si ça faisait partie du *deal* initial. Discrétion incluse et absolue. Une barmaid, c'est bien connu, c'est une tombe.

Confiant, souriant, je pense que ça l'amusait.

J'ai quand même tâté le terrain: y sait comment tu gagnes ta vie, Vincent?

Baveux, il a dit que c'est son grand-père qui lui fournissait les clientes au début… mais y a fini plus sérieusement: « Je le ménage, mon grand-père. Je trouve qu'y en a ben assez avec ma grand-mère malade. Pas toi? »

Évidemment que je me vois pas annoncer à Vincent que le fils de son hostie de Shooter s'envoye des femmes qui ont deux fois son âge pour dix fois le salaire d'une barmaid ! Comment veux-tu que je dise ça ?

Je te le dirais-tu à toi si t'étais pas mort ? Ben non !

Y est beau, y est majeur pis y fait ce qu'y veut de son corps.

Pis y a du fun, je peux te le garantir. Je sais pas trop par quel miracle, mais c'est ça pareil.

Y me regardait bardasser mes bouteilles, le bar était encore désert. J'avais envie d'y dire d'aller faire sa business ailleurs, d'ouvrir une succursale dans un autre bar. Que son grand-père était un habitué pis que si y voulait pas se faire pogner, y serait mieux de décrisser.

J'avais envie d'y dire que je m'en foutais de lui pis de ses histoires de cul. Pis c'était vrai.

« Toi, Vincent... ça fait-tu longtemps que tu le connais ? »

Pis tous les sous-entendus que tu peux imaginer étaient dans sa phrase.

Qué cé que tu veux que je réponde à ça, Shooter ?

Y a pas un crisse d'enfant qui comprend ça quand son père baise une autre femme que maman. Même lui, si cool, si relax, y capoterait.

Chose certaine, j'ai pas envie de le savoir, ce qu'il dirait.

Il m'a vu les yeux, y a levé les deux mains pour me montrer qu'il était pas armé : « Cool ! Charlène. Oublie ça. O.K. ? M'excuse. On était ben, avant ? On va faire comme avant. »

Et voilà !

Pas compliqué, ça ? Pas difficile à faire — on le sait, mais on le sait pas.

Même quand ça fait pas, ça fait.

Ton fils, je te dis !

Mélanie-Lyne

Dans le fond, pourquoi je les rencontre, ces deux de pique là ? Parce que, sans vouloir insulter personne, c'est pas des lumières. Y sont dans la grosse moyenne, comme moi. Si y étaient plus fins que la moyenne, y mettraient pas une annonce sur ces sites-là. Y seraient déjà en couple depuis longtemps.

Moi, non. J'ai pas voulu me remettre en couple. Pis c'est pas quand tu décides de te remettre en selle que le cheval se présente. J'avais d'autres choses à faire que d'entretenir des relations amoureuses. J'avais mon Stéphane, pis c'était tout ce que ça me prenait pour être heureuse.

Je comprends qu'y fasse sa vie. Même qu'y s'installe en appartement tout seul, je le comprends. La meilleure mère du monde, c'est quand même rien que ta mère. C'est pas ta compagne. Pis j'y en souhaite une vraie pis une fine. Pis je respecte sa discrétion, y me la présentera quand il voudra.

C'est un de mes « soupirants » qui m'a sorti ça : « Je respecte sa discrétion. » Il parlait de sa fille qui m'avait l'air pas mal tête folle, mais bon, c'est la réponse qu'il m'a faite et je l'ai trouvée bonne. Ça fait sérieux, je trouve.

Ce qui l'est moins, c'est le nombre d'imbéciles et de petits comiques qui te rencontrent pour te niaiser. Y a vraiment rien de sérieux dans leur affaire. Si y veulent baiser en cachette de leur femme, ça sera pas avec moi. Pas possible comme l'infidélité est courante de nos jours. J'allais dire normale.

Ça m'intéresse pas, faut-tu l'écrire en gras pis en souligné ? Je veux pas généraliser, mais y en a beaucoup des pas fidèles. Pis les fidèles, ben y se sont fait jouer dans le dos pis y sont prudents.

Un qui m'impressionne, c'est monsieur Côté. Son ex est remariée, le mari s'en occupe, mais lui, il y va encore pis y en prend soin. C'est pas comme si elle avait eu autant d'allure que lui, là ! Même pas. Je pense qu'elle a perdu la mémoire pour pas se souvenir comment elle avait pas d'allure.

En tout cas, elle peut se compter chanceuse d'avoir tout ce monde-là autour d'elle. Moi, si j'avais été son mari, je serais parti en courant. C'est ce qu'y a fait un bout de temps, monsieur Côté, mais y est revenu par après. Je sais pas trop pourquoi. Elle a le tour de faire pitié, je pense. Y a des femmes de même, on a comme envie de les protéger.

Je suis allée, finalement. La voir. C'était pour épargner ça à Stéphane. Pour que monsieur Côté insiste pas.

Je l'ai trouvée perdue pis malade. Elle me regardait sans me reconnaître. L'air pas mal désagréable. J'y ai dit qui j'étais, pis ça a pas faite : elle s'est choquée ben noir. Je veux pas répéter les horreurs que j'ai entendues. Elle a beau pas savoir ce qu'elle dit, elle le dit pareil. C'est quand même elle qui le dit, alors y doit y avoir un fond de vérité. Ben, si c'est ça qu'elle pense de moi, elle peut m'oublier en masse. Je m'obstinerai certainement pas pour me faire engueuler.

Comment une femme aussi folle pis aussi vieille peut garder deux hommes qui ont de l'allure à son service, alors que j'arrive pas à en intéresser un seul, ça me dépasse !

Mais j'aime mieux rester toute seule que pogner son mal. Pis une chose est certaine : je veux pas que mon Stéphane voie ça ! Pis j'ai averti son grand-père : pas question !

Elle est assez folle pour y dire n'importe quoi.

Le jour où Zef avait poussé la porte d'un café où l'unique cliente solitaire était sa mère, il avait rebroussé chemin sans demander son reste. « Câline 22 » avec qui il avait échangé quelques courriels *soft* et presque polis était donc sa mère.

Il perdait une cliente éventuelle, mais il ne récoltait plus que rarement la clientèle sur ces sites depuis qu'il avait bâti son réseau. L'expérience lui apprenait tout de même quelque chose : Mélanie avait elle aussi des besoins personnels. Et si un jour elle se mêlait de lui reprocher ses choix de carrière, il saurait brandir « Câline 22 ». Mais il serait surpris d'avoir à le faire : depuis plusieurs mois, sa mère avait bien compris qu'il était passé à autre chose et que la vie de famille, c'était terminé pour lui.

Et dire que sa mère est persuadée qu'il lui cache « l'élue de son cœur » ! Si elle n'avait pas été trop âgée, il aurait bien demandé à Charlène de remplir le rôle le temps d'un dîner, mais il a renoncé : sa mère aurait été estomaquée de le voir fréquenter une femme plus vieille que lui et, de toute façon, Charlène l'aurait probablement envoyé chier.

Encore une qui ne fonctionne pas comme lui. L'argent ne l'intéresse pas tant que ça, et son humour égratigne pas mal, surtout ces derniers temps. Elle le traite comme un client ordinaire, mais un client à surveiller. Elle l'a à l'œil ! Au début, il avait pensé lui offrir une petite cote pour s'assurer de sa discrétion. Comme elle refusait toujours ses pourboires trop généreux, il n'avait pas eu besoin d'un dessin.

Stéphane avait mis sur le compte de la solidarité féminine les réticences de Charlène. Peu habitué à voir son charme échouer, il avait changé de tactique : au lieu de la séduire, il allait en faire une alliée. Sauf que c'était beaucoup plus difficile. Il ne savait pas comment procéder. Il n'avait jamais eu d'allié ou d'ami. Son univers était impénétrable et, pour y faire entrer quelqu'un, il lui aurait fallu trouver l'ouverture. Ce dont il était incapable.

En voyant son grand-père au bout du bar, en pleine conversation amicale avec Charlène, Stéphane avait eu le même flash qu'avec « Câline 22 » et il était certain qu'une liaison unissait ces deux-là. Quoi d'autre ? Cela avait d'autant plus de sens que Charlène, tout comme son grand-père, savait le déstabiliser. Que les deux seules personnes de son entourage qui résistent à son emprise soient complices lui semblait normal. Que Vincent baise une femme de plus de trente ans sa cadette n'avait rien pour l'étonner ou le choquer.

Il a donc mis l'humeur batailleuse de Charlène sur le compte de la pudeur. Il avait vu des femmes sortir de ses bras rouges de honte de « s'être laissées aller à ce point ». Il savait comment les prendre et les calmer.

Sauf que Charlène n'avait pas vraiment honte. Elle avait l'air plutôt furieuse. Et c'était au tour de Stéphane de ne pas saisir et de patiner laborieusement pour trouver le moyen de rétablir le rapport. La partie était si difficile qu'il a commencé à « ouvrir un autre front » pour travailler. En réservant le bar de l'hôtel pour de très furtives rencontres — les premières, celles de l'approche pour ferrer le poisson — et en optant pour d'autres hôtels pour les phases suivantes, il pensait satisfaire Charlène. Mais elle résistait et leurs échanges étaient différents, empreints d'une distance qu'il connaissait puisqu'il avait coutume de la mettre lui-même et non pas qu'on la lui impose.

Pour la première fois de sa vie, cette résistance, au lieu de l'éloigner, l'attire et prend la forme d'un défi. Il ne peut pas dire où mène sa campagne de séduction, puisque Charlène ne cherche rien de sexuel, mais il n'a pas envie de renoncer. Un peu comme dans un temps très ancien il avait eu envie de l'approbation de son grand-père, il veut que cette barmaid lui donne son O.K.

Il a beau essayer de se distraire, de ne pas se préoccuper d'elle, il finit toujours par revenir au bar.

Contrairement au concierge qui déteste cette baisse de fréquentation, Charlène n'a même pas l'air de remarquer qu'il se fait rare.

Vincent Côté

Depuis longtemps, je me demandais ce qu'une fille pleine de bon sens comme Charlène dirait de Stéphane. Elle a connu son père, elle me connaît, elle pourra donc me dire si ce petit-fils fuyant et charmeur est solide ou fragile.

Je suppose que c'est un contrecoup du suicide de Sylvain, cette inquiétude latente que Stéphane puisse aller mal sans qu'on le voie. S'il y a une chose que la mort de mon fils m'a apprise, c'est bien de ne pas me fier aux apparences.

Et parce que les apparences de Stéphane sont excellentes, je me méfie. C'est plus fort que moi. C'est un peu malsain, une sorte de vulnérabilité qui me reste, mais je n'y peux rien. J'essaie seulement de ne pas devenir désagréable à ses yeux et de garder mes angoisses pour moi-même. Ce n'est pas facile de savoir avec Stéphane. Il est comme un poisson, il glisse entre nos mains et s'échappe. Il évacue les sujets de conversation qui l'indisposent et, si je le lui fais remarquer, il blague et a l'air bien étonné que je ne partage pas son humour. Combien de fois m'a-t-il dit : « C'est une farce, grand-pa ! Fais pas cette face-là ! »

J'ignore quelle face je fais, mais je sais ce que je pense de cet humour facile qui camoufle à peine certaines vacuités.

Je veux bien prendre Stéphane comme il est, mais je ne sais pas qui il est. Et parfois, je me demande même s'il le sait, lui.

Quand il s'est poliment informé de sa grand-mère, je lui ai décrit très précisément son état sans lui cacher le pronostic. Sa seule réaction — en dehors d'une envie folle que cesse ma description — a été de s'exclamer : « C'est ben long ! On peut pas en finir plus vite ? »

Sidéré, je l'ai regardé sans rien dire.

Il a ajouté que si elle avait toute sa tête, sa grand-mère le ferait, elle. Elle se tuerait. Ce qui serait bien mal connaître Muguette… qui ressent depuis quelque temps un répit de ses craintes et une joie sans bornes à attendre Sylvain qui, selon elle, va revenir de voyage.

Dans tout le discours de mon petit-fils, j'ai retrouvé les clichés habituels sur la vie et la qualité qu'elle doit avoir. Sur l'évacuation du concept de la fin de vie. Et surtout, surtout, sur l'obligation morbide dans laquelle je suis d'assister à ça. Obligation qu'on devrait m'épargner puisque je vais bien.

Le « ça » en question étant toute espèce de déchéance, de dépendance et d'imperfection que la maladie comporte ou entraîne. Comme si se savoir mortel et fragile était une torture en soi. Comme si la vérité de la condition humaine représentait une violence à laquelle tout être jeune et en forme doit échapper.

Je lui ai dit que s'il était malade et condamné, je m'occuperais de lui afin que ses jours soient heureux, même s'ils étaient ses derniers. Dans la mesure du possible et malgré le chagrin que j'en éprouverais.

Il a souri avec cet air qui ressemble tant à son père, cet air de garder un passe-partout dans sa poche, et il a dit qu'avec lui ça ne traînerait pas.

Tout pour me rassurer, quoi !

Je lui ai offert de venir rendre visite à sa grand-mère, en insistant sur mes intentions qui ne sont pas d'aider Muguette, mais de lui offrir à lui de la revoir. À ses risques et périls, puisqu'elle est diminuée et qu'il y verra une raison de l'aider à en finir.

« J'aime mieux m'en souvenir en forme. Je vais passer mon tour. » a été sa réponse.

Au fond, ce qu'il préfère, c'est ne pas voir ce qui est : que la maladie existe et que la vie finit, que le passage peut être abrupt et difficile et que l'histoire est moins exaltante vers la fin.

J'ai eu envie de lui dire que tous mes souvenirs de son père sont des souvenirs « en forme ».

Pas un nuage sur la photo du passé de mon fils. Pas une ride sur son visage.

Et pourtant... toute cette belle forme a choisi d'ouvrir l'enfer pour moi.

S'il fallait échapper à tout ce qui enlaidit la vie, à tout ce qui l'altère, la rend souffrante et surtout nous rappelle sa finitude, est-ce qu'on serait encore des êtres humains ? Ou des béats hébétés et gras, ravis de se goinfrer d'une violence télévisée qui, en aucun cas, ne devrait nous effleurer ?

Échapper à la souffrance. C'est, je crois, ce que son père a fait. Même si je ne peux nommer cette souffrance, je la suppose. Mais je ne l'inventerai pas pour apaiser mon angoisse de n'avoir rien vu venir.

Quand je considère Stéphane, quand j'essaie de percer le mystère de sa personnalité, la même vieille angoisse se réveille : l'a-t-on armé pour les coups durs de la vie ou l'a-t-on mis à l'abri de façon exagérée et nocive pour ses défenses ?

Il a l'air de voguer avec aisance… mais sait-on jamais ce que cache l'aisance ? Je n'arrive pas à le décoder. Il va souvent là où je ne l'attends pas. Il me déroute, et surtout, tout a l'air de couler sur lui comme si rien ne pouvait l'atteindre.

Charlène et sa vaste connaissance des êtres humains devrait pouvoir m'aider.

Alors que je payais notre repas, il m'a encore une fois surpris : il m'a proposé d'aller voir Muguette, là, tout de suite. Il avait une heure devant lui.

J'essayais de comprendre pour qui ou pourquoi il venait de changer d'idée, et il m'a pressé de bouger : comme si ça devenait urgent, alors que dix minutes avant, il parlait de l'achever.

J'avais un peu peur de la réaction de Muguette. Disons qu'elle n'a pas fait la fête à Mélanie quand elle s'est pointée. Un échec sur toute la ligne. Je suis à peu près certain que la pauvre va s'arranger pour ne plus passer.

Muguette a pris Stéphane pour Sylvain ! Pourtant, il ne lui ressemble pas beaucoup. Sa bonne humeur, je crois, alliée à sa jeunesse ont fait illusion. C'est vrai que notre fils n'avait pas trente ans quand il s'est tué. Stéphane en a vingt. Et puisque j'en suis à mon dada des calculs, dans quelques semaines, ça fera quinze ans que Sylvain est mort. Au moins, cette terrible date est effacée de l'esprit de sa mère.

Elle n'était que charme et ravissement. Elle l'a accueilli avec une exclamation de joie, et pas un instant elle n'a douté que la réunion était faussée. Stéphane s'amusait à lui donner la réplique sans jamais montrer d'impatience ou de découragement. C'est vrai qu'à partir du moment où on entre dans le jeu de l'esprit en déroute de Muguette sans la contrarier l'ambiance est légère et décontractée. Joyeuse, même. Elle ne cessait de caresser sa joue en disant « mon amour » et il avait l'air d'un chat consentant. Il l'a fait rire. Il lui a offert du thé. Et quand il a refusé de jouer aux cartes avec elle parce qu'il devait vraiment partir, elle ne s'est même pas fâchée. Elle lui a tendu les bras en lui demandant de venir l'embrasser une dernière fois.

« Je vais revenir te voir. »

C'est ce qu'il a dit et je le crois sincère.

Muguette l'a regardé dans les yeux pour lui dire dans une douceur résignée que je ne lui connaissais pas : « Tu sais bien que non. Tu reviendras jamais. On se reverra jamais. »

Nous étions tous deux éberlués, mais pas pour les mêmes raisons.

Je ne sais pas ce qu'elle avait compris. Mais si elle avait vraiment cru avoir affaire à Sylvain, elle a dit vrai : nous ne le reverrons jamais.

Charlène

Qu'est-ce qu'ils ont tous à vouloir mon avis ? Tu peux me le dire, toi ? Sont ben curieux !

Éric voulait des détails sur la ressemblance avec toi, le ton de la rencontre — tu sais comment il est : même si c'était pour aller retrouver son chum, il trouvait qu'il avait manqué de quoi !

Ton père, c'était plus spécial : on aurait dit qu'il attendait après moi pour décider quelque chose à propos de Zef. Alors que d'habitude, y est pas mal décidé, là, y voulait mon *feeling*.

Qu'est-ce que tu penses que j'ai fait ?

Déjà que j'étais partie sur une sorte de menterie avec ton père, là c'est comme si Zef m'obligeait à continuer. Ça me tanne, ça ! J'ai pas envie de *bullshiter* ton père. C'est un ami, asteure. Un vrai.

Si j'étais dans le trouble, c'est son numéro que je ferais. Bon, peut-être celui de Frédéric si c'est dans ses cordes, mais je t'ai dit que je t'en parlerais pas de mon amoureux.

Pis Éric, si jamais y m'arrive de quoi, il va paniquer. Y va faire des ronds sur place en criant au secours, avec ses deux menottes en l'air. J'exagère à peine, tu le sais.

Ça fait que Vincent, c'est un ami. Pis nos amis, on en prend soin.

Mon histoire avec toi, ça le regarde pas. On raconte pas nos histoires de cul aux parents. Point.

Zef... si j'y cache ça, je vais avoir l'impression que c'est moi qui veux plus être son amie. Comme si je cassais.

Comprends-tu ?

M'as te dire de quoi, Shooter : ça fait tellement longtemps que t'es mort que je sais plus trop quoi faire avec toi. Quand j'essaye de voir ce que tu serais devenu, mettons comme père de ton gars, ça marche pas. Je vois rien. Tu restes gelé sur l'âge que t'avais. Je peux même pas emprunter une couple de cheveux gris à ton père pour t'imaginer avec. Ça a l'air d'une perruque pour rire.

Ça fait que je le sais pas, la sorte de réaction que t'aurais avec Zef. Je pense pas vraiment que tu trouverais ça tordant de le savoir rendu pute. Mais tu dirais quoi ? C'est sa business, c'est son cul, qu'y s'arrange ? Ou ben : y est perdu en maudit, le petit, on va y donner un coup de main ?

Tu devais être perdu, toi, le jour où tu t'es tué ? C'est fou, mais je suis certaine que si y a une affaire, c'est que tu voulais pas qu'on s'en mêle. Qu'on t'aide. Tu voulais rien savoir de personne. C'est ça que je pense.

Ben, ton gars non plus veut rien savoir ! Pour d'autre chose que se tuer, mais c'est pareil. Y est sûr de son coup pis y se vend le cul. Y a pas tant besoin d'argent, mais y couche, y couche, comme un gars qui a besoin de sa dose. Trompe-toi pas, y se gèle pas, y consomme même pas tant que ça. Y est en mission, j'cré ben.

Alors ? On fait quoi ? On pète la balloune de Vincent pis on tue le père Noël en y disant comment ça se passe vraiment dans famille ? Vois-tu, tant que je le savais pas que c'était ton gars, Zef, je m'en mêlais pas. Sauf si y faisait baisser la cote de la place ou ben, je sais pas, si y était dangereux pour les clientes, dans le genre les forcer à faire ce qu'elles veulent pas. Tant qu'y était pas déplacé, mettons que ça allait.

Mais là, ce qui le rend déplacé, c'est pas ce qu'il fait, c'est qui il est. Ton gars. Si je suis mon raisonnement, ça devrait rien changer. J'ai pas été nommée baby-sitter de l'enfant que t'as faite avec une autre, quand même !

Mais ça marche pas ! Je peux pas m'en ficher. Je peux pas m'en mêler.

Mettons qu'on n'a pas de point de vue moral, là, juste ce que ton fils a choisi comme « carrière »… mettons qu'on se demande seulement si ça peut faire son bonheur.

Ben, à moins d'aimer l'argent comme ça se peut pus, je vois pas.

Pis quand t'aimes les femmes ou ben le cul, c'est pas ça que tu fais.

Y aime-tu quelque chose, ton Stéphane ? Surtout depuis qu'y s'appelle Zef, penses-tu qu'il aime de quoi ? Ou ben, grosse *luck*, quelqu'un ?

Stéphane n'aime pas qu'on lui résiste. Il s'estime un compagnon agréable et attirant et il ne cherche jamais à forcer la moindre intimité non désirée. Ce n'est pas son genre de fouiller les mobiles des gens. Et il applique aux autres ce qu'il désire pour lui-même : on donne ses préférences, on les obtient, on paye et on part.

À vingt ans, il ne se souvient pas d'avoir jamais eu envie de quelque chose de gratuit. Ou enfin, sans profit à court ou à long terme. Il lui arrive d'investir en sachant que les résultats seront longs à venir, mais jamais il ne mise sur l'acte gratuit. Ce n'est pas dans sa nature.

Même aller voir sa grand-mère avait été fait pour complaire à Vincent.

Alors, les façons de Charlène, son apparente indifférence aux changements qu'il avait apportés à ses rendez-vous d'affaires et à sa fréquentation du bar confirmaient que son investissement ne rapportait pas. Rien. Bide total : Charlène faisait la fille qui ne s'aperçoit de rien. Et plus il essayait de lui plaire, plus elle était froide.

Ça l'agaçait.

Il n'était pas idiot : cette nouveauté datait de sa rencontre avec son grand-père. Stéphane ne pouvait même pas imaginer en quoi cet évènement dérangeait ses rapports avec « sa barmaid préférée ».

Ne pas comprendre les réactions d'une femme n'avait pas coutume de l'arrêter : il fonçait et forçait sa résistance en souplesse, au plus grand plaisir des deux concernés. Cette fois, la partie lui échappait.

En arrivant à l'heure de la fermeture, il s'assoit au bout du bar, à la place de son grand-père, et il décide de prendre le taureau Charlène par les cornes : pourquoi elle fait la baboune ? Ce n'est quand même pas sa faute à lui si elle connaît son grand-père !

Charlène ne dit rien, elle astique le bar et fait l'inventaire des frigos en claquant les portes.

« T'as quand même remarqué que j'ai changé d'hôtel ? »

Oui.

« Pas ce que tu voulais ? »

Elle continue de bardasser sans lui répondre. Sans même le regarder.

Quand ça devient pénible, Stéphane a un réflexe assez primaire : il part. Surtout quand il ne s'agit pas d'une cliente qui fait des manières.

Il met son manteau : « O.K. Bye, Charlène ! »

Il l'entend poser bruyamment un verre sur le bar et dire dans son dos : « Veux-tu un shooter ? »

Il se retourne, content de son coup : « C'que tu voudras. »

Il n'aime pas vraiment les shooters, mais sa journée est finie et il ne risque pas de devoir lutter contre les effets de l'alcool.

Charlène le regarde boire sans rien dire. Elle s'enfile ensuite son shooter, grimace : « Pas sûre d'aimer ça, finalement. »

Pour Stéphane, c'est la définition même des femmes : elles font des choses qu'elles n'aiment pas vraiment pour des raisons qu'il ne comprend pas vraiment.

« *Chill*, O.K. ? »

Charlène se demande toujours ce que signifie exactement *chill*, mais elle ne risque pas grand-chose en confirmant : « *Chill*. »

Le sourire de Zef est celui d'un vainqueur : « Bon ! Je prendrais une bière, moi. »

« Le *last call* est passé, Zef. »

Son sourire est encore plus franc : « Mais tu vas faire un spécial pour ton client préféré. Tu vas même en prendre une, toi aussi. »

Elle le considère un moment avant de s'exécuter : comment saurait-il qu'il avance sur les traces de son père ? Qu'il dit presque la même chose que lui et de la même manière ?

Est-ce que c'est elle qui l'investit de cette hérédité, maintenant qu'elle sait de qui il est le fils ? Avant, il l'amusait. Maintenant, ce qui la faisait sourire l'inquiète. Pourtant, lui, il n'a pas changé. C'est son regard à elle qui pourrit son interprétation.

« Tu t'en vas où avec toutes tes bonnes femmes, Zef ?

— Au lit ! Je peux te garantir qu'on va jamais ailleurs ! Ça t'intéresse ?

— Es-tu fou ? Jamais de la vie !

— J'aime mieux ça de même.

— Parfait ! Pas de risque. »

Il cogne sa bouteille de bière contre la sienne. Ils boivent sans rien dire, bien contents que le silence ne contienne aucune tension. Que la hache de guerre soit enterrée.

Avant de partir, Stéphane lui demande si ça la dérange qu'il sache que c'est avec son grand-père qu'elle a couché. Elle voit bien qu'il va à la pêche, mais que sa conclusion est déjà tirée.

« Je suis pas comme toi, moi. Je couche pas avec du monde trop vieux pour moi. »

Il ne la croit pas, mais il est content que le ton ait changé. Que ce soit « leur » ton. Il est tellement content que ça s'arrange sans drame qu'il a un mouvement vers elle. Il allait l'approcher et l'embrasser sur la joue. Il retient son élan, soudain déstabilisé, comme si le geste ne pouvait convenir. Comme s'il appartenait à un autre monde, à un autre code totalement déplacé dans leur contexte.

Ça se passe très vite, il se raidit, surpris, recule.

Charlène sourit, elle saisit les revers de son manteau, le tire vers elle et pose un baiser très doux sur chacune de ses joues : « C'est comme ça qu'on fait avec nos amis, Zef. Bonne nuit ! »

Les rues sont désertes, il neigeotte, mais il ne fait pas vraiment froid. Stéphane rentre à pied, sans se presser. Il n'est pas fatigué, malgré l'heure avancée de la nuit. Il n'a pas sommeil. Il marche, porté par une sorte de rire intérieur, quelque chose qui ne ressemble à rien de ce qu'il connaît. Il n'a pas de mot pour ce frémissement joyeux. Ni pour la légèreté qui l'accompagne.

En rentrant dans son studio presque vide, il est frappé par tout ce blanc : celui des murs, celui des meubles. Aucune couleur dans son univers. Il n'avait jamais prêté attention à cela. Machinalement, il allume son ordinateur et va se chercher une bière.

Trente-trois messages.

Il reste debout dans son univers immaculé devant l'immense écran où palpitent trente-trois rendez-vous.

Il sait que chacun rapportera son pesant d'or et de travail.

Mais aucun ne rendra la nuit allègre et troublante comme ce soir.

Charlène

Il faut que j'arrête d'avoir peur. Je ne me suis jamais inquiétée de ton fils avant de savoir que c'était Zef. Pis là, parce que je sais que c'est ton gars, je me mets à imaginer plein de films d'horreur. Ça me vient comme une rage de dents. Tu sais ben, l'affaire qu'on peut rien faire, là... la névralgie, qu'ils appellent ça! Pas de plombage ou de traitement de canal pour régler ça. Rien à faire.

Regarde si c'est drôle: ton père est dentiste! Pis je fais de la névralgie avec toi. Ben, pas exactement ça, mais tu me comprends.

J'ai pensé prendre mes distances avec lui. Zef. Mais y se laisse pas distancer. Lui, y s'en fout de ma névralgie.

Je l'aime ben, ton gars. Y est spécial, mais à ce compte-là, moi aussi. En tout cas, on n'est pas trop dans la moyenne des ours.

Quand je veux être comme j'étais avec lui avant de savoir d'où y vient, ben, y faut que j'arrête de me dire que c'est ton fils, que c'est pas pareil, que... je le sais pas comment dire, qu'y faut pas tenir compte de toi quand je suis avec lui. Faut que je t'efface, quoi!

Parce que si je le fais pas, c'est comme si j'étais pas avec lui, mais comme plus avec toi qui serais dans lui.

Pas de sens, mon affaire!

Bon, je recommence: y a toi. Y a Zef. Ça fait deux pour moi.

Pis tout à coup, y a Zef qui se trouve à être Stéphane, ton fils.

Pis là, y a pus rien qui marche: ça fait comme si tu revenais dans le portrait. Pis que Zef devenait un peu pas mal toi. Comme si le Zef que j'aimais disparaissait parce que c'est toi qui gagnes sur lui. Le pire, c'est que c'est moi qui te fais gagner sur lui!

Y a rien demandé, lui! Y veut rien savoir de reculer dans le temps pour un de mes ex. Y se débat, pis laisse-moi te dire qu'y tient son boutte en hostie. Y lâchera pas.

Pis moi, ben… c'est pas pour te faire de la peine, mais je l'aime ben, Zef. Avec ou sans toi comme père.

Ce que j'aime pas, c'est cette maudite impression qu'y a du danger — qu'y va me chier dins mains, comme toi. Qu'y serait mieux d'aller faire ça ailleurs, mais pas dans ma vie. C'est rendu que je fais payer à ton gars ce que toi, t'as faite. Je l'écris tout croche, mais tu comprends? C'est rendu que je me demande aussi ce qui t'a pris de l'oublier. Lui, ton gars.

Aussi bien y aller carrément: je te parle encore, mais je te vois autrement. C'est pas juste Zef qui ramasse les effets, toi aussi. Pour être ben franche, ton Zef est plus fort que toi, pis pour une maudite bonne raison: y est pas mort. Pis si je veux arrêter d'avoir peur pour lui, si je veux le retrouver comme avant, faut que je me bouge pis que je choisisse: c'est lui ou ben toi.

Ça fait que c'est ça, mon Shooter. C'est ici que ça finit, notre histoire. Ben, ma participation à l'histoire.

J'ai jamais dit que je t'aimais. À personne. Pis surtout pas à toi. Comme si c'était la pire affaire à dire à quelqu'un ! Même Éric, quand y essayait de me le faire dire, c'était non. C'est comme si ça te donnait trop de points. Comme si ça se méritait, être aimé. Pis tu le méritais pas, ben sûr. Je sais pas pourquoi je me suis tant obstinée avec ces mots-là. Mais je t'aimais. Pis je pense que tu m'aimais. Pis ça a rien donné à personne. Rien pantoute.

Te parler de même après tant de temps, c'est comme si j'avais gardé un message dans ma boîte vocale pis que je me le passais de temps en temps. C'est malade. En tout cas, je me trouverais malade de le faire.

On s'en est assez dit, Shooter. Moi, j'en ai assez dit. On va zapper ça. J'ai pas dit oublier, parce que même si je voulais, je pourrais pas. Pis c'est pas parce que le souvenir est fantastique. C'est parce qu'y fesse. Pis finalement, ça se répand sur les affaires en santé de ma vie. Pis ton gars, c'est pas pourri. Pas encore. Pis ça veut faire un seul motton avec ton souvenir.

Finalement, c'est pas de la névralgie que je fais : c'est une dent morte que personne a vue mourir. Faut que je l'arrache. Ça va faire un trou, mais c'est mieux ça que de perdre toutes mes dents. (Quand je pense que Vincent est dentiste, je capote !)

Hostie, Shooter, je trouve ça tellement bizarre ! Tu sais que je vais le brûler, ce cahier-là ?

Le sais-tu que t'as fini dans une petite boîte, en cendres ?

Non, tu le sais pas. C'est moi qui le sais. C'est moi qui vis avec. Je le dis pas en le regrettant : parce que je vis peut-être avec, mais je vis.

Tu sais quoi ? Mes mots, y feront même pas assez de cendres pour remplir un kleenex.

Bye, Shooter !

Mélanie-Lyne

Quand je pense qu'il est allé chercher mon fils pour l'emmener voir cette folle-là ! Franchement, je le croyais pas aussi déconnecté. Qu'est-ce qu'un enfant peut ben changer à sa vie à elle ?

Si je me suis tapé la visite au fantôme de ma belle-mère, c'est certainement pas pour y faire plaisir ! C'était pour éviter ça à Stéphane !

Je vas y en faire moi, un « Ça s'est très bien passé » ! À quoi il pense ? Évidemment que, mélangée comme elle est, elle s'est dépêchée de le prendre pour son fils. Ça adonne mal, c'est le mien ! Si c'est ça qu'y appelle « bien se passer », je me demande ce que c'est quand ça va mal !

J'ai fait comme si c'était formidable. Qu'est-ce que je peux faire d'autre ? Y est majeur, Stéphane, il fait comme y veut, je le sais-tu assez ? Si je veux que monsieur Côté m'informe, faut que je fasse attention à ce que je dis et à mon ton. Parce que c'est pas mon fils qui va me tenir au courant : j'ai de la misère à lui arracher un « ça va » quand je l'appelle. Pis je fais très attention à pas poser trop de questions. C'est à se demander si y a rien que moi qui fais attention dans cette famille-là. Sont tellement occupés par leur nombril, c'est pas croyable. Et tout ça en se prenant des airs généreux, des airs préoccupés par leurs proches. Pis moi ? Je suis pas une proche, peut-être ? Y a-tu quelqu'un qui va faire attention ? C'est toujours mon tour de donner, pis donner. Une fille se tanne.

En tout cas, j'irai pas la voir avant qu'elle soit dans sa tombe, la belle-mère. Fini ! J'en ai plein les bras, moi, pis j'ai pas de « proche » qui s'en fait pour moi. Je commence à trouver ça dur de voir à toute et d'être tout le temps toute seule.

Mes clientes me trouvent ben à boutte, ben impatiente de ce temps-là. Je sais pas si elles le savent, mais se faire revirer de bord par des imbéciles qui se pensent plus fins que toi, ça gruge le moral.

J'ai lâché ça, les sites de rencontres. Y a trop de tricheries, là-dedans. Trop de gars avec des mauvaises intentions. Des malades dans tête, j'en ai assez vus dans ma vie, je courrai pas après, certain. J'ai toute lâché ça. Pas envie de finir découpée en petits morceaux dans les poubelles de la ville. On sait tellement pas à qui on a d'affaire. Ils peuvent inventer ce qu'y veulent. Ils vont pas jusqu'à « Prince charmant », mais c'est ce qu'ils ont dans tête pareil ! Allô, le charme ! Pas capables de parler de la météo ou de quelque chose qui serait pas eux autres. Qu'est-ce que j'en ai à faire de leur mariage raté, moi ? Ils me prennent pour leur psy, ben qu'y payent au moins le café ! J'ai ben assez du salon de coiffure pour jouer au psy. Écouter sans jamais dire ce qu'on pense, ça finit par être enrageant.

En tout cas, disons que si Stéphane appelait de lui-même pour prendre de mes nouvelles, ça me ferait du bien. Je l'ai dit à monsieur Côté — des fois qu'il passerait le message. Il m'a proposé qu'on mange ensemble ! Il est pas bien du tout s'il pense que j'ai envie d'écouter ses histoires avec Muguette. Même quand elle allait bien, ça m'intéressait pas.

J'espère qu'il s'essayait pas sur moi, parce que c'est pas mon genre. Pis y est vieux !

Qu'y fasse comme tout le monde, si y veut rencontrer : qu'y se les tape, les « ennuyantes » comme moi. Je l'invente pas : c'est ce que m'a répondu le dernier que j'ai rencontré. La face toute mangée par l'acné de son adolescence, y m'a dit qu'y me trouvait ennuyante !

Ça se peut-tu ? C'est pas juste bête, c'est mal élevé. Ma vie est peut-être ennuyante, mais pas moi ! Si y se pensait distrayant ou excitant, ben j'y ai pas dit, mais y se fourre le doigt dans l'œil. Jusqu'au coude !

Quand la cliente de Drummondville est entrée dans le bar, Charlène s'apprêtait à fermer. Un mardi de février, alors que la tempête de neige vide les rues de la ville, inutile d'espérer voir des clients.

Au lieu de prendre sa place habituelle, la dame est venue s'asseoir au bar. Si c'était encore une protégée de Zef, ça faisait longtemps qu'il ne l'avait pas vue, parce que, depuis leur conversation, il ne venait au bar de l'hôtel que pour « voir la barmaid », comme il disait. Au grand dépit du concierge, d'ailleurs.

Charlène lui sert un verre de vin sans poser de questions. C'est à la cliente de parler. Si elle en a envie. Charlène est même prête à faire semblant d'oublier le sujet de leur dernier échange. C'est le métier qui veut ça.

Mais la cliente parle franchement, sans détour : « Regardez pas la porte. Y viendra pas. Je suis pas ici pour Zef. Je suis venue vous voir. En fait, je suis venue vous remercier. Est-ce que je peux vous offrir un verre ? »

Elles trinquent en silence. Charlène attend la suite, intriguée.

« C'est drôle, la vie... quand je vous ai dit ce qui s'était passé au cinquantième de mon mari, ça faisait deux ans que c'était arrivé, et j'en avais jamais parlé. Jamais. Si quelqu'un commençait avec ça, je fermais la porte, et si on insistait, c'était fini, les ponts étaient coupés. Ma famille, mes amis, tout le monde s'inquiétait. Et je ne voulais qu'une chose: qu'ils arrêtent. De s'en faire, de vouloir épiloguer là-dessus, de me donner des conseils. Je voulais la paix. Je l'ai eue. Je me suis sentie mieux parce que je ne sentais rien. Pas de peine, pas de tristesse. Pas de joie non plus, mais c'était secondaire. Je ne voulais pas de joie, parce que je ne voulais pas risquer que ça s'arrête. Y a rien de pire que quand la joie s'arrête, trouvez-vous? Quand j'ai rencontré Zef au congrès, c'était encore mieux. C'était parfait. Je payais mon loyer, je payais ma bouffe et j'allais payer pour baiser un bel étalon trop jeune pour moi mais qui sentait bon, qui posait pas de questions et qui faisait la job. Est-ce que je vous scandalise?»

Devant la dénégation souriante de Charlène, elle continue: «J'étais sûre que vous alliez comprendre. C'est rassurant, ceux qui nous demandent rien d'autre que notre argent. Ça marchait bien pour moi. Sauf après notre rencontre. Vous souvenez-vous de ce que vous m'avez dit? Non? Vous avez dit: "Y vous a passé un hostie de bill." Ça m'est resté dans tête. J'ai même eu une pensée pour votre phrase en payant Zef. Ça faisait partie du bill de mon mari, le sexe à la carte. Mais jusque-là, je pensais que c'était ma liberté, mon congé de ce qui était arrivé. Mes vacances. À partir de là, j'ai fait mes comptes. J'ai mis sur un côté ce qui appartenait à son bill, et sur l'autre, ce qui m'appartenait. J'avais plus rien. Vidée. Zéro. Même mon plaisir sexuel était sur son bill. J'étais ruinée, en faillite, et je m'en doutais pas. J'avais encore du travail, de l'argent, mais la femme que j'étais avant mes cinquante ans, elle avait disparu. Y me restait l'enveloppe.

Et son hostie de bill que je payais depuis deux ans, jour après jour, scrupuleusement. J'étais tellement détruite que je pensais même pas pouvoir me relever. J'en avais mal au cœur. Après notre rencontre, après votre phrase, je suis rentrée à Drummondville, et là, je me suis rendu compte que j'étais fâchée. Contre lui. Assez fâchée pour le tuer, s'il l'avait pas déjà fait ! Il me restait une boîte en dessous de mon lit avec les photos de notre mariage, de nos voyages. Nos photos. J'ai tout pris et j'ai mis les ciseaux dedans. Une par une, toutes les photos y sont passées. C'était effrayant. Je parlais toute seule, je criais après lui, je l'engueulais. Une vraie crise. Ça a pas duré. Au bout d'un certain temps, alors que j'allais découper une photo de ma graduation, celle où j'étais si fière d'être arrivée première de ma promotion, j'ai regardé mon visage, et là… »

Charlène attend. Devant son silence rempli d'une infinie tristesse, elle murmure : « Vous avez retrouvé quelqu'un ?

— Je m'étais pourtant battue pour me faire disparaître. C'est pas seulement qu'on paye, vous savez, c'est qu'on a l'impression de ne plus exister. De mourir.

— Pis là ?

— Je me remets. Je me rebâtis, je me recommence. C'est long. Mais c'est de même. J'ai écrit à tous ceux qui ont été patients avec moi. Pour les remercier. Pour m'excuser. J'ai même envoyé un message à Zef, qui avait fait sa part, quand même.

— Quand même !

— Et vous, j'avais pas moyen de vous rejoindre. Je savais même pas si vous étiez encore ici. Je me suis dit que ça valait la peine d'essayer de venir vous voir.

— On dit des phrases, des fois… on se rend même pas compte. Vous étiez peut-être rendue là, c'est tout. Y a peut-être même quelqu'un qui vous l'avait dit avant, pis vous l'aviez pas entendu.

— L'hostie de bill ? Je connais personne qui aurait pu dire ça. À part Zef, peut-être… »

Elle se lève, prend son sac à main pour payer. Charlène arrête son geste. Elle coupe court à toute discussion : « C'est ma façon à moi de vous dire merci. On fait partie du même club. Crisse de gros club. Plus de membres qu'on pense. »

Vincent Côté

Pourquoi est-ce impossible que tout le monde aille bien en même temps ? Dès qu'un aspect s'améliore, il y en a un autre qui chancelle. Je trouve Mélanie bien étrange. Je vais avouer que, de tout ce qui se passe dans ma vie, son humeur est ce qui m'affecte le moins. Surtout depuis que Stéphane n'habite plus avec elle et que je n'ai plus à passer par elle pour le rencontrer.

Son emprise sur mon petit-fils était quasi totale. J'y ai toujours vu une sorte de compensation pour le geste de Sylvain. Encore mon besoin d'équité, je suppose. Mais c'est idiot, parce que rien ne pouvait compenser ou réparer ce qui est arrivé. Je le savais à travers ma propre vie, pourquoi ai-je eu cette complaisance envers un discours ou plutôt une attitude qui est, somme toute, assez dangereuse ?

Curieusement, c'est depuis le départ de Stéphane que Mélanie est plus lourde. Ou alors, c'est sa ménopause — phénomène auquel je ne connais rien — qui la rend dépressive. Ou trop sensible, émotive. Que ma mère me manque quand j'essaie de comprendre ! Comme elle saurait comment s'y prendre, elle. Moi, je patauge, je ne suis d'aucune utilité. À moins que de permettre à Mélanie d'exprimer sa mauvaise humeur ne soit une bonne chose.

Elle attend Stéphane. Des nouvelles, une visite, un appel, n'importe quoi qui soit de Stéphane. C'est saugrenu comme comparaison, mais elle me fait penser à Muguette pendant les mois qui ont suivi la mort de notre fils. Elle l'attendait. Elle s'assommait de médicaments pour que la réalité cesse de la tuer, et elle l'attendait… tout en sachant qu'il ne viendrait pas.

Il y a quelque chose de ce déni dans l'attitude de Mélanie. Pourtant, son fils n'est pas mort. Loin de là. Il est vivant et il va bien.

Je présume qu'il y a un non-sens pour Mélanie là-dedans : son fils va bien et il ne lui donne pas signe de vie. C'est donc qu'il doit aller mal. Alors que je ne l'ai pas vue s'inquiéter de Stéphane quand il prenait des habitudes solitaires — à mes yeux nocives — la voilà qui s'alarme de le voir faire sa vie et avoir des amis. Quand je pense que ses fêtes d'enfant ne se passaient qu'avec des adultes par manque de copains à inviter ! Qu'il ait des amis est souhaitable, qu'il n'ait pas envie de les présenter à sa mère me semble parfaitement normal. C'est cet appétit malsain pour les secrets de son fils que je trouve maladif. Et quand je lui demande ce qui l'inquiète tant dans la vie de Stéphane, elle me fait des yeux d'épouvante en chuchotant que je le sais.

Ce qui signifie que la mort du père menace la vie du fils. Vraiment, elle a du toupet, cette femme ! Alors que le secret de Sylvain a été entretenu par elle, alors que le mensonge a été imposé à tout le monde pour éviter une soi-disant répétition, la voilà qui brandit la menace du suicide comme si notre collaboration au silence ne visait pas précisément à éviter cela ! C'est ce qui s'appelle le beurre et l'argent du beurre. Et je le lui ai dit. Gentiment, mais fermement. Elle ne peut pas utiliser le passé à sa convenance.

Catastrophe. Elle s'est fâchée, m'a accusé de bien des torts — dont certains sont sûrement justifiés, mais l'heure n'est pas au procès d'intention — et s'est levée en exigeant des excuses immédiates. Sinon, elle partait.

Mon fils et moi, nous partageons le même défaut : le choix de nos compagnes de vie et mères de nos enfants n'est pas judicieux. Voilà, c'est dit. Muguette était déséquilibrée et Mélanie, je crois, l'est tout autant. Et là encore, je dois nuancer : Sylvain a épousé une femme avec qui il avait procréé par accident. Ce n'était pas un choix délibéré comme le mien. Si j'en juge par ses amis que j'ai rencontrés après sa mort, mon fils avait davantage de jugement que moi.

Évidemment, mon expérience m'a permis de calmer Mélanie et de parvenir à la faire se rasseoir et à discuter avec moi. La calmer était un exploit. Discuter n'était pas vraiment dans ses cordes. Elle est seule et en panique. Et la solitude amplifie sa panique. Elle voit son fils se passer d'elle sans problème, et ça constitue une insulte à ses talents de mère. À tout ce qu'elle est.

J'ai vraiment tenté d'être diplomate, de parler sans l'accuser, sans avoir l'air de remettre son attitude en question.

Peine perdue. « Dites tout de suite que je suis… » et c'était reparti ! Quand je lui ai demandé si elle avait des projets, des plans pour cette période où, encore jeune, elle récupère du temps pour elle-même, elle m'a regardé comme si je délirais et faisais exprès pour la torturer. Quand elle a évoqué la possibilité que Stéphane « se place » et lui présente sa petite amie, j'ai été très content de l'apprendre. Elle a hâte d'être grand-mère ! Et comme cette chance m'est non seulement arrivée, mais qu'elle m'a sauvé, je me devais de comprendre ses espoirs.

Je ne connais aucune petite amie à Stéphane, et je me suis empressé de le lui dire. Elle ne m'a pas cru. Pour dessert, elle m'a accusé de lui voler Stéphane, comme je l'avais toujours fait. Le voler pour remplacer Sylvain.

Et elle est partie en jurant que jamais elle ne me laisserait faire.

Bien sûr que je me suis posé des questions. On ne reçoit pas de telles accusations sans se demander quel est le fond de vérité. Il y en a toujours un.

C'est vrai que Stéphane m'a importé d'autant plus qu'il était la seule descendance de mon fils disparu. C'est aussi vrai que j'ai eu un souci constant de ne pas l'abandonner — ou qu'il en ait l'impression — par pure culpabilité envers Sylvain. C'est sûrement un effet de protection normal quand on affronte le suicide d'un enfant : on se dit qu'on doit être encore plus vigilant. J'ai tenté de demeurer dans les limites acceptables et de ne pas faillir à mes engagements envers Mélanie. Le pire pour moi a été de me conformer à ce faux accident de voiture pour expliquer à Stéphane la disparition de son père. J'étais contre. Je le suis encore. Et puisque Mélanie se montre aussi hargneuse et désagréable, je dois avouer que la tentation de révéler la vérité revient en force.

Ce qui est fait est fait. Les erreurs du passé, on ne peut pas les corriger. On doit agir avec le présent et dans le présent. Mais il n'est pas interdit de tirer des leçons du passé et d'essayer de se comporter avec plus de sagesse, grâce aux coups durs reçus. Ça s'appelle l'expérience. Mélanie a raison sur un point : si elle continue de vouloir posséder son fils et de vouloir gérer sa vie, elle va le perdre. Pas à mon profit, je n'ai pas besoin de contrôler Stéphane — ce serait impossible — mais au profit de sa vie à lui. Ce qui serait une bonne chose.

Le serveur m'a apporté la note en hochant la tête, plein de compréhension : les femmes sont si difficiles à comprendre…

J'ai souri en me disant que s'il croyait que je draguais une femme si jeune pour moi, je méritais amplement mon sort. Mélanie a quoi ? La mi-quarantaine ? Sylvain aurait eu quarante-trois ans, je le sais parfaitement. Le jour de son anniversaire est d'ailleurs un mauvais jour depuis quinze ans. Il ne faut pas exciter le comptable effréné en moi, le fanatique des nombres, qui fait parler les dates, comme un voyant de bas étage interprète les signes.

J'ai marché longtemps, ce soir-là. J'étais troublé, mal à l'aise. Et inquiet. La forêt me manquait. Ma maison chaleureuse, comme un havre rustique, mais si bien adapté à mes besoins, à mes envies. Maman et son bon sens me manquaient. J'aurais tellement voulu avoir encore la possibilité de lui parler, d'éclairer ma lanterne avec sa bonté.

Je ne sais pas si les morts nous accompagnent, s'ils sont des témoins à la fois impuissants et bienveillants de nos efforts. Mais elle, maman, je la sens toujours alentour de moi, confiante que je vais trouver mon chemin. Je dois avouer que je n'ai jamais ressenti la présence de Sylvain après sa mort. Le poids, le manque, le vide, les questions, les remords — oui. La présence, jamais.

Disparu, mon fils. Envolé, échappé même. J'ai souvent rêvé que je courais le sauver, que je devais le trouver ou qu'il m'attendait quelque part. Mais c'était toujours moi en quête de lui, jamais sa présence à lui qui survenait. J'ai pourtant supplié pour qu'il revienne me parler en rêve, me dire quelque chose. M'accuser, s'il le devait, me consoler, s'il le pouvait. Rien. Le vide effroyable, abyssal. L'attendre dans cette dimension qui s'appelle le cosmos ou le néant, c'était le plus loin que je pouvais aller. Je n'avais aucun dieu à qui m'en remettre. Et j'ai dû lutter pour ne pas suivre Muguette chez cette cartomancienne qui « voyait » Sylvain et lui transmettait des messages de sa part. Je voulais qu'il me parle à moi, qu'il m'apparaisse à moi ! Oui, je donnerais tout pour changer ce qui a été. Et je dois me surveiller pour ne pas en rêver encore. Mais, contrairement à Muguette dans son délire, je ne confondrai jamais Stéphane avec mon fils disparu. Jamais.

J'aurais dû répondre à Mélanie, lui demander si quelqu'un pourrait jamais remplacer à ses yeux son fils bien-aimé, si jamais il se tuait. Même le plus merveilleux, affectueux, ravissant petit-fils n'y arriverait pas. Un enfant ne se remplace pas par un autre enfant. Jamais. J'en aurais dix autres que Sylvain me manquerait toujours autant. Et c'est ce que je dois accepter, c'est tout. Pourquoi, quand quelqu'un nous attaque, la bonne réplique ne nous vient-elle que des heures après ?

Parce que cette personne a frappé là où ça fait mal, bien sûr. Le point sensible.

Mélanie m'a eu. Mais je pense que c'est elle qui est la plus mal en point.

Tiens ! L'indulgence de ma mère qui commence à percoler et à me rentrer dedans.

Merci, maman.

Maintenant que le froid avec Charlène était réglé, Stéphane ne se privait pas de passer au bar. Il s'arrêtait pour manger avant de « commencer sa journée » autour de seize heures. Il revenait vers une heure du matin, juste pour dire bonsoir ou pour s'offrir une bière. À partir du moment où il avait su que son grand-père avait sa place réservée au bout du bar les lundis soir, il essayait de passer plus tôt. « Pour dire bonjour » était sa façon de présenter l'affaire, mais Charlène n'était pas dupe, l'acteur Zef avait bien du mal à lui faire croire à ses impromptus. Elle avait même soupçonné qu'il la surveillait pour ne pas qu'elle révèle son « côté Zef » à Vincent, mais l'angoisse et l'inquiétude ne travaillaient jamais Zef.

Comme il avait quand même d'autres occasions de voir son grand-père, elle comprenait mal pourquoi ces lundis soir lui importaient. En parlant avec Vincent, elle s'est aperçue qu'il croyait que c'était pour profiter de sa présence à elle que Stéphane prenait prétexte de ces lundis. Pour la draguer, quoi ! Finalement, chacun des deux hommes croyait qu'elle était le but des visites de l'autre.

Le fait qu'elle soit trop vieille pour Stéphane et trop jeune pour Vincent ne semblait pas les effleurer.

C'est en revenant vers le bar avec son plateau vide, en les voyant éclater de rire que Charlène s'est demandé si cette solidarité joyeuse n'était pas tout simplement la raison de leur assiduité.

Elle regrettait un peu les conversations avec Vincent, les sérieuses qui la laissaient perplexe et lui donnaient l'occasion de « fouiller un peu », comme elle disait. Mais le voir rire avec son petit-fils valait bien cette privation.

Elle ignorait pourquoi Vincent n'arrivait pas à créer ce climat ailleurs qu'au bar, mais elle était convaincue de n'avoir rien à y voir.

Elle se trompait. Stéphane venait vers elle sans chercher, sans analyser, pour l'unique raison qu'il était mieux près d'elle que tout seul. Et il étendait généreusement cette accalmie à son grand-père. Comme par magie, avec Charlène qui s'affairait en salle et derrière le bar, son grand-père se détendait, il avait l'air de ne s'en faire avec rien, d'être là pour le seul plaisir. Et tant mieux si Stéphane y était aussi. Au bar, les attentes muettes que Stéphane pressentait ailleurs, au restaurant par exemple, disparaissaient. Ce n'était plus vraiment de la famille, mais des affinités. Et Charlène permettait que le rapport soit enfin relax, léger. Sans conséquence, comme il aimait tant.

Et quand c'était simple, Stéphane retrouvait cette sensation agréable dont seule Charlène avait le secret : être avec une femme qui n'espère rien de lui — aucune espèce d'attache — son rêve !

Il le lui disait franchement : « Y est chanceux, ton Frédéric ! Y a pogné la seule fille libre en ville.

— Tu penses ? C'est un beau compliment, Zef, mais c'est jusse que t'es pas capable de les voir.

— Y veulent toutes de quoi, garanti.

— O.K. Pis toi ? Tu voudrais une fille surtout pour qu'elle te laisse la paix ? Tu l'as, la paix, cherche pas.

— Ben compliqué, ça ? Tu vas pas faire la fille avec moi ? »

C'était sa façon classique de la faire taire. « Faire la fille » résumant la totalité des comportements humains désagréables.

Il changeait, le Zef, elle le constatait sans pouvoir cerner en quoi. Elle l'observait affectueusement, certaine qu'il ne pouvait se tromper sur ce qui les rapprochait — cette complicité basée sur la reconnaissance d'une partie de soi dans l'autre. Pour Charlène, quand on a vingt ans et qu'on a comme métier de combler des femmes, on ne peut pas se tromper sur ce qui nous attire chez une femme.

Mais Stéphane est plus qu'un néophyte. C'est un analphabète d'une science qui lui semble accordée d'office aux femmes : la science des émotions. Il s'est toujours félicité de ne pas en éprouver et de ne pas avoir à en exprimer. Tant qu'il ne lui fallait que les affecter, cela lui convenait. Étant le témoin passif d'une grande variété d'émotions chez ses clientes, il pouvait au mieux les identifier, mais pour lui c'était comme la drogue : mieux valait s'en tenir loin. Il ne connaissait pas les effets secondaires et ne tenait surtout pas à les connaître.

Ce qu'il ressentait en présence de Charlène ne lui était jamais arrivé auparavant. Et c'était une sensation difficile à définir : à la fois excitation et jubilation. C'était chaud et totalement fébrile. Il existait. Il n'avait qu'à se présenter, à croiser son regard, et tout à coup, en un éclair, la sensation physique presque picotante l'envahissait : il était à la bonne place. Il ne la désirait pas. Il n'avait pas envie qu'elle s'approche davantage, qu'elle le touche d'une quelconque façon — non, il voulait ce qu'ils avaient : être là, légers, rieurs, totalement dans l'instant, oublieux d'une quelconque tâche ou d'un devoir qui serait attaché à ce moment.

Charlène ne lui demandait rien d'autre qu'être lui-même, et cela la contentait. Comme si, par un hasard extrême, ce qu'il était convenait. Comme s'il faisait l'affaire, finalement.

Lui qui se voyait comme un écran sur lequel projeter ce qu'on veut, mais un écran vide au départ, il n'en revenait pas de s'allumer par lui-même, d'émettre sons et images par lui-même, et qu'en plus quelqu'un les voie. Et s'en réjouisse. Et ne cherche même pas à augmenter le son ou le magenta.

Et s'il se montrait si régulièrement au bar, c'était pour vérifier que ce n'était pas un accident de parcours, mais un miracle permanent.

« J'émets pis ça fait » était sa façon de s'expliquer le phénomène. Même en répétant sa phrase, il n'entendait pas la similarité des sons entre « j'émets » et « j'aimais », ce verbe étant banni de sa vie comme une engeance qui se donne des airs de luxe.

Il avait entendu mille « je t'aime » répétés sur des tons qui allaient de l'extase au reproche, et sincèrement, il ne prononçait ces mots qu'en cas d'extrême nécessité, avec la vague impression qu'il manipulait des substances explosives qui risquaient de lui péter au visage.

De toute façon, ce n'était pas le verbe « aimer » qui lui venait spontanément avec Charlène, c'était « exister ».

En arrivant au bar, il lui disait toujours : « Je suis là ! »

Elle levait la tête et, du rire plein les yeux : « Ah ouain ? Es-tu sûr ? C'est-tu ben toi ? Es-tu ben là ?

— C'est ben moi. Chanceuse, han ?

— J'me peux pus, comme tu vois ! »

Que le rituel soit ridicule ou apparemment vide de sens lui importait peu. C'était le leur. Et il n'en demandait pas plus.

Les jours de congé de Charlène lui pesaient, mais cela augmentait la sensation de plaisir quand ils étaient enfin passés.

Fin janvier, quand elle lui a annoncé qu'elle partait pour dix jours au soleil avec Frédéric, Zef n'a pas bronché, se disant que ce serait un plus grand congé, c'est tout.

Il n'avait pas soupçonné les ravages de l'absence. À partir du troisième matin, il s'est mis à compter les jours. L'âme en peine, désœuvré, privé de sa récompense de fin de soirée, il avait la tête et le corps ailleurs pour travailler.

Les femmes lui semblaient soudain trop *heavy*, trop parfumées, trop exigeantes. Il fournissait difficilement le « service » pour lequel elles payaient. Et surtout, il n'arrivait plus à tenir la distance merveilleuse qui l'isolait intérieurement de son travail. Il se voyait faire. Il s'observait même plutôt froidement. Qu'il n'éprouve aucun plaisir ne le dérangeait pas, mais se regarder de loin, se voir jouer l'amant transi et éperdu, non ! Ça l'écœurait.

Se disant que Vincent devait traverser le même moment difficile, il fit une chose qu'il n'avait jamais faite et qui l'étonnait lui-même : il l'appela pour lui offrir d'aller le voir chez lui, dans le bois. Alors que cette maison lui semblait le palais de l'ennui !

Enchanté, son grand-père lui avait quand même appris qu'il disposait du wifi. Zef avait grimacé, parce que la clientèle ne serait pas totalement coupée, finalement. Cette réaction avait mis du temps à s'imposer à son esprit et à prendre tout son sens : c'était la première fois de sa vie qu'il avait espéré échapper au monde virtuel. Il se rendait compte que ce monde peuplé de dames aux prénoms hétéroclites, qui attendaient pourtant toutes la même chose ou presque de lui, lui pesait.

Le confort de la maison du bois s'est grandement amélioré avec tous les travaux de Vincent. Pour Stéphane, l'ensemble ressemble énormément à son grand-père. C'est grand sans être immense, chaleureux sans étouffer, et beau.

« As-tu déjà emmené Charlène ici ?

— Non. Pourquoi ?

— Pour savoir. Jusse de même. »

Vincent sourit : voilà donc la clé de cet appel. Stéphane s'ennuie. Il l'observe faire le tour de la place, lui demander de qui est le dessin accroché près de la bibliothèque, examiner des titres, des photos, lui montrer celle d'un enfant assis sur un vélo à roulettes, presque trop haut pour ses jambes : « C'est moi ?

— Non. C'est ton père.

— Ah oui ? On dirait moi. Quel âge y avait ?

— Quatre… cinq ans.

— Y était petit pour cet âge-là ! »

Sans dire un mot, Vincent fait du café en ne quittant pas son petit-fils des yeux. Il ne parle jamais de Sylvain de lui-même. Il attend que l'interlocuteur manifeste de l'intérêt. De toute sa courte vie, jamais Stéphane n'a posé une seule question sur ce père disparu.

« T'en parles pas gros, han, grand-pa ? Y penses-tu ? Moi, j'y pense jamais. Ben, sauf l'autre fois, quand grand-maman m'a pris pour lui. C'tait *weird.*

— Oui, c'était bizarre, c'est vrai. Prends-tu du lait ? »

La question anodine pour dévier la conversation, la faire retomber sur de nouvelles bases : Vincent ne pourra plus mentir si Stéphane pose des questions.

Ses mains tremblent depuis trois ou quatre ans. Un tremblement essentiel, selon le médecin. Paradoxalement, l'essentiel indique justement qu'il ne s'agit pas d'un tremblement alarmant, dû au Parkinson ou à une autre maladie. Mais cette agitation qui crie une faiblesse indispose Vincent qui y voit une perte de contrôle progressive de son corps. Le règne de sa volonté absolue a commencé à fléchir à la mort de son fils et il se confirme dans ce minuscule changement qui fait vibrer les tasses dans les soucoupes.

Stéphane s'installe devant le foyer, s'étire comme un chat : « Cool ! » Ce qui fait sourire Vincent.

La conversation de Stéphane semble anecdotique, juste comme ça, pour jaser : « Tu l'as jamais emmenée ici, grand-maman ?

— Non. On était séparés quand j'ai commencé les travaux.

— T'avais une blonde, c'est ça ?

— Non.

— C'était pas dans le temps où tu trippais avec Charlène ?

— Pas sûr que j'aie trippé avec Charlène dans le sens où tu l'entends.

— Ben ! Pas besoin de dessin, me semble : tripper !

— Je vais te faire un aveu, Stéphane : je n'ai jamais emmené de femme ici. Aucune. Et c'est pas parce qu'y en a eu aucune. »

Stéphane a l'air d'attendre la fin de sa phrase. Devant le silence de son grand-père, il fixe le feu et finit par murmurer : « C'est comme une sorte de repaire, han ? Une place à toi où personne vient te dire quoi faire.

— La définition est bonne. Un peu comme ton studio, je suppose. Ta place à toi.

— Ouain, ben, ça va en prendre pas mal pour que ça accote l'allure d'ici !

— T'as le temps. T'es jeune.

— Vous me faites chier, vous autres, avec l'âge !

— Qui ça ?

— Toi pis Charlène, c't'affaire ! Comme si être jeune, ça veut dire être rien. Être en attendant !

— Excuse-moi, je voulais pas te choquer. À mes yeux, c'est une chance, pas une incompétence.

— Ouain, ben, ça sonne comme une incompétence.

— O.K., j'ai compris, Stéphane. Promis que je vais faire attention.

— Ouais : *watche* ton langage, grand-pa ! »

C'est ce rire que Vincent adore. Ce rire vainqueur du gars qui a gagné la partie dont il ne se lasse pas parce qu'il fait fuir tous les fantômes, tous les démons. Le rire de son petit-fils pas si jeune… à vingt ans !

Vincent se dit qu'il faut être drôlement jeune pour ne pas voir qu'on l'est.

Ils passent un excellent après-midi. Après une longue marche en raquettes, ils rentrent, frigorifiés. Vincent cuisine et voit Stéphane s'endormir devant le feu.

Le bonheur.

Chaque moment de cette journée se grave en lui, comme un inestimable cadeau.

Mélanie-Lyne

Va encore falloir que je marche sur mon orgueil. Que je m'humilie. Je voudrais tellement pouvoir l'envoyer au diable pour toujours ! Ne plus jamais l'appeler, ne plus jamais avoir à l'écouter, avec son ton supérieur d'homme qui comprend toute.

Si y a une chose, c'est que je suis ben contente d'avoir toujours gardé mes distances avec lui. Va falloir une méchante catastrophe pour que je l'appelle Vincent, lui ! Monsieur Côté, ça va être en masse.

Ben chanceux que je l'appelle pas « le professeur ». Avec sa maudite manie de donner son avis, de faire comme si c'était juste comme ça, en passant… Y me donnera pas d'ordres, lui !

J'aime pas ça me sentir épaisse ou idiote.

Quand mes « Superman » savaient juste m'écraser pour se sentir forts, je les plantais là dans le café, pis je partais.

Ben, j'y ai faite la même chose à monsieur Superman-Côté. Pis si jamais Stéphane me le reproche, j'y expliquerai qu'un peu de respect de temps en temps, ça fait pas de tort. J'en ai jusque-là de me retenir pour être polie. D'endurer pis d'endurer sans rien dire. Mes clients, je veux bien. C'est la clientèle, c'est mon gagne-pain. Je peux faire semblant, et je le fais. Mais les imbéciles des sites de rencontres qui te disent que t'es une princesse pis qui te traitent comme une femme de ménage quand ils te voient ! Je pense que si quelqu'un me dit encore une fois qu'y aimerait ça me connaître, je le frappe. Toujours la même maudite phrase. Pis toujours la même réaction quand y te voient.

Ça fait seize jours que j'ai pas eu de nouvelles de mon fils. Seize jours ! Oui, je les compte, j'ai rien que ça à faire. Je les compte, pis je m'ennuie de lui. Je m'inquiète pas, je sais que c'est un bon garçon rempli de talent, qui travaille fort pour gagner sa vie. Je m'ennuie de lui, c'est pas pareil. J'ai hâte de le voir, qu'y me raconte comment ça va, comment ça se passe. J'écoute les histoires des clients à journée longue, des histoires ennuyantes comme la pluie. Pis je fais semblant que j'ai des nouvelles de Stéphane. Pour dire de quoi. Pour me faire du bien avec une histoire qui m'intéresse, pour une fois. Mais quand je rentre ici, quand je vois sa chambre vide — bien rangée en plus — je pogne le fond du baril. Ça sert à quoi d'élever un enfant, de se fendre en quatre pour lui, de le mettre à l'abri de toute si c'est pour plus jamais en entendre parler ?

Je veux ben qu'y fasse sa vie, mais pas qu'y me barre de sa vie. J'ai rien fait de mal, moi !

Est où, la justice ?

Quelquefois, en parlant avec Vincent, Charlène se trompait et disait « Zef » au lieu de Stéphane. Vincent trouvait le diminutif assez laid et très « diminuant », donc approprié à son appellation. Ça faisait toujours rigoler Charlène, ce genre de discours. Elle imaginait la tête de Zef si Vincent lui parlait comme ça.

Son retour a été triomphal : à croire qu'elle était partie un mois. Zef est arrivé au bar alors qu'elle enlevait ses bottes. Il passait. Comme ça. Il avait du travail, mais il s'était arrêté pour dire bonjour avant de filer. Et il avait ajouté, l'air de ne pas y toucher, qu'il espérait que c'était bien le bon jour, qu'il ne savait plus trop… À d'autres ! Il la regardait avec tellement de contentement enfantin, tellement d'adoration qu'il aurait fallu être aveugle pour croire son histoire d'impromptu.

« Me suis ennuyée, moi aussi ! »

La face de Zef ! Comme si elle avait transgressé tous leurs codes d'honneur.

Elle s'est approchée de lui, a planté ses yeux dans les siens, souriante, détendue : « Ça me fait du bien, des vacances, trouves-tu ? J'ai réussi à m'ennuyer du bar parce que c'est rien que là que je te vois.

— Pas cool, ça… »

Charlène se dit qu'il va danser si elle continue. Il est tellement touchant qu'elle en est presque mal à l'aise, gauche. Elle tend sa joue, le majeur appuyé dessus : « Envoye ! »

Intimidé, il se penche et pose un baiser léger, maladroit. Elle hoche la tête, comme si elle était dépassée par tant de maladresse.

D'un élan, Stéphane la saisit, l'enveloppe dans ses bras puissants et la serre contre lui, soulevé par une vague d'émotion. Étourdi, il ferme les yeux. Il voudrait dire quelque chose, mais il serre les dents pour ne pas perdre la face.

Il entend Charlène à travers un brouillard : « Bon ! Pas si compliqué, ça ! »

Quand il s'est présenté en début de soirée, c'est tout juste si Vincent n'a pas eu droit au même accueil.

Mais Charlène a un sens inné des limites de chacun. Elle se contente de placer un Macallan 18 ans d'âge devant Vincent : « On a du rattrapage à faire. La soirée va être longue. »

Avec Éric qui est arrivé sur les entrefaites, la soirée a effectivement été très occupée.

En se glissant dans son lit, ce soir-là, en posant ses pieds glacés contre les mollets chauds de son amoureux, Charlène éprouve un moment de profonde gratitude.

Vincent Côté

Si on m'avait dit il y a quinze ans que Muguette allait mourir le même mois que notre fils, je ne l'aurais pas cru. Ou alors, j'aurais eu la crainte que ce ne soit de la même manière que lui.

Quelle chose étrange que la vie humaine, que l'être humain et ses forces. Alors que tous — les médecins, les soignants, l'entourage et même Philippe, son mari — pouvaient témoigner de l'absence presque totale de sa conscience, Muguette nous quitte à une date on ne peut plus signifiante pour elle. Et pour moi. Une semaine jour pour jour avant les quinze ans de la mort de Sylvain.

J'en suis stupéfait. Ébranlé dans mes belles certitudes scientifiques : que sait-on vraiment de ces êtres humains en pleine déchéance physique et mentale ? Que sait-on de ce qui subsiste dans leur cerveau vacillant ? Dans leur cœur apparemment absent ?

Comme on est vifs à juger qu'il n'y a rien, que la mémoire vidée de sa chronologie est vide de tout. Il s'agit d'un désordre innommable, c'est vrai, mais ce n'est pas le néant absolu. La peur subsiste, l'élan, le désir de se sentir bien entouré, aimé.

Il n'y a plus de mouvement vers l'autre, c'est un total repli sur soi, un retour à l'état d'enfance exigeant et peu généreux, mais ce n'est pas le vide. Celui qu'on leur prête, par besoin de soulagement. S'il fallait qu'ils se voient décliner, n'est-ce pas ? Je l'ai pensé. J'ai désiré que sa tête ne soit plus qu'effarement pour ne pas me mesurer à mon impuissance. Pour ne pas me mesurer à son regard où, toujours, le prénom de notre fils a brillé.

Elle ne l'a jamais oublié. Sur la photo de famille, alors que Blanche avait regagné les limbes de l'oubli, alors que je n'étais plus qu'un anonyme depuis longtemps, Sylvain a conservé son identité, il a été nommé tant qu'elle pouvait parler.

Quand elle a dit adieu à Stéphane en l'appelant Sylvain, elle savait qu'elle n'en avait plus pour longtemps. Pas avec nos certitudes de bien-pensants qui bénéficient d'un cerveau en parfait état de marche, mais avec un instinct animal, sauvage et sûr. L'instinct de la mère qui ne s'est jamais pardonné la mort de son fils.

Que d'errance pour trouver finalement un port ! Parce qu'elle était tranquille, presque apaisée vers la fin.

Sur son chemin vers Sylvain, elle n'avait plus aucune agressivité, aucune combativité.

Elle ne nous quittait pas, elle le retrouvait.

En le retrouvant, elle retrouvait sa paix.

La naissance de Sylvain l'avait troublée, dérangée.

Sa mort l'avait anéantie.

La voilà libérée.

Muguette n'était pas une grande vivante, une force de la nature, mais je demeure persuadé que sa vie aurait pu… je ne sais pas comment dire… goûter meilleur. C'est ce qu'elle disait toujours quand elle tentait une recette et que, déçue, elle trouvait le résultat discutable. Et ça commençait toujours avec l'apparence du plat qui était bien moins appétissant que sur la photo qui ornait la recette. « Ça aurait pu être mieux présenté, ça aurait pu être meilleur », voilà ce que Muguette pourrait dire de sa vie. Ma pauvre femme que j'ai quittée mentalement bien avant de la quitter physiquement.

Elle a fait la même chose avec nous. D'une façon moins préméditée, mais le résultat est le même. Elle était en déroute depuis si longtemps. Aujourd'hui, parce qu'elle est morte, je peux le voir : elle ne voulait pas d'enfant. La mort de cet enfant a été pire que sa naissance — elle a converti le rejet en culpabilité. Je refuse encore d'attribuer à Muguette la cause du suicide de notre fils. Nous étions deux incompétents, deux acharnés à trouver une façon de nous arranger ensemble sans que paraisse notre vide. Le vide a créé du vide. Et rien ne nous a paru plus vide et vain que notre vie sans notre fils.

Nous nous sommes débattus comme nous pouvions. Chacun avec ses forces et ses faiblesses. Et si, en quinze ans, j'ai réussi à consentir à une certaine vacuité sans m'agiter pour faire illusion, c'est que mon assise était plus solide que celle de Muguette. Et je le dois à ma mère, Blanche.

La maladie de Muguette, ces fils qui se détachaient peu à peu de la réalité, cette maladie doit avoir un sens que je n'arrive pas à décoder. Et ce n'est pas un non-sens pour autant. Sinon pourquoi, comment aurait-elle pu jusqu'à la dernière limite de ses forces désigner le visage de Sylvain sur les photos en clamant : « C'est mon fils » ?

Je suis un homme âgé, je ne sais pas combien d'années il me reste à vivre. Ni si ma santé restera aussi bonne.

Mais je sais une chose : en mourant, Sylvain m'a montré un chemin exigeant et terrifiant. Celui de vivre avec la perte, avec le vide sans continuer à le creuser. J'ai essayé, j'essaie de marcher droit avec ma part de creux et ma part de plein, et je sais que j'ai été choyé, que j'ai reçu beaucoup d'amour et que ma mission est maintenant d'en donner. Sans mesurer, sans mesquiner. En donner et ne jamais avoir l'outrecuidance de me plaindre.

J'ai beaucoup perdu parce que j'ai beaucoup reçu.

Charlène ne voulait pas être là, mais comment résister à l'appel pressant de ses deux amis ? Quoique Vincent s'était montré invitant sans insistance. Zef, par contre, avait plaidé sa cause avec véhémence : il fallait qu'elle y soit. Des funérailles, c'est mortel ! Elle voyait bien qu'il le disait sans humour et que l'idée d'aller là tout seul le déprimait au plus haut point.

Il lui avait fallu une bonne heure avant que Zef dévoile ses vraies raisons. S'il fallait qu'il soit seul, c'est sa mère qui le prendrait en otage. Pour éviter cela, si elle refusait de l'accompagner, il était prêt à faire du troc avec une cliente : une passe gratuite contre des funérailles. Et il la choisirait capable d'avoir l'air d'être sa blonde, comme ça, sa mère arrêterait de l'écœurer avec « sa compagne ».

Aux yeux de Charlène, le pire, c'était que Stéphane n'ait aucun autre ami véritable qu'elle. Il possédait un carnet d'adresses bourré de noms, mais personne ne pouvait l'accompagner sans être payé.

Elle accepte à une condition : jamais il ne doit la présenter comme sa blonde. Elle a l'âge de ce qu'elle est : une amie. Pour contenter l'appétit de belle-fille de sa mère, il faudra qu'il cherche ailleurs. Elle ne remplit pas ce rôle, même pour rire.

Zef aurait accepté n'importe quelle condition, même essuyer les verres au bar.

« Je vas m'habiller chic. T'auras pas honte de moi.

— Tu fais bien de me le dire : ça m'inquiétait, c'est effrayant ! »

La première surprise pour Charlène est de constater que sur la grande photo qui trône devant l'urne figurent non seulement la morte, mais aussi son fils décédé, Sylvain. C'est une photo officielle, un peu guindée. Sylvain semble penser à autre chose et Muguette regarde l'objectif avec un petit air légèrement emprunté. L'air de quelqu'un de timide qui fait bravement un effort. Mais Sylvain avait posé sa main sur l'épaule de sa mère et le geste apportait assez de naturel pour que la photo ait été choisie pour l'occasion. Charlène fixe le visage de Sylvain, étonnée de le voir avec cette femme et avec un air aussi absent, presque ennuyé. Elle se souvient de lui dévorant d'urgence. De plaisir à saisir le désir. Là, rien : une sorte de comédie morne et ennuyeuse.

Quand Zef se penche pour murmurer à son oreille : « Le gars, c'est mon père. Y est mort ben jeune dans un accident d'auto. Gros drame », elle comprend soudain que sa présence à ces funérailles n'est vraiment pas une bonne idée ! Ce simple résumé de la situation soulève tellement de questions qu'elle a du mal à se contenter d'un : « Ah bon… merci. »

Le moment le plus pénible est celui des présentations à Mélanie-Lyne qui s'est assise d'autorité dans le même banc qu'eux et qui s'est emparée du bras de Zef comme une propriétaire menacée. Le « une amie » de Zef ne l'a, de toute évidence, pas convaincue.

Le pire pour Charlène est de se rendre compte qu'elle est présentée à la femme de son ancien amant, celle qu'elle a probablement dépouillée il y a quinze ans. Bizarrement, en acceptant d'accompagner Zef, elle n'a pas prévu le coup. Comme si l'acuité du présent avec lui avait fait reculer loin dans le passé cette femme qui, de toute façon, n'a jamais été évoquée par Shooter. Charlène la suit du coin de l'œil, presque compatissante. Quel destin, quand même ! Trompée par son mari, fuie par son fils, elle se retrouve dans la même église qu'il y a quinze ans et Charlène lui enlève encore quelque chose.

Parce que le coup de l'amitié n'a pas scoré fort, comme le dit Stéphane en engloutissant les petits sandwichs servis à la rencontre informelle qui suit les funérailles. Mélanie fonce sur eux, armée de deux gobelets en plastique remplis de vin rouge. Elle tend un verre à Stéphane, ignorant superbement son « amie ». Agacé, Stéphane donne le verre à Charlène et déclare qu'il va se chercher une bière.

« Vous faites quoi, déjà ? Je ne me rappelle pas...

— Barmaid. »

Charlène voit la surprise se muer en dédain sur le visage de Mélanie : « Barmaid ? Vous voulez dire serveuse ?

— Je veux dire ce que je dis : barmaid. Mais si ça te fait du bien, tu peux dire serveuse. D'après moi, tu vas t'en rappeler. »

Elle se détourne aussi sec. Elle ne va pas vers Stéphane parce que Mélanie risque fort de la suivre. Elle attrape Vincent par le coude : « Ma job est faite. Dis à Stéphane que... »

Avant qu'elle puisse finir sa phrase, Stéphane est là et l'entraîne vers le vestiaire sans un mot.

Ils marchent dans la neige durcie qui couine sous leurs pas à cause du froid. Zef murmure un « hestie de folle ! » qui n'exige aucun commentaire. Il avance, tête baissée, le pas vif.

Au bout d'un quart d'heure, Charlène s'arrête, essoufflée, et lui demande où il va comme ça. Surpris, il la regarde — il avait presque oublié qu'elle était là. Que c'est elle et non sa folle de mère qui marche avec lui.

« Sais pas. »

Il est désemparé, ils n'ont aucune habitude à l'extérieur du bar.

Elle prend son bras et décide qu'ils vont au cinéma voir n'importe quel film.

Comme des amis.

Mélanie-Lyne

Je m'attendais à pas mal d'affaires, mais jamais à ça. Une tatouée pleine de piercings, j'aurais rien dit. J'ai retenu ma leçon quand mon Stéphane est passé par là. Au moins, y est pas défiguré, y a gardé ses tatous pour lui.

Mais une serveuse de bar vulgaire, mal embouchée et trop vieille pour lui ? Non ! Je peux pas le croire ! Une fille qui doit lui avoir couru après en lui servant des verres de fort qui l'ont soûlé. Une femme qui l'a attrapé en dépensant pour lui. Je suppose qu'y s'habille comme une carte de mode pour lui plaire ? Je comprends que sa job de congrès exige qu'il soit bien mis, mais pas à ce point-là !

Pis elle… même pas capable de se peigner ! Les cheveux ternes, mal arrangés. La coupe négligée. Si elle pense que je décode pas une tête, elle me connaît pas.

Une amie ! Voyons donc. Voir si tu traînes une amie aux funérailles de ta grand-mère ! Y a jamais eu d'amis, Stéphane, son grand-père me l'a assez reproché. « Comment ça, y a pas d'amis ? »

Parce qu'y aime mieux être avec sa mère ou avec ses ordinateurs ! Pis y est pas le seul. J'en connais plusieurs de même.

Demandez à mes clientes, monsieur Côté. Son père était pareil, vous vous en souvenez pas ? Ça aussi, c'était de ma faute, peut-être ?

En tout cas, c'est pas avec sa petite serveuse que le mot « amitié » va prendre de la supériorité. Comme couple d'amis, y gagneront pas un Oscar.

Y est parti sans me dire bonjour, sans me dire quand y viendrait souper avec moi. Je l'ai pas insultée, son amie, je lui ai demandé ce qu'elle faisait dans la vie. C'est quand même pas de ma faute si elle a choisi d'être serveuse. Ce qu'elle essaye d'avoir d'autre, par exemple, mon Stéphane, ça se passera pas de même. Moi qui rêvais de bercer mes petits-enfants, c'est pas à veille d'arriver. Elle a mon âge !

Pas loin. Pis si elle a pas quarante ans, elle a la fin de la trentaine. Stéphane a vingt ans ! Un enfant qui connaît rien de la vie pis qui est tombé pour la première paire de seins qui se sont offerts.

Pis elle l'a, la paire ! Même pas refaite, je pense. Elle peut ben pogner avec les petits jeunes, ils sont fous de ça, ben sûr.

Mais mon Stéphane est bien élevé. Il sait se tenir. Je l'ai surveillé et y avait pas un geste déplacé, pas un regard trop long sur ses seins. Mais ça empêche pas que quand ils vont être ailleurs, ça va jouer à d'autre chose qu'à « l'amitié ».

Je peux pas croire que c'est pour elle qu'y m'appelle pas. Pour une serveuse ! Y a peut-être pas d'études, mon gars, mais y paraît bien. Y peut tellement mieux se débrouiller que ça.

Pis monsieur Côté qui fait comme si c'était une femme bien. Respectable. Pis ça levait le nez sur la coiffeuse que j'étais. Bon, pas lui, mais elle, Muguette, elle me trouvait « ben naturelle ». C'était sa façon de dire « pas éduquée ».

Ben, elle est morte ! Aussi bien pour elle, parce qu'avec la maladie qu'elle avait l'éducation paraissait pas gros. Toute le beau vernis snob s'en allait, pis vite. Rien que sa tête… méchante botte de foin !

Combien de temps ça peut durer, son histoire de serveuse ? Faut pas que j'aye l'air de trouver ça aussi épouvantable que ça l'est, parce qu'il va me bouder.

Ce que j'ai pas aimé, finalement, c'est la façon qu'il avait d'en tenir compte. Pas comme un petit chien caniche, non. Une façon que je l'ai jamais vu faire. Avec personne.

Même pas vraiment amoureux — je sais pas trop comment le décrire.

Comme si elle était importante. Pas pour le sexe, là, pour elle.

Ça a-tu du bon sens de trouver une serveuse de bar importante ? Non. Ça veut dire qu'elle l'a embobiné rare. Pis avec quoi une femme de son âge embobine un homme ? Son cul.

Faut que je parle à monsieur Côté. Faut pas laisser faire un gaspillage pareil.

Vincent était pressé de retourner chez lui, dans son bois accueillant et favorable à la réflexion. Le petit studio qu'il gardait en ville était aussi anonyme qu'une chambre d'hôtel. Depuis la mort de Muguette, il n'arrivait pas à « prendre le bois », comme il disait, quelque chose survenait toujours qui exigeait sa présence.

Après Philippe qui réclamait son aide pour trier les papiers intimes de sa femme, après la crise de mère affolée de Mélanie qui ne démordait pas de son histoire d'amour entre Stéphane et « la serveuse », Vincent s'apprêtait à plier bagage quand Charlène a appelé pour le rencontrer. « Pas au bar » étant sa seule condition.

Il aurait aimé partir, mais elle ne lui demande jamais rien. Et comme son jour de congé a été monopolisé par les funérailles, c'est ce soir ou dans une semaine. Il n'a pas le cœur de lui proposer d'attendre. « Restaurant ou petit souper pas compliqué chez moi ? »

Chez lui.

En la regardant prendre son scotch, il se passe la réflexion qu'elle a changé. Ou alors, c'est qu'elle adapte son langage au sien. Quand elle est avec Stéphane, elle retrouve un peu de la verdeur qui était la sienne et qui l'avait tant impressionné lors de leurs premières rencontres.

Charlène s'est adoucie. « Humanisée » serait le premier mot qui lui vient, mais il n'est pas certain que ce soit juste. Elle a une façon presque brutale d'être humaine, voilà comment elle est.

« Pourquoi tu ris ?

— Je pensais à ton attitude quand je t'ai rencontrée. Rétive...

— Comment ?

— Rétive, indisciplinée. Rebelle, quoi !

— Je voulais rien savoir de toi.

— Oui, ça disait ça... En plus direct.

— Dans le genre "Va chier" ?

— Dans le genre ! »

Il sourit et s'assoit en face d'elle. Il l'informe que tout le repas est acheté chez le traiteur et qu'il n'aura donc pas à cuisiner et à lui faire défaut. Il l'écoute.

Charlène ne dit rien. Elle ne sait pas par où commencer. Vincent avance son hypothèse : « C'est Mélanie-Lyne qui t'inquiète ? La mère de Stéphane qui est très perturbée par ta présence dans sa vie ?

— Non. »

Vincent attend patiemment. Il sait s'accommoder du silence. Il ne tire ni ne pousse sur Charlène. Elle soupire, pose son verre sur la table basse : « J'ai couché avec Sylvain. En fait, je couchais avec lui. J'avais une histoire avec lui depuis un bout de temps. Une vraie histoire. D'amour, dans le genre...

— Et qu'est-ce qui est arrivé ?

— Y s'est tué.

— Pour toi ? À cause de votre histoire ? Après une rupture ?

— Ben non ! Si y a de quoi, notre histoire l'a fait durer. Sylvain s'est crissé de tout le monde, moi y compris. Je voulais pas le dire. Mais là, avec Stéphane qui me trouve au boutte… je trouve ça compliqué. »

Vincent l'observe sans rien dire. Il n'est pas certain de comprendre ses motivations. Est-elle en passe de faire avec le fils ce qu'elle faisait avec le père ? La pensée d'une telle union lui semble tellement incongrue qu'il la rejette… non sans la vérifier : « Compliqué parce que vous deux aussi, vous couchez ensemble ? »

L'air éberlué de Charlène le rassure : il ne s'est pas trompé, ce n'est pas le genre d'entente qu'ils ont.

« Compliqué comment, Charlène ? »

Elle marche sur des œufs. Loyale, elle ne veut absolument pas dénoncer le métier de Stéphane, mais quand elle s'est aperçue que leur amitié était la toute première relation d'affection de Zef, l'idée lui est venue qu'il était peut-être en danger, comme son père l'était sans qu'elle le voie. Elle voudrait que Vincent ne le lâche pas de son côté, qu'il ne soit pas dupe des apparences si flatteuses de Stéphane.

« Compliqué comme dans des menteries. La mienne. Les vôtres… je veux dire à toi et à la famille. Stéphane sait même pas comment son père est mort. Je me suis dit que si je commençais par te dire la vérité, on aurait une chance que ça se… décomplique. »

Sauf qu'elle ne peut pas tout lui dire. Et Vincent l'écoute attentivement, sans intervenir.

« Je vais le dire comme ça vient et on organisera ça après, mais Stéphane, quand je l'ai rencontré, il était encore plus déconnecté que son père.

— Tu l'as rencontré avant que je te le présente ?

— Sauf que je savais pas qui il était. Y est pas venu prendre une bière au bar en me disant "Ah oui ! c'est vrai, aussi ben te le dire, je suis le fils de Sylvain pis le petit-fils de Vincent" !

— Évidemment. Et tu voyais aucune ressemblance ?

— Tellement pas ! Pis après, quand je l'ai su... Je me suis mis à en voir. Beaucoup... Pis je veux pas qu'y fasse comme son père, même si y sait pas ce que son père a faite.

— Y a pas de raison que ça arrive... Non ?

— Penses-tu que Sylvain en avait une, raison ? J'en vois-tu, moi, des capotés qui jouent à roulette russe ? Les pires, c'est toujours ceux qui sont en pleine forme, ceux qui te font rire, qui ont jamais de problèmes. Pas les faces longues qui te racontent leur vie sans que tu demandes rien. J't'ai pas dit que j'avais couché avec Sylvain la première fois qu'on s'est parlé, mais quand je t'ai dit qu'y avait aucun signe, rien, c'était vrai.

— D'accord. Mais Stéphane va bien. Me semble que je l'ai jamais vu aussi heureux. »

Elle ne sait pas comment expliquer son inquiétude, comment décrire ce qu'elle sent. Elle aussi, elle est certaine qu'il va bien, mais que quelque chose cloche. Que ce quelque chose repose encore une fois sur ses épaules à elle.

Et qu'elle a peur.

« Quand y est parti de chez moi, Sylvain, y allait bien. Très bien. Y sifflait. Tu sais comment y était ? Y sifflait tout le temps. Le gars dans douche qui siffle, si y a de quoi, c'est que tu penses pas qu'y s'en va se tuer. C'est comme pas… Ça marche pas ! Ben, Stéphane, des fois, j'ai l'impression que j'y apprends à siffler. Comprends-tu ? »

Oui, Vincent comprend. Lui, il avait tellement de manques, de reproches à se faire, c'était simple. Mais elle, elle n'avait que des pleins, que des moments heureux à se rappeler. Des moments qui effaçaient les manques. Mais pas assez pour que l'appel du vide ne gagne pas. Oui, il comprenait. Comment pourrait-elle ne pas trouver ça compliqué ?

« Il faut peut-être faire confiance à Stéphane ? On peut pas avoir peur tout le temps, Charlène.

— De temps en temps, par exemple, on peut.

— O.K., on peut. Tu t'es dit quoi en venant me parler ? Que je t'aiderais ? Comment ?

— D'abord, te dire ma menterie. Ça fait du bien, une fois que c'est faite. Pis t'es pas choqué ?

— Je comprends que c'est ta vie privée. Fallait que j'aie besoin de beaucoup d'explications pour venir te demander ça. Dans le temps, j'aurais échafaudé bien des théories qui auraient juste été des échappatoires. T'as très bien fait d'attendre, Charlène, ça me regarde pas.

— Sauf qu'y a Stéphane…

— Tu veux lui dire ça ?

— Non ! Y s'en crisse, de son père ! Excuse…

— Je pense que t'as raison. Alors, oui, il y a Stéphane…

— Y se crisse de pas mal plus d'affaires que son père.

— Mais y se crisse pas de toi.

— Non. Pis c'est comme encore pire qu'avec son père. Je veux dire... Sylvain, c'était comme ça pour lui... Moi ou ben une autre, c'était pas loin d'être pareil. Ben... pas tout à fait, mais pas loin. Zef... c'est pas mêlant, je pense que je suis sa seule amie.

— C'est probable.

— Ben, je veux pas être la seule ! Je l'aime ben, mais je veux pas !

— Parce que tu veux pas être toute seule à porter le poids, si jamais y fait comme Sylvain ?

— Évidemment que je veux pas ! Stéphane, y sait même pas comment me donner un bec sur la joue sans *shaker* ! Y sait quoi faire pour séduire une fille, la baiser, mais y peut pas me prendre le bras pis que ça aye l'air naturel ! C'est quoi, ça ? »

Elle ne peut quand même pas lui dire qu'il a fait plus de cunnilingus dans sa vie qu'il n'a pris la main d'une amie ! Qu'il sait enfiler n'importe quelle femme sans débander, mais que personne ne peut le toucher en dehors de sa job sans qu'il ait un mouvement de repli. Et que tout cela ne l'affolait pas, ne le troublait pas avant de la rencontrer et d'avoir un élan d'enfant affamé vers elle. Elle est furieuse de ne pas pouvoir dire tout ce qui l'inquiète parce que ce serait encore trahir un homme qu'on a trop trahi. Elle ne sait pas pourquoi ou comment on l'a tant maltraité en ayant l'air de l'aimer et d'en prendre soin, mais le résultat est celui-là : ce lien avec Stéphane, c'est elle et elle seule qui peut l'endosser, le faire vivre. Vincent n'est pas dans la *game*. Il ne peut ni arbitrer ni jouer. Il peut l'écouter, mais elle est seule — et elle le comprend avec rage.

« Je pense qu'il est amoureux de toi.

— Ben non !

— Un peu, quand même.

— Non, Vincent, garanti que non ! Y est pas amoureux : y m'aime, c'est ben pire. Parce que laisse-moi te dire que ce mot-là, il l'a pas essayé souvent dans sa vie. »

Elle a raison, et il se rend compte du même coup que ce qui fait qu'ils sont si bien tous les trois dans ce bar, c'est elle. Et elle seule.

« Stéphane fait la même erreur que moi : il pense que j'ai eu une histoire avec toi, que je suis encore amoureux. Alors que je t'aime beaucoup. Et que c'est peut-être plus important qu'être amoureux. Tu penses qu'il va faire la différence pour lui ?

— Va ben falloir.

— Je t'aide pas beaucoup…

— Ben ! On a fait ce qu'on pouvait. On pourrait manger pis parler de l'autre folle qui a l'air pas mal accrochée à son grand garçon.

— Tu veux te couper l'appétit ? Tu sais qu'elle te traite de serveuse ? »

Ils s'entendent pour manger d'abord et digérer en parlant de Mélanie.

En arrivant au bar, à l'improviste comme si souvent, Stéphane aperçoit une de ses anciennes clientes en conversation avec Charlène. Intimidé, il hésite avant d'avancer vers elles. Il la croyait toujours à Drummondville. Il ne l'a pas vue depuis leur dernière rencontre qui s'était bien passée, mais à laquelle elle n'avait pas donné suite. Ce qui n'affectait pas Stéphane. Il connaissait les raisons habituelles des femmes qu'il rencontrait : une solitude subite ou rendue impossible à supporter, mais un moment passager. On ne s'attache pas à une escorte, quel que soit son talent ou sa compétence. Et c'était précisément ce que souhaitait Stéphane : un service très personnalisé, mais sans engagement de part et d'autre. Aucune froideur, ça n'aurait pas marché avec ses clientes, mais une présence très réservée sur le plan émotif et très vibrante pour le physique. Il n'écoutait jamais que d'une oreille, laissant la personne parler, mais ne captant que ce qui le concernait : les faux pas à éviter et la texture de l'accouplement désiré. À l'exception d'une demi-douzaine de clientes, il aurait eu du mal à raconter d'où elles venaient, qui elles étaient et ce qu'elles ressentaient. Ses notes lui étaient d'un grand secours.

Le mot qui englobait tout était « solitude », et Stéphane avait vite compris qu'évoquer leur solitude était un sésame puissant auprès de ses clientes. Il le faisait sans scrupules, ayant à cœur d'offrir un bon service, et comprenant que l'écoute était souvent aussi puissante que la caresse.

Ce qui ne l'empêchait pas de trouver les femmes bavardes, toujours en train de s'expliquer, de s'excuser, de se justifier. Une des grandes qualités de Charlène à ses yeux, c'est cette apparente dureté qui va droit au but, sans chichi. Et sa façon d'écouter.

Mais la femme assise au bar, il s'en souvient très bien. Sa première cliente à l'hôtel. Avant elle, c'était des clientes sur le réseau. Elle, c'était sa virginité professionnelle. L'autre virginité, il l'avait perdue depuis longtemps.

Il sait qu'elle s'appelle Françoise — elle n'avait pas utilisé de surnom puisqu'il l'avait rencontrée ici même au congrès auquel elle participait. Après des mois de rencontres régulières, elle avait soudain cessé de le contacter et d'utiliser ses services. Et cessé de se déplacer, croyait-il. Mais elle avait fait une chose inusitée, après quelques mois de silence : elle lui avait envoyé un mot de remerciement pour ce qu'il lui avait offert. Stéphane trouvait que son « offre » avait été généreusement payée et il n'avait pas compris le geste, tout en l'estimant assez « classe » pour le répéter auprès d'autres clientes qui l'avisaient de leur détachement. L'effet était saisissant : chaque femme réagissait avec beaucoup d'émotions à ses remerciements et lui souhaitait le meilleur avenir. Ce qui sous-entendait « changer de vie » et ce que Zef résumait à « puisque je ne suis plus ta cliente, pourquoi faire ce métier ? » Évidemment, à leurs yeux, ça devenait dégradant à partir du moment où ce n'était plus avec elles.

Il s'avance vers le bar, un peu mal à l'aise de voir deux univers se télescoper. Charlène a le chic pour ce genre de situations : « Ah ! Zef ! Tu te souviens de Françoise ? Elle venait souvent faire son tour. Françoise, c'est Zef, comme tu sais. »

Et elle lui sert la bière qu'il n'a pas besoin de commander. Elle papote juste assez pour que les deux exilés du rapport social normal reprennent pied. Après une ou deux hésitations, la conversation coule aisément, comme s'ils avaient effectivement un passé commun.

Françoise est maintenant à Montréal : elle vient d'accepter un emploi dans un important cabinet juridique. Elle travaille comme une folle et s'est installée de façon temporaire dans un minuscule studio meublé au minimum en plein centre-ville. Elle ne veut pas déménager n'importe où et elle attend le printemps et un peu de calme au bureau pour chercher le bon endroit. De fil en aiguille, Stéphane s'aperçoit qu'elle habite la tour voisine de la sienne. Françoise n'en revient pas : « Ça veut dire que j'aurais pu te croiser à l'épicerie d'en bas ?

— Aucune chance ! Je me fais jamais à manger.

— Quoi ? même pas le premier café du matin ?

— Même pas ! Y a juste de la bière dans mon frigo.

— J'essaye de le convertir aux plats préparés, han Stéphane ? Échec total ! Même ma sauce aux palourdes, tu l'as jetée. Essaye pas de dire le contraire, je le sais !

— Stéphane ? Tu t'appelles Stéphane ?

— Ben, oui... Zef, c'est mon surnom. Pourquoi ? »

Elle a l'air moins gaie tout à coup. Secouée.

« C'est fou. Je pensais que tu t'appelais Jeff.

— Ça me dérange pas. Tu peux m'appeler Jeff, si tu veux. Ça me dérange pas du tout.

— C'est quand même ton nom.

— Regarde, tu dis Zef, tu penses Jeff, pis c'est parfait. M'en fous, je te dis ! »

Il se lève, pose l'argent sur le comptoir et s'en va en agitant la main : « Bye, les *girls* ! »

Il ne sait pas du tout comment prendre congé. Quand il travaille, il donne une petite tape amicale sur la joue de la dame. Les circonstances ayant changé, il ne peut pas décemment refaire le geste ni tendre la main, comme s'il s'agissait d'une inconnue. Et la joue de Charlène est unique à ses yeux, il n'aurait jamais l'idée d'embrasser qui que ce soit d'autre comme ça.

Déjà que sa mère le couvre toujours de baisers, comme s'il était un baklava en manque de miel.

Charlène le regarder partir, très consciente de sa raideur soudaine qu'il réussit à cacher à tous, sauf à elle.

« Ça fait que Stéphane, c'était le prénom de ton mari ? »

Françoise ouvre les mains, dépassée : « Te dire comme je suis allergique à ce prénom-là, ça se peut pas. Pis j'ai rien vu ! Le premier sur qui je saute, en plus !

— Qu'est-ce que ça change ? Tu fais comme y dit, pis ça finit là. »

Elle n'a pas l'air convaincue, Françoise. Troublée, elle finit par demander : « Penses-tu que les morts nous suivent du coin de l'œil ? Qu'y mettent les gens sur notre chemin ?

— En tout cas, si c'est le cas, y est pas fort, le tien ! C'est un gros zéro : Zef, c'est pas pour toi.

— Pas dans ce sens-là. Pour… je sais pas, pour me faire comprendre de quoi ?

— Comprends-tu de quoi ?
— Pas là.
— Ben, c'est ça que je dis : un gros zéro ! »

Ça fait du bien de l'entendre rire.

Mélanie-Lyne

Mais qu'est-ce que j'ai fait au bon Dieu pour mériter ça? Et qu'est-ce que je peux faire pour l'éviter?

Ma mère asteure. Ma mère qui rapplique, non, qui s'impose.

Celle qui s'est jamais occupée de moi veut que je m'occupe d'elle. Ou plutôt, exige que je m'occupe d'elle. « Tu peux pas me refuser ça ! »

Ah non ? Pourquoi pas ? Y a-tu quelque part où c'est écrit : « Mélanie-Lyne doit se faire fourrer par tout le monde, incluant sa sans-cœur de mère ? »

Elle m'a pas aidée, elle, quand j'avais besoin. Elle a rien fait d'autre que de trouver que j'avais pas d'allure. Pas d'allure d'être coiffeuse. Pas d'allure de garder le petit, alors que l'avortement est gratuit, pas comme dans son temps, pas d'allure de changer mon nom parce que Mélanie-Lune, je trouve ça niaiseux, pas d'allure que Sylvain se tue. Comme si j'avais acheté la corde ! Faut-tu être cruelle pour m'accuser sans le dire vraiment, juste des sous-entendus qu'il devait avoir des raisons… Y en avait sûrement pis y m'a rien dit.

Même mon Stéphane, elle le trouvait pas à son goût. Ben, si elle était venue le voir plus souvent, il lui en aurait fait, de la façon ! Pas le genre de mon fils de faire des sourires à une grand-mère qui passe à tous les cinq ans. Et qui passe sans apporter de cadeau, même pas un Dinky Toys.

Y s'en foutait d'elle, pis j'étais ben contente. Qu'elle ramasse ce qu'elle mérite. Ce que j'osais pas faire, lui, il le faisait. Quand elle se mettait à faire des grands discours sur l'écologie, il se levait pis y allait dans sa chambre. Pareil pour son temps des hippies, sa commune de fumeux de pot pis ses jupes à fleurs relevées par n'importe qui. Une fois, il a même dit que ça l'intéressait pas. La face qu'elle a faite ! Elle lui a demandé ce qui l'intéressait. Il a répondu : rien. « E-rien » même !

C'est sûr que c'était un délinquant pour elle. La seule fois où elle m'a appelée depuis qu'il est parti, c'était pour faire l'étonnée pis la féliciteuse parce que je l'avais lâché. Comme si je l'avais enfermé. Comme si je l'empêchais de vivre ! Elle sait rien de mon gars, qu'elle se taise donc ! C'est une égoïste pour qui on en fait jamais assez. Et qui se demande jamais si ça fait notre affaire qu'elle revienne nous tanner avec ses histoires pis ses drames.

Toujours des drames. Elle est pas malade, non, elle a un cancer du sein de grade IV, le pire ! Elle a pas une cenne, elle reste trop loin de l'hôpital pour voyager tous les jours pour ses traitements, j'ai une chambre de libre, pis j'ai bon cœur. Bingo ! Y faut-tu rafraîchir sa teinture avec ça ?

Pis elle me sort tout ça sans me donner le temps de penser. Elle, elle avait réfléchi à son affaire pis organisé son histoire pour que je sois coincée. Elle arrive demain matin.

« Je savais que tu comprendrais. Que je pourrais compter sur toi. »

Pis moi ? Sur qui je peux compter ? Faudrait pas qu'un cancer m'arrive parce que ce serait pas monsieur Côté, pis encore moins Stéphane, qui comprendrait.

Elle, j'en parle même pas.

Les traitements durent six semaines. Je vas mourir, je pense.

Je pourrai jamais l'endurer six semaines !

Pourquoi je suis pas née sans-cœur, donc ?

Vincent Côté

Comme c'est étrange… la mort de Muguette a été un soulagement pour tout le monde. Que ce soit un soulagement triste ne change rien à l'affaire. C'est un fait. Et le côté triste, je le ressentais pour Philippe, pas pour moi. Cette partie de ma vie est bel et bien terminée, et tout ce que j'en comprends, c'est à quel point on se crée des obligations pour se donner de l'importance et non parce que c'est essentiel. Ce qui est essentiel, on le voit rarement.

Quand j'étais petit, il y avait un jeu que je détestais : colin-maillard, qu'on appelait « le bandeau ».

Les yeux bandés, on nous étourdissait pour nous laisser ensuite tâtonner vers quelqu'un et deviner de qui il s'agissait. Bien sûr, on fonçait sur un meuble ou un mur avant de tomber sur quelqu'un — à la grande joie des participants. Je trouvais le jeu humiliant, parce que je n'étais pas performant.

Maintenant, vu de ce bout de ma vie, je trouve le jeu cruel et plutôt métaphorique. On passe une bonne partie de notre vie les bras tendus vers on ne sait qui, étourdis et aveuglés.

On ne reconnaît les nôtres qu'une fois achevé un long travail d'apprentissage tâtonnant. Et on se trompe. En tout cas, je me suis trompé.

Quand je pense que l'essentiel a longtemps été à mes yeux que personne d'autre que moi ne s'en s'aperçoive. Comme si admettre ses erreurs ajoutait à l'erreur ! Quel manque de jugement.

Je devrais le dire à Charlène qui a une telle confiance en moi : son jugement à elle est nettement plus solide. Elle ne s'embarrasse pas de formules édulcorantes, elle ! Elle va droit au but et elle dit ce qu'elle veut quand elle le veut. Elle ne ménage pas son orgueil. Ni sa peine.

Sa révélation a été un choc. Même si elle est sensée. Même si, au départ, c'était une hypothèse plausible, je l'avais écartée. Pour une fois, j'ai essayé de me concentrer sur elle, sur les raisons pour lesquelles elle me révélait sa liaison amoureuse avec Sylvain. Je ne voulais pas la perdre, c'était ce qui me préoccupait le plus. Je ne voulais pas que tous les liens qu'on a établis pendant ces années à travers la disparition de mon fils, que ces liens se brisent parce que j'apprenais enfin ce que j'avais tant besoin de savoir il y a quinze ans. Je me trompais, comme dans le jeu : je voulais connaître des raisons, découvrir une responsabilité qui dépassait la mienne. J'aurais tout donné pour trouver et crier : « Voilà ! C'est ta faute ! »

Charlène ne m'a pas trompé ni menti : elle m'a épargné du temps et des erreurs. Elle s'est tue parce qu'elle savait bien que personne ne ferait un bon usage de cette liaison. Qu'on lui ferait porter bien davantage.

Elle a bien fait. On n'enlève pas le bandeau des yeux d'un homme qui croit étreindre ce qui le sauve du désespoir. On le laisse errer un peu, le temps qu'il retrouve son équilibre.

Elle a dû se sentir bien seule, Charlène. Même si Éric était là et qu'il savait, elle n'est pas le genre de femmes à s'épancher et à se plaindre. C'est une sauvage qui fait avec ce qu'on lui donne et, si c'est peu, elle s'arrange avec sans gémir ou pleurnicher. Comment une telle douée pour la vie a-t-elle pu ne pas voir que Sylvain s'enfonçait ? Je ne lui demanderai jamais. Qu'au moins les années d'apprentissage qui m'ont été offertes servent notre amitié. Elle se l'est sûrement demandé, comme nous tous. Et si elle n'a rien senti venir, c'est que Sylvain était aussi vivant qu'elle… et que son geste a été commis comme on le disait il y a bien longtemps « dans un moment de folie ». Un instant comme un trou noir dans lequel on sombre et s'enlise. Le cauchemar d'un sale moment qui prend des allures d'éternité.

Mais pourquoi s'inquiète-t-elle tant de Stéphane, qui me semble aller mieux que jamais ? Maintenant qu'il est libéré de l'influence encombrante — j'allais écrire « néfaste », mais j'essaie d'apprendre la générosité — de sa mère, pourquoi s'inquiéter autant ?

J'y vois la seule manifestation des suites nocives du geste de Sylvain : elle est marquée par ce que le père a fait et, depuis qu'elle sait que Stéphane est son fils, elle retrouve une crainte qu'elle n'a pas eue au moment où elle était justifiée. Mais elle n'était pas tangible pour autant. C'était impossible de deviner l'état d'esprit de Sylvain. Je ne vois pas d'autres raisons à son inquiétude. Ce sont les effets d'un passé traumatisant.

Comme elle prend la peine de me le dire, je vais la croire et resserrer ma surveillance bienveillante. Je vais garder un œil ouvert. Je vais tricher au jeu de colin-maillard et éviter de trébucher.

Elle a raison, Charlène, Stéphane a reçu une étrange éducation. Et je peux témoigner que son enfance a pu être pénible par moments, si j'en juge par l'humeur agressive de Mélanie. J'ai du mal à demeurer plus de deux heures en sa compagnie ! J'imagine qu'être adoré par elle n'est pas moins difficile qu'être abhorré par elle. Bon, trêve de jeux de mots, je vais me concentrer sur Mélanie, faire preuve de patience et alléger le fardeau filial de Stéphane. Il n'a pas l'air de trop s'en faire avec ses devoirs envers sa mère, mais sait-on jamais ?

S'il y a une chose que je n'aurais jamais prévue, c'est bien cet accueil et ce soutien que Mélanie offre à sa mère. Elle la détestait ! Elle lui trouve encore beaucoup de défauts, mais elle ne l'aide pas moins pour autant.

Encore un mélange de sentiments : cette mère rejetée et quand même accueillie avec bonté, ou en tout cas avec indulgence. Je ne doute pas un instant qu'elle ne mérite pas vraiment le souci que se donne Mélanie. Et contrairement à Philippe avec Muguette, cette aidante n'est pas « naturelle ». Mais elle le fait : elle est en train de se dévouer pour une femme qui n'a pas eu beaucoup de bonté pour elle.

Stéphane a beau dire que ça occupe sa mère et lui permet de se croire martyre, je pense que c'est admirable et qu'il faut le reconnaître. Là-dessus, j'avoue que Stéphane n'est pas contrariant : c'est une sainte et un exemple absolu… si elle ne l'appelle pas tous les jours pour relater ses exploits et se faire applaudir.

Si je voulais suivre Charlène sur le chemin du doute, je dirais que le manque d'empathie de Stéphane envers sa mère pourrait être inquiétant. Je l'entends rire d'ici : empathie ? Envers sa mère ? Ce serait le pire danger. S'il était empathique, sa mère s'arrangerait pour obtenir qu'il se marie avec elle.

C'est vrai que Mélanie s'estime la seule en mesure de connaître et comprendre son fils. Elle ne connaît pas Charlène… et ce n'est pas en la traitant de « petite serveuse de quinze cents » qu'elle réussit à lui enlever ses talents. Pour l'âme humaine, Charlène n'a pas son égal, elle a obtenu son doctorat depuis longtemps, n'en déplaise à Mélanie.

Et moi, j'étudie encore.

Le « trio infernal », voilà comment Stéphane appelle leur nouvelle association. S'il n'a jamais cherché à croiser Françoise à l'épicerie ou dans la tour d'habitation voisine, il ne trouve pas désagréable de la revoir au bar. Petit à petit, d'un bout de conversation à l'autre, il devient plus à l'aise avec elle.

Au début, il a eu un peu peur que sa présence au bar ne dérange sa complicité avec Charlène. Mais Françoise a ce sens aigu de l'à-propos qui fait que jamais elle ne s'incruste quand il a envie de parler avec Charlène seulement.

Cette entente trouble quand même Stéphane, qui ne voit absolument pas en Françoise la même personne qu'elle était en tant que cliente. Le jour où il évoque ce changement, elle le regarde avec beaucoup d'ironie : « Penses-tu que t'es le même gars quand tu travailles ?

— Euh… pas mal, oui.

— Ben, tu te trompes ! Han, Charlène ? Zef au travail et Zef ici, c'est pas pantoute le même ?

— Sais pas. Je l'ai jamais essayé. Pis c'est vraiment pas au programme ! »

La seule pensée que Charlène puisse devenir cliente le révulse. Il en est si ébranlé qu'il part sans même finir sa bière.

Il marche très longtemps. Sa première impulsion est de trouver Françoise dégoûtante. À bannir, à ne plus jamais revoir ou fréquenter, même par hasard. Puis, en se calmant, il se demande pourquoi il lui est impossible de voir en Charlène une cliente. La réponse est impérative : parce qu'elle n'appartient pas à ce monde-là. Il ne va pas plus loin avec la définition du « monde » en question, trop perturbé pour approfondir. Chose certaine, Charlène est exclue des sites et des échanges payants, qu'ils soient virtuels ou physiques. Et ce n'est pas parce qu'il a honte de son métier. C'est différent, c'est tout.

La question qui le tracasse ensuite, c'est de savoir comment une cliente comme Françoise a pu réussir à passer de l'autre côté de ce monde-là, à devenir quelqu'un à qui il parle vraiment et de qui il n'attend rien. Comment elle a perdu l'étiquette « cliente » qui la rendait « non conforme à ses critères », comme le disait Cassandra.

Sa conclusion est que Charlène a permis le transfert. Un peu comme son grand-père est devenu plus intéressant en fréquentant le bar, Françoise a gagné un statut d'amitié avec lui en devenant amie avec Charlène.

Après une heure de marche, il rentre chez lui se changer : une cliente l'attend dans un hôtel à deux pas. Il est déjà épuisé et il n'a rien fait.

La séance lui paraît interminable. Il doit travailler fort pour fournir le service. Tout ça l'écœure profondément : la fausse conversation, le strip-tease calculé pour ne pas en avoir l'air tout en en récoltant les effets positifs, le dévouement pour mettre l'affaire en train et l'inévitable question qui suit le plaisir de la dame: « Mais toi ? » Il s'enfuit presque, en affirmant comme toujours que c'est comme ça qu'il a le plus de plaisir.

Charlène vient d'éteindre les lumières du bar et son manteau est posé sur un fauteuil.

« Je te dérange ? Tu pars ? »

Comme s'il ne le savait pas ! Elle est épuisée, ses pieds lui font mal, mais Zef a sa face des jours compliqués. En plus, il est attentif: « Laisse faire. On parlera demain. Bye !

— Si on se met dans le coin, là-bas, si on rallume pas les lumières, personne va penser que c'est encore ouvert. »

Elle se dirige vers les deux fauteuils du fond sans attendre. Elle retire ses bottes et frotte ses chevilles en grimaçant. Il s'assoit et tape sur sa cuisse pour qu'elle y pose ses pieds et qu'il les masse.

« Pas sur ton beau Hugo Boss à mille piasses ! »

C'est sa façon de dire que ses pieds ont leur journée. Il sourit: « Y en a vu d'autres, Hugo Boss ! »

Pour masser l'arche du pied, il est imbattable. Charlène a eu beau essayer, c'est impossible d'enseigner ça à Frédéric. C'est un talent qui n'a pas l'air de s'apprendre.

« Hostie que tu l'as ! »

Zef sourit d'un sourire franc. En attaquant le deuxième pied, il laisse tomber, l'air de ne pas y toucher: « Tu l'aimes bien, toi, Françoise ?

— Mmm…

— Ça te gêne pas qu'elle soit une cliente ?

— Était. Je me trompe pas ? C'est pas encore une cliente ?
— Ben non !
— Bon, ben, ça me gêne pas. Toi ?
— J'aime pas trop mélanger les affaires.
— O.K... Tu veux quoi ? Qu'on la zappe ? »

Jamais un « on » n'a eu meilleur effet. Tout à coup, leur accord est total, tout-puissant aux yeux de Stéphane. Il n'est plus seul. Elle lui offre en plus de décider avec elle, comme s'il avait une priorité, un droit de veto. Du coup, tout ce dont il doutait se trouve rassuré. L'effet est presque magique, remarquable : « J'ai pas dit ça !

— Mais c'est achalant si elle parle de l'ancien temps... surtout qu'elle est plus cliente.

— Ouais... toi, ça t'achale-tu ?

— Tant que t'es heureux dans ce que tu fais, y a rien qui m'achale. Ni les vieilles ni les nouvelles clientes. C'est ta business.

— Ben, heureux... faut ben gagner sa vie.

— Ouch ! Change de pied, mais va doucement... Tu sais que ton grand-père pensait que j'avais le *kick* sur toi ? Pas si étonnant que Françoise pense ça aussi. Y savent peut-être pas la différence. Mais tant qu'on la sait, toi pis moi, on les laisse parler pis on passe à un autre appel, non ?

— Parfait de même.

— C'est quoi notre problème, d'abord ?

— T'as couché avec combien de gars ? »

La face de Charlène ! Éberluée, elle le fixe sans répondre. « Ben quoi ? T'as de l'expérience, non ?

— Euh... le rapport ?

— Y comptent-tu toutes pareil ? Frédéric, si c'est le bon, comment tu le sais ?

— Je le sais pas, justement ! Y a l'air d'être le bon... jusqu'à ce qu'y fasse pas, je suppose.

— Ah ouin ? Ça marche de même ? Par élimination ? Comme à tévé pour les chanteurs ?

— Où tu vas avec tes questions, Zef ? Tu me demandes toujours ben pas c'est quoi l'amour ?

— Es-tu folle, toi ! Pas envie de rester icitte toute la nuit.

— J'ai couché avec pas mal de gars. Toujours pour le fun, même si c'était pas tout le temps le fun. Des fois, c'est fantastique, d'autres fois, c'est juste passable. Ça dépend. Pis ça dépend pas toujours du gars. Ça répond-tu à ta question ?

— T'as jamais payé ? Pis personne t'a jamais payée ?

— Jamais. Là-dessus, Zef, c'est toi qui as de l'expérience. »

Il sourit, et regarde ses pieds qu'il enserre dans ses mains : « Je le sais pas pourquoi ça m'a tant choqué que Françoise te pense cliente.

— Moi, je le sais : parce que notre affaire, c'est pas ça pantoute. Pis ça sera jamais ça.

— Ouais ! Bizarre à dire pour un gars qui gagne sa vie comme moi, mais je voudrais jamais que tu me demandes ça.

— Pis je voudrais jamais que tu me traites en serveuse non plus. »

Françoise a compris la leçon sans que quiconque lui en parle. Le passé doit demeurer dans le passé et mélanger les deux mondes de Zef faisait trop de tort à l'ambiance pour qu'elle s'y risque de nouveau. Tout comme l'usage est maintenant de ne pas appeler Zef par son vrai nom devant elle, elle se promet de ne plus jamais évoquer son métier. Elle a suffisamment de mystères à protéger pour saisir que ceux des autres méritent autant d'attention. Sans compter que les nouveaux rapports avec Zef lui paraissent mille fois plus drôles et agréables que ceux du passé. Consciente que cela tient à son état d'esprit de l'époque davantage qu'au professionnalisme de Zef, elle cultive cette amitié sur de nouvelles bases et s'empresse de rayer de leurs conversations cette partie de sa « déroute de veuve », comme elle l'appelle. Cela ne lui coûte aucun effort, Zef et Charlène partageant beaucoup plus de présent que de passé.

En dehors d'une certaine tonalité d'humour, elle se demande quand même ce qui a rapproché ces deux-là. Ce n'est qu'en rencontrant Vincent un lundi soir qu'elle complète l'étrange portrait de groupe. Et ce qu'elle saisit de leur dynamisme, de la qualité de leur entente, lui semble extraordinaire. Elle doit aussi s'avouer que Vincent lui plaît. Son calme, son côté attentif, sa façon d'écouter et même le petit temps de délectation qu'elle observe quand il prend sa première gorgée de scotch, tout lui plaît chez cet homme.

Quand elle a cherché à en savoir plus auprès de Charlène, la réponse a été limpide et presque lapidaire : « Très veuf, très seul, très retraité et trop vieux pour toi. »

Comment pourrait-elle expliquer que quelqu'un qui a des années d'avance sur elle la rassure ? Qu'il lui est impossible de suivre un homme de son âge ? Ça lui prend un coussin de sécurité pour se sentir enfin libre — il faut qu'on ait plus ou moins que son âge, mais surtout pas le même âge qu'elle. À ce chapitre, son mari lui a suffi.

Charlène la regardait tenter de se rapprocher de Vincent et elle se disait que l'affaire n'était pas gagnée parce que lui n'allumait pas du tout. C'est Zef qui a « levé le *flag* ».

« Tu fais des ravages, grand-pa !

— Pardon ?

— Françoise… t'as pas vu ? D'après moi, t'aurais pas grand-chose à faire, han, Charlène ? »

Charlène se garde bien de commenter d'une façon ou d'une autre. Si ces deux-là ont quelque chose à partager, ce n'est pas son affaire.

Elle peut leur verser à boire, discuter, rire, mais elle ne fera rien d'autre.

Stéphane est hilare, l'éventualité le séduit beaucoup.

« Je sais pas si elle fait de la raquette, par exemple. Tu pourrais l'inviter dans ton repaire. »

Et il se met à énumérer tout ce qu'ils pourraient faire ensemble, en soulignant qu'elle ne risque pas d'être encombrante puisqu'elle a une grosse job et un appartement en ville. Bref, il ne voit que des avantages à cette liaison.

Vincent a l'air imperturbable, mais Charlène le connaît, il n'est pas aussi indifférent qu'il veut bien le paraître. Quant à savoir s'il est intéressé, c'est autre chose. Ce dont elle est certaine, par contre, c'est que Stéphane se meurt de trouver une récompense à son grand-père : il estime que son dévouement auprès de sa mère mérite une médaille ou un grand prix. Et c'est vrai que Vincent passe plus de temps en ville pour alléger le sort de Mélanie... et celui de son petit-fils par la même occasion.

Il a beau répéter que cela fait partie d'une forme de service qu'il veut rendre, un bénévolat familial auquel il tient vraiment à consacrer du temps, pour Stéphane, c'est digne d'un héroïsme qui dépasse la vertu.

Pour lui, Françoise représente une « prime » méritée et Charlène doit même freiner ses efforts : à force de vouloir pour les autres, il va les bousculer et tout faire foirer.

« Regarde, pis tais-toi. Ils sont assez grands. »

Stéphane essaie de se conformer à ce bon conseil, mais il résiste mal à l'envie de pousser un peu. L'avantage, c'est qu'il les fait tous rigoler et que personne en dehors de lui ne prend vraiment cette possibilité au sérieux.

Mélanie-Lyne

Je le sais pas pourquoi il fait ça. Monsieur Côté. Depuis les funérailles de son ex-femme, il s'est montré la face chaque semaine. C'est pas mal plus que ce que Stéphane réussit à me donner. Au début, je me méfiais. On sait pas ce que ces vieux-là ont derrière la tête. Ça aurait pu être... je le sais pas, pour obtenir de quoi. Des faveurs sexuelles, dans le genre...

Mais non. C'est un homme qui se tient à sa place : jamais d'allusions ou de sous-entendus à double sens. À peine croyable ! Pis c'est pas pour avoir des nouvelles de Stéphane non plus, c'est lui qui m'en donne ! Y se voient de temps en temps. Mon fils a l'air de se souvenir qu'il a un grand-père si y se souvient pas qu'il a une mère.

Ben, franchement, même si je voulais lui dire d'arrêter, je pourrais pas. La première fois, je l'ai planté au restaurant pis je suis partie. Je me souviens pas trop pourquoi. Mais ça m'inquiétait. J'aime pas trop les gens qui changent avec moi. De n'importe quel bord, le changement : de fin à pas fin ou le contraire, j'aime pas ça. Lui, y a toujours été poli. Gentil, même. Pis après la dernière fois, je m'attendais tellement pas à le voir rappliquer en faisant comme si lui était allé trop loin, alors que j'avais pas été très aimable.

Il a compris que j'en avais gros sur le cœur et les épaules. Je pense que si ma mère s'était pas annoncée — imposée plutôt — je serais pas retournée au restaurant avec lui. Mais comment faire autrement si je voulais que Stéphane sache ce qui m'arrive ? Il rappelle pas ! Ou presque jamais. Il est tellement occupé. Il a jamais le temps de passer me voir.

Alors, c'est sûr qu'au début c'était oui pour voir monsieur Côté, en espérant qu'il répète à Stéphane ce que je lui raconte. Pis là, ma mère est arrivée. Julie-Lune, son nom. Pas besoin de dire que c'est elle qui a amélioré son Julie de même. Pas besoin de dessin pour comprendre pourquoi j'ai été obligée d'arranger le prénom qu'elle m'avait donné. Faut-tu être stone pour penser que rajouter « Lune » va te rendre spéciale ! Disons que ça en dit long sur son genre de raisonnements. Pis tout est de même avec elle : achalant.

Pour une fois qu'elle a le droit de fumer du pot pour baisser les effets de la chimio, elle veut rien savoir ! Non, pas question. On dirait qu'elle veut me montrer comment elle est courageuse. Sauf que je la connais pis je m'en méfie.

Bon, je veux pas parler d'elle, c'est trop compliqué. Mais les visites de monsieur Côté, ça l'impressionne, ma mère. Je l'appelle Vincent, maintenant, pour y montrer — à ma mère, pas à lui — qu'on est amis. Que je suis pas la pauvre fille rejetée qu'elle pense. Pis Vincent a ben vu que c'était pas facile. Alors, le lundi, le jour le plus long de la semaine parce que je suis à la maison avec Julie-Lune pis que j'ai fini le ménage et l'épicerie depuis la veille à trois heures, il vient me chercher pour le lunch.

Pis on va dans un bon restaurant, pas une binerie. Pis ça dure deux heures. Pis je peux lui raconter ce que je veux, à Vincent, il s'énerve jamais. Pas comme ma mère qui peut m'envoyer sa fourchette par la tête quand ça fait pas son affaire. Pas croyable, mais c'est sa façon, ça ! Elle a toujours été de même. Quand ça fait pas, ça revole. N'importe quoi qui est proche de sa main, elle le lance. Je l'ai vue prendre une bouilloire une fois et la lancer sur son chum de l'époque. L'eau était pas chaude, pis c'est une vraie chance parce qu'elle l'aurait ébouillanté. Mais elle regarde pas avant : elle fonce pis tant pis si l'eau est chaude !

C'est de même pour toute avec elle. Elle t'envoye des affaires par la tête, pis arrange-toi avec ça ! L'autre jour, elle a décidé de faire le ménage dans « sa » chambre. C'est celle de Stéphane, elle le sait très bien. Elle a jeté tous les dessins que je gardais depuis qu'il est bébé. Tous ! C'est vrai que c'était dans le fond de « son » garde-robe, mais elle savait tellement ce que ça me ferait. C'est vrai que c'est pas Picasso, mais j'aime pas ça, Picasso, moi ! On reconnaît rien. Pas capable de faire une face qui a l'air d'une face. Ben, ses bonhommes à Stéphane, on voit ce que c'est. Pourquoi elle a fait ça ? C'était caché ben assez loin pour qu'elle les trouve pas. J'avais vidé la commode, la table de nuit pis une bonne partie du garde-robe : elle manque pas de place, elle a deux paires de pantalons pis trois tops ! Y a deux tiroirs de vides, je le sais, j'ai été voir pendant qu'elle était à l'hôpital en train de faire sa chimio. C'est toujours de même avec elle : tout appartient à tout le monde, pis si je veux pas qu'elle trouve de quoi, c'est à moi de le cacher. Mais elle est quand même chez moi ! C'est moi qui prends soin d'elle, qui l'emmène aux toilettes quand elle vomit sans arrêt, qui la ramène dans son lit parce qu'elle se tient plus.

Pourquoi elle fait une chose pareille quand elle sait que ça va me faire de la peine? Il les refera pas, ses dessins, Stéphane. Si au moins elle les avait pas déchirés avant de les jeter.

Pourquoi elle l'aime pas, mon gars? C'est à moi qu'elle fait du mal. Stéphane, il s'en fiche, de ses dessins.

« Par malveillance. »

C'est la réponse de Vincent quand je lui ai raconté. Par pure malveillance.

C'est son explication et il m'a dit qu'il trouvait ça terrible. Parce que c'est cruel.

Même avant de regarder sur *Google* pour être certaine que je comprenais exactement le mot, ça m'a fait du bien. J'en revenais pas. Il l'a dit en ayant de la peine pour moi, en plus. Il m'a dit que je méritais pas ça. Que ma mère avait sans doute ses problèmes, mais que ce n'était pas une raison pour agir comme elle l'a fait.

C'est drôle… je pensais que monsieur Côté serait le premier à me dire que les dessins étaient pas si bons, que je gardais des vieilleries sans valeur et qu'être sentimentale, c'est stupide. Ma mère dit ça. Pas lui. Il le pense peut-être même pas. Il m'a demandé si elle était toujours comme ça ou si c'était son inquiétude pour le cancer et les traitements qui la changeaient.

Évidemment qu'elle est comme ça. Je me tiens loin d'elle, pis c'est pas pour rien. Si on pense pas comme elle, si on fait pas ce qu'elle veut, on a pas juste une poignée de bêtises par la tête. Julie-Lune, ça a beau essayer de faire cool, on peut pas y dire ce qu'on veut.

Vincent — c'est ce jour-là que j'ai commencé à l'appeler comme y me demandait — m'a offert une solution. Il m'a dit de ramasser tout ce que j'avais de personnel, d'intime, tout ce que je voulais pas que ma mère voie ou lise ou détruise, et de mettre ça dans une boîte scellée. Il va la garder chez lui et personne, personne ne l'ouvrira sans ma permission.

Il m'a même expliqué que je ne changerais pas ma mère et que l'important, c'était de protéger ma vie privée contre sa « malveillance ».

Il est venu chercher la boîte le lendemain matin. C'est vraiment délicat, c'est pas croyable qu'il ait eu une idée pareille. J'aurais tellement aimé ça que ça soye Stéphane qui l'ait eue ! Julie-Lune m'entendait faire mon ménage et elle essayait de savoir ce que je fabriquais dans ma chambre, la porte fermée. Pas question que j'y dise. Je protège ma vie privée, comme dit Vincent.

Quand y est venu chercher la boîte le mardi matin, ma mère avait son air de « je sais tout ». Ben juste si la porte était refermée quand elle m'a dit que je redonnais à Vincent les restes de son fils.

De Sylvain.

Pendant qu'elle recommençait avec son maudit avis sur sa mort, j'ai pensé que si jamais Vincent regardait dans boîte, il trouverait pas un seul souvenir de Sylvain. Rien. J'ai rien gardé.

Pas si sentimentale que ça.

Vincent Côté

Françoise — elle s'appelle Françoise.

De tout ce que la vie m'a réservé en surprises — bonnes ou mauvaises — cette femme est la plus étonnante. Et la plus miséricordieuse.

Je vais avoir soixante-dix-sept ans, cette année. Elle en a cinquante-trois. Je sais compter et ce calcul à lui seul m'a tenu éloigné d'elle et de son intérêt.

Je ne voulais pas qu'elle trouble une paix chèrement acquise. Je ne voulais pas sortir de ma retraite, m'exposer au moindre risque. J'avais tiré un trait sur l'amour conjugal. Je mettais mon cœur à la disposition des mal-aimés, des gens en détresse, des laissés-pour-compte. Et j'étais persuadé que ce n'était pas son cas.

Rien n'empêche que la première fois que je l'ai vue, c'est la tristesse au fond de ses yeux qui m'a frappé. C'est même tout ce que j'ai remarqué. Je n'aurais pas su dire si elle était grande ou petite, belle ou pas, mais je pouvais certifier qu'elle était triste. Profondément.

Pourtant, elle sait rire. Elle a de l'énergie, de l'allure aussi.

Mais c'est précisément cette émotion, aussi présente que le reste, cette tristesse que je reconnaissais, que je connaissais de fond en comble. La tristesse d'avoir perdu en se faisant arracher un bout d'âme et le cœur en entier. J'aurais voulu tendre la main pour apaiser cette peine, la faire fondre, se dissoudre dans la vie puissante qui peut et qui doit revenir. Je ne voulais pas incarner l'envie de vivre. Je sais tellement que c'est en soi et seulement en soi qu'on la trouve. Et que si elle repose ailleurs, notre envie de vivre est en danger.

Je ne voulais pas être son danger. Même s'il est déguisé en guérison ou en renaissance. Tout m'éloignait d'elle. Même l'enthousiasme trop évident de Stéphane. Tout me disait de fuir.

Je n'ai pas fui. J'ai observé et j'ai essayé de trier mes sentiments. De mettre la peur de côté, de me poser des questions valables et d'entendre mon cœur.

Je me suis toujours trouvé un amoureux quelconque. Je ne parle pas d'amant, quoique je relierais les deux entités au même niveau de performance : quelconque.

Pour être un bon amant, ça prend des sentiments. Quelque chose qui dépasse la queue, pour parler aussi crûment que Charlène. J'ai toujours pensé que l'acmé — pour parler comme moi — de mes états amoureux avait été avec Marie-Hélène. Je me rends compte que ma science amoureuse est non seulement déficiente, mais enveloppée d'un certain romantisme.

Quand on est jeune, on pense que toute personne ayant atteint l'âge de la retraite est exclue de la sexualité. Un peu comme Adam et Ève ont été chassés du paradis terrestre, les retraités sont mis à la porte de la sexualité. Et quand on est très jeune et très ignorant, on pense que ça survient autour de cinquante ans.

La raison m'en semble très simple : on associe la sexualité à la beauté physique. À cause de l'attirance qui ne peut s'allier — croit-on — qu'à une certaine perfection apparente. À la limite, que la beauté soit doublée de turpitude ou de vide importe peu. Or, la sexualité n'a rien à voir avec la jeunesse ou la beauté, ou enfin, si peu. Elle a tout à voir avec la vitalité. Il y a donc plus de chances que la vitalité soit claironnante dans la vingtaine. Mais il y a des vingtaines éteintes... qui se réveillent plus tard. Et d'autres qui dorment à jamais.

Bien sûr, la sexualité a sa composante physique, mais elle la dépasse largement. Rien n'est plus lié à ce que nous sommes que la sexualité. Elle nous révèle, elle nous dit. Et elle nous habite encore, une fois l'âge de la retraite atteint. Elle est probablement moins obsessive que quand on est jeunes, mais plus riche, plus totale, parce qu'elle s'appuie sur l'entièreté de notre être.

J'avais donc écarté la sexualité de ma vie. Depuis la mort de mon fils. Il ne porte pas cette responsabilité. Je la porte seul. J'étais si détruit intérieurement que je ne pouvais penser à exprimer ce vide. Parce que c'est tout ce que j'aurais pu offrir : un vide abyssal. L'écho du vide que je prêtais à Sylvain. Ma sexualité trouvait les issues de mon adolescence et il me restait de la vitalité, mais l'élan, le désir, l'envie de me projeter à la rencontre d'une autre personne, de m'unir à un autre corps, tout cela avait disparu. Dommages collatéraux que je jugeais insignifiants. Qu'est-ce que la sexualité quand on n'a plus rien à dire, à rêver ou à être ? Rien. Ou si peu. De la musique pour une scène vide.

Les inquiétudes de Stéphane concernant une éventuelle liaison avec Charlène m'amusaient et entraînaient une réflexion sur mon absence de désir. J'ai compris que j'avais coupé le contact avec ma sexualité, et le contact seulement. Elle existait. Je n'en tenais pas compte et je ne prévoyais aucun mécanisme d'existence pour elle.

Jusqu'à quel point je me punissais ? Je l'ignore. Mais c'était mort avec mon fils.

Bien sûr, l'histoire de Françoise, le suicide de son mari le jour de ses cinquante ans, la débâcle qui a suivi pour elle jouaient en faveur de l'empathie que j'éprouvais à son égard. Mais la lucidité qui m'est venue sur le tard est maintenant mon indéfectible alliée, et je savais que la sympathie ou l'empathie n'étaient pas les termes justes pour décrire ma position. Dès la première fois, dès cette tristesse qui m'a happé comme la joie peut le faire, Françoise m'attirait, me fascinait.

On ne devrait pas associer la beauté au désir. Ou alors, on devrait la redéfinir. La blessure de Françoise, son mal à survivre lui donnait une aura supplémentaire, un côté troublant, une sorte de dignité. Et je ne suis pas un déséquilibré qui s'excite à la vue du sang. C'est seulement que sa peine paraissait sans l'enlaidir, en la grandissant. Ce qui, à mes yeux, signifiait qu'elle faisait partie des humains lumineux qui endossent la totalité de la vie, sans exception.

Qu'elle soit amie avec Charlène — mon alliée extra-lucide — ne m'étonnait pas du tout.

C'est Françoise qui a fait les premiers pas. C'est elle qui m'a invité à manger. Elle qui m'a appelé et rappelé. Elle m'a fait la cour, comme elle le dit elle-même. Je prenais soin de ne pas déraper, de ne pas tendre la main vers elle. Une amitié fondée sur la similitude d'un évènement, la mort d'un être cher : voilà ce que je voulais que ce soit. Ou ce que je voulais désirer.

Quand, au bout de quelques semaines, Françoise a mis cartes sur table, elle m'a aussi donné un ultimatum.

Ce n'était pas des menaces ni de la manipulation. Elle a fait — dit-elle — beaucoup d'erreurs de jugement depuis la mort de son mari, et son expérience lui a enseigné qu'elle a un grand talent pour s'égarer. Elle a tiré un trait sur un certain appétit de déni d'elle-même et le chemin qu'elle prend avec moi n'est pas celui de l'amitié. Ni celui de la tendresse. Elle veut davantage. Elle est prête à accepter mon refus, mais elle ne cherche pas une épaule pour pleurer. Elle est peut-être le résultat de la mort de son mari, mais elle refuse que cette mort soit notre lien le plus fort.

Elle refuse d'en parler pour m'intéresser ou me garder près d'elle. Elle veut entrer dans mon lit et entrer dans ma vie sans que les fantômes qui nous ont rapprochés continuent de nous hanter. Elle ne nie pas le passé, mais elle n'en fera certainement pas son présent.

J'étais devant une vivante qui allait beaucoup plus loin et beaucoup plus vite que moi. Je le lui ai dit.

« Trop loin ? Trop vite ? »

Je ne croyais pas. Mais j'avais peur. Et notre différence d'âge…

Elle a posé sa main sur la mienne et a refusé de discuter chiffres. Si je me sentais en décalage, c'était autre chose. Pour elle, l'âge est une notion étrange, à la fois importante et futile. À ses yeux, je ne suis pas vieux, je suis quelqu'un qu'elle désire. Et si je veux savoir pour combien de temps, elle ne peut rien me répondre. Ou me promettre. Parce qu'elle sait que le temps est volatil. Que tout peut arriver et qu'elle n'a aucun contrôle là-dessus. Aucun. Elle peut mourir demain et je peux vivre encore vingt ans. Ou l'inverse. Elle peut m'aimer maintenant et ne plus pouvoir m'aimer dans six mois. Ou m'aimer pour toujours « peu importe ce que "toujours" contient d'années ».

Sa fougue et sa sagesse soulevaient tout ce qu'il y a de vivant en moi. Tout ce qui voulait encore vivre sans s'estropier sur les menaces et les inquiétudes. Attirante ? Non, bouleversante, urgente, affolante.

« Et si je suis un mauvais amant ? » je ne sais même pas comment j'ai osé nommer cette vaniteuse inquiétude. Elle a bien ri, m'a juré que je ne serais pas le premier, et surtout, surtout qu'on était deux dans cette aventure : « *It takes two to tango* ».

Je tanguais déjà. J'ai franchi le Rubicon.

Je crois qu'avant Françoise, avant cette nuit au fond des bois, dans la splendeur de nos vérités exposées, je n'avais jamais été un amant généreux. Et reconnaissant.

C'était impossible : je ne connaissais rien !

Et je peux l'affirmer maintenant — ça prend deux personnes pour ce genre d'extases, mais chacun doit avoir fait son bout de chemin avant de s'envoler.

Mais Dieu que c'est bon ! Aucune autre ivresse ne se compare à celle-là ! Il n'y a aucune promesse liée à notre union, mais j'accepte le risque pleinement. En toute conscience.

Si jamais cela cesse, quelle qu'en soit la raison, j'aurai misé sur la vie et je payerai le prix exigé par l'intensité.

« Tant qu'à payer… », comme dirait Charlène.

Françoise n'avait jamais nourri les spéculations de Zef concernant son intérêt particulier pour Vincent. Elle n'avait pas non plus cédé à l'envie des confidences avec Charlène. Cette tentation et ces rencontres en dehors du bar avec Vincent, elle les avait gardées secrètes. Et, sans jamais avoir abordé le sujet avec lui, elle savait qu'il n'en avait pas parlé non plus.

Mais le lundi suivant son séjour dans la maison au fond des bois, elle arrive très tôt parce qu'elle ne veut surtout pas que Charlène apprenne ce qui s'est passé par déduction. Et, remuée comme elle est, elle ne doute pas que dès que Vincent arrivera au bar, elle sera éloquente.

Avant qu'elle ne dise un mot, Charlène dépose un verre de rouge devant elle et sourit: « Mmm… t'as l'œil bordé de reconnaissance, toi! C'est ce qu'un ami me disait quand je sortais d'une belle baise. »

Françoise s'étouffe presque. Elle se savait mauvaise actrice, mais ne s'estimait quand même pas transparente: « Ça paraît tant que ça? »

Charlène tapote son menton avec son index: sur celui de Françoise, une rougeur révélatrice est apparue dès le petit matin… et le reste de la journée ne l'a pas calmée.

« Y s'était pas rasé de près, notre Vincent?

— On peut rien te cacher, toi !

— Là-dessus : rien.

— T'es pas fâchée ? Je veux dire, tu m'en veux pas de pas en avoir parlé ?

— On avait Zef pour en parler. Arrête de t'énerver avec ça. C'était O.K. ?

— Plus qu'O.K.

— Parfait. T'avais peur de le manquer ? C'est pas son heure, ça.

— Imagine-toi donc que j'avais pensé te l'apprendre.

— Oh, *boy* ! T'es naïve…

— C'est à moi que tu le dis ? Je me trouvais tellement discrète.

— C'est sûr qu'à côté de Zef, t'étais discrète.

— Je fais quoi avec lui ? Je le dis ? Vincent sait rien de… de notre…

— De tes anciennes fréquentations ? Pas d'affaire là-dedans, lui. Pis Zef a pas d'affaire dans ta fin de semaine. Si jamais il le devine, on fera comme si on était naïves. »

En trois coups de cuillère à pot, la question qui inquiétait tant Françoise est réglée.

Un Vincent fringant, aux yeux brûlants de convoitise, arrive avec une légère avance sur son horaire habituel.

Charlène sourit de le voir s'efforcer de paraître comme toujours : poli et gentiment intéressé. Elle se dit qu'il faut être aveugle pour ne pas sentir l'électricité passer entre ces deux-là. Ils sont pourtant placés chacun à une extrémité du bar. Ça ne prendrait vraiment pas une grosse étincelle pour que l'incendie éclate.

Zef est pressé, affamé et il engloutit le plat de *peanuts* en déclarant qu'il a une hostie de grosse soirée de réunion devant lui. Il repart, au grand soulagement des deux nouveaux amants. Il n'a eu le temps que de s'informer de sa mère auprès de Vincent qui continue son « bénévolat familial » et de partir en répétant la même phrase que d'habitude : « Va vraiment falloir que j'aille la voir ! »

Il est près d'une heure du matin quand il revient s'asseoir devant Charlène : « Ça me fait bizarre… j'ai pas arrêté de les pousser un sur l'autre, pis là… C'est-tu cool ?

— Y ont l'air cool…

— Ouain.

— Ta soirée ? »

Il lève les yeux au ciel en émettant un pfff ! dégoûté. « On dirait que je me laverai jamais assez pour faire partir leur parfum. »

Charlène estime que le métier commence à lui peser… et que la vue de son grand-père amoureux risque de mettre en relief un certain trou dans la vie de Zef le magnifique.

« T'as pas faim, toi ? »

Frédéric va trouver qu'elle rentre tard, elle va mal dormir parce que manger avant de se coucher n'est pas la bonne idée, mais Charlène n'est pas le genre à laisser tomber un ami affamé.

Quelle que soit sa faim.

Pour Stéphane, la présence de Julie-Lune apportait de la diversion à ses rencontres avec sa mère. Il ne trouvait pas sa grand-mère particulièrement intéressante, mais c'était plus facile d'orienter la conversation et d'éviter de parler de lui. Il juge son prénom ridicule et l'associe aux prénoms que les femmes se donnent sur les sites où il avait commencé à travailler. Quand elles ajoutent « Lune », « Soleil » ou « Étoile », on s'éloigne toujours de la sphère astrale pour patauger dans le côté fleur bleue.

Stéphane n'a jamais compris par quel détour ces femmes peuvent rêver trouver un prince charmant en payant. Pour lui, son métier est l'exact opposé du romantisme sucré des surnoms qu'elles se trouvent.

Julie-Lune n'est pourtant pas crédule… elle est même beaucoup plus coriace à tromper que sa mère. La première fois qu'il est passé, elle a été très impressionnée par sa tenue.

« T'en vas-tu aux noces ? C'est au moins un mois de loyer, ce que t'as sur le dos ! »

Sa remarque a offusqué sa mère, mais lui trouvait que la vieille avait l'œil pas mal vif. Il se foutait bien de ce qu'elle pensait. Selon lui, Julie-Lune est une vraie *bitch*. Point. Et s'il se range plus souvent à l'avis de sa mère devant la vieille, c'est qu'elle a l'air de s'exciter à faire fâcher Mélanie. La pauvre mord à l'hameçon à tous coups. Et Julie-Lune adore ça.

« Es-tu fif ? »

Pendant que sa mère s'étouffe, Stéphane sourit : voilà exactement le genre de remarques qui l'indiffèrent.

« Non. Je suis aux vieilles chipies qui savent pas vivre. »

Elle ne la trouve pas drôle, mais elle fait semblant. Il enfonce son clou : « Vous, vous étiez à quoi, dans le temps ? »

Il sait très bien qu'elle va embarquer dans un récit d'au moins une heure en se vantant d'avoir tout essayé et d'avoir régné sur un régiment entier d'hommes éperdus. C'est tout ce que Mélanie déteste et Stéphane lui fait un clin d'œil rassurant : au moins, comme ça, ils peuvent manger en paix.

Il s'éclipse dès qu'il le peut, trouvant l'ambiance mortelle et la vieille imbuvable. Chaque fois qu'il s'enfuit, il voit sa mère rester à la fenêtre et il se dit qu'il faudrait trouver un moyen de la débarrasser de cette vieille folle. Mais sa mère prétend qu'elle n'a pas le choix. Lui, il l'aurait ! Jamais il n'endurerait ça !

À la seule idée que Mélanie puisse un jour débarquer dans son studio pour vomir et se traîner du fauteuil à son lit, il frissonne. La vision est tellement repoussante qu'il fait quelque chose pour y échapper : il s'arrête chez une fleuriste et commande un énorme bouquet qu'il fait expédier à Mélanie. Sur la carte, il écrit : *Je sais pas comment tu fais. Stéphane xxx*

Et tant mieux si la vieille *bitch* la lit !

Julie-Lune estime que la vie ne l'a pas gâtée, et ce cancer en est la preuve. Elle qui a toujours mené une existence de femme libre, connectée à ses chakras, en parfaite cohérence avec les enseignements des différents gourous qu'elle a suivis, la voilà aux prises avec une maladie que la médecine qu'elle désapprouve prend en charge : celle des grands bonzes qui décrètent des protocoles en ignorant tout ce qu'elle ressent. Mais aucun jeûne, aucun enveloppement ou fumigation n'a fait reculer le cancer. Et les médecins ignares, non satisfaits d'avoir gagné, l'ont pratiquement accusée d'avoir trop tardé à consulter.

La rage que leurs remarques ont déclenchée a sûrement empiré les choses et donné de la place au cancer, voilà ce qu'elle se dit. En se soumettant à la torture de la chimio, elle a dû marcher sur ses principes et quitter son groupe, puisqu'on y est opposé à ces agressions qui détruisent l'harmonie intérieure. Ce ne sont pas des témoins de Jéhovah avec leur crainte morbide du sang d'autrui, mais Julie-Lune avait quand même trouvé étroit d'esprit l'ultimatum que le groupe lui avait lancé : ou elle demeurait avec eux pour méditer, prier, jeûner et s'en remettre à la Force Suprême initiale, ou elle allait se livrer aux charlatans de la supposée science médicale qui ne savent que détruire. Elle aurait bien voulu rester avec le groupe, mais sa peur avait gagné et elle en concevait une amertume sans nom. Elle qui se croyait en profonde cohésion avec la terre, elle qui avait chassé de sa vie toutes les influences néfastes, la voilà obligée de se soumettre à ce qu'elle déteste parce qu'elle ne veut pas mourir. Elle n'est pas prête à passer de l'autre côté, elle n'a pas la force morale de renoncer aux illusions que la médecine fait miroiter. Pour deux ans de plus, elle est disposée à pactiser avec l'ennemi, à coucher avec s'il le faut, mais elle ne veut pas mourir.

C'est avec un sentiment de honte et d'échec qu'elle a demandé à sa fille de l'héberger. Cet exil exigé par son groupe philosophique — comme elle appelle sa secte — la remplit de hargne. Comment peut-on l'abandonner ainsi ? Après toutes ces années passées à transmettre leurs dogmes et leurs rites ? À tout sacrifier à Shiva ? Au lieu de les vilipender, ce dont elle se sent incapable, c'est vers sa fille et son stupide mode de vie qu'elle tourne son agressivité. Et plus les traitements provoquent des réactions extrêmes dans son corps en détresse, plus elle se persuade que son choix a été une erreur. Comme elle ne peut revenir en arrière et retrouver ceux avec qui elle a tout partagé, elle passe son humeur désespérée sur Mélanie avec qui elle n'a aucun lien véritable si elle la compare à ses compagnons de réflexion et de méditation.

En plus, sa fille est idiote ! Aucune pensée élevée, elle est le pur produit de l'abrutissement télévisuel. Une pauvre coiffeuse qui se gave de clichés et qui idolâtre son fils. La piètre opinion qu'elle a de sa fille ne s'améliore pas à son contact quotidien. Elle la trouve molle et apathique. Complètement asservie et même pas capable de le voir.

Elle ne l'aime pas, et malgré tous ses efforts pour la secouer et la faire réagir, elle se dit que rien ne peut sortir Mélanie de son ornière. Comme Julie-Lune estime qu'elle s'est suffisamment sacrifiée pour lutter contre son cancer, elle s'autorise une sorte de pause avec sa fille, qui devient son exutoire pour toutes les frustrations auxquelles elle est soumise.

Le fait de ne pas l'avoir élevée elle-même, de l'avoir confiée au groupe, à la Force Suprême mise en commun, la déleste de toute responsabilité. À ses yeux, tout être humain a avant tout la charge de lui-même. S'il tend la main à l'autre, c'est principalement pour se nourrir et grandir à son contact. À la limite, en profitant du soutien de sa fille, Julie-Lune prouve que les enseignements philosophiques n'ont eu aucune influence sur la pauvre fille et que rien ne saurait la faire évoluer. Elle est une cause désespérée et ne contient rien, comme le pain blanc tranché.

La première fois qu'on lui a refusé sa chimio à cause d'un état de faiblesse alarmant, elle est revenue à l'appartement et elle a déchiré toutes les horreurs coloriées de Stéphane. Épuisée, elle s'est effondrée sur son lit et sa fille n'a rien trouvé de mieux que de se plaindre de la perte de ses trésors que n'importe quel crétin peut produire. Pitoyable ! Sa fille est une insulte à l'intelligence ! Au moins, son fils a l'air en passe d'échapper à cette influence néfaste. Julie-Lune n'aurait pas misé gros sur sa philosophie, mais il a de la répartie et il ne s'enfonce jamais dans la guimauve des explications. Ce qui la change de Mélanie et de ses « pourquoi tu fais ça ? »

Être mère l'avait embêtée et le voyage à New York pour payer l'avortement était hors de prix. Ne pas savoir qui était exactement le père de sa fille lui importait peu. C'était un des hommes du groupe et c'était avant que son féminisme fervent ne l'éloigne de certains individus « impropres à la rééducation ». Pour elle, retirer à sa fille le poids d'un père incompétent était nettement moins nocif que de le lui imposer. Finalement, devant l'acharnement de celle-ci à apprendre la vérité, elle lui en avait forgé une, à la fois originale et farfelue. Celui qui a endossé la paternité étant le plus féministe, elle jugeait que sa fille gagnait au change. Mais Mélanie cherchait sans doute une raison de lui en vouloir, parce que ce reproche « paternel » était sans cesse revenu… les rares fois où elles s'étaient vues. Pour Julie-Lune, dont le père illustrait ce que la supposée normalité peut fournir de pourri et d'inutile, l'ignorance était presque un cadeau. Mais sa fille ne le voyait pas de cet œil et elle tenait absolument à faire un drame avec cette histoire. Un jour, à bout de nerfs devant la rigidité de Mélanie, elle lui avait fait la preuve que le père dont elle réclamait l'existence lui aurait fort probablement nui. Les hommes n'ont pas d'enfant et ce n'est pas pour rien que la nature l'a voulu ainsi. À preuve : le fils qu'elle a eu, elle l'a élevé seule et avec un certain succès, si elle croyait les louanges dont elle lui rebattait les oreilles avec son Stéphane.

« Aurais-tu aimé mieux que je te dise que ton père s'est suicidé ? »

L'air horrifié de Mélanie l'avait empêchée de poursuivre, mais elle avait retenu l'argument. La fois suivante où sa fille avait évoqué son vrai père, elle lui avait cloué le bec en affirmant qu'il s'était tué. La question n'avait plus jamais été soulevée.

Finalement, Julie-Lune regrettait de devoir aller jusque-là avec Mélanie. Pas à cause de sa sensibilité — qu'elle trouvait exagérée — mais parce que ça lui donnait des airs de marâtre et qu'elle se savait beaucoup plus agréable à vivre que le personnage que sa fille la forçait à être.

Allongée sur son lit, elle voit par la porte de la cuisine le bouquet de fleurs de Stéphane, et elle entend la télé tonitruer ses insipidités. L'idée de mourir dans une telle ambiance la révulse. En retournant vomir, elle n'est plus certaine que ce sont les effets de la chimio qu'elle rejette, mais bien cette médiocrité consentie et célébrée à la limite du supportable. Quand elle revient des toilettes, sa fille ne le remarque pas.

En passant près du vase, elle a un mouvement brusque pour s'appuyer sur la table, apparemment victime d'un étourdissement. Le vase tombe, se brise en mille miettes. Mélanie s'élance et, sans un regard pour sa mère qui l'observe, elle ramasse ses fleurs en se lamentant. Julie vacille jusqu'à son lit : c'est bien ce qu'elle pensait, elle peut crever, sa fille s'en fout. Elle préfère ramasser des fleurs colorées artificiellement plutôt que de se soucier de l'essentiel. C'est presque un soulagement de ne pas avoir été celle qui l'a si mal élevée.

En voyant la liaison de Vincent se confirmer, Charlène avait craint que le « trio infernal » ait du mal à devenir quatuor.

Charlène ne pouvait et ne voulait partager sa connaissance de Zef avec quiconque. Elle naviguait au pif, à l'instinct avec lui. Elle le sentait comme un animal sent le territoire et elle agissait en se basant sur ce seul guide. Elle voyait bien que le contentement d'avoir raison commençait à s'essouffler pour Zef et qu'il trouvait la nouvelle donne moins cool. Françoise avait du mal à se partager entre son travail, son nouvel amour et le trio.

Comme Vincent avait des horaires très variables, elle était souvent restée au bar seule avec Charlène, espérant que Stéphane les rejoigne, mais en vain.

Zef pouvait être assez retors pour tester le trio en faisant exprès de varier ses visites, Charlène n'était pas dupe. Facile pour elle d'être là, c'était son métier. Mais Françoise avait ses obligations.

« Vas-tu la niaiser ben longtemps ? Elle t'a manqué de dix minutes, hier. On a du fun même quand t'es pas là, tu sais. C'est toi que tu prives. Pas nous autres ! »

Il a beau s'exciter avec ses dénégations, ses « de quoi tu parles ? » et ses « t'essayes-tu de me dire de quoi ? », elle sait que le message est passé quand le surlendemain, à l'heure de l'apéro, il se pointe avec l'air du gars pressé qui fait un saut en vitesse pour elles deux.

En cinq minutes, comme avant, la rigolade s'installe et la conversation roule sur tous les sujets. Quand Zef fait allusion au « trip de son grand-père avec une petite jeune », Françoise le laisse dire et s'arrange pour lui faire comprendre que si jamais ça devient sérieux, elle va lui en parler. S'il y a une chose que Zef comprend, c'est bien la précarité des « trips de cul ».

Finalement, c'est le dévouement de Vincent auprès de Mélanie qui maintient le mieux le fragile équilibre. Stéphane ne raterait pour rien au monde les rendez-vous du lundi soir où son grand-père relate les coups d'éclat de la « Demi-Lune », comme il surnomme celle qu'il refuse d'appeler sa grand-mère.

Même si elle perd des forces et que le pronostic est des plus sombres, la « Demi-Lune » multiplie ses exigences et ne rate pas une occasion de taper sur la pauvre Mélanie. Quand ce n'est pas le service qu'elle trouve déficient, c'est l'appartement qui manque d'insonorisation. Mélanie a acheté des écouteurs pour pouvoir regarder la télé sans déranger sa mère qui se plaignait. Maintenant, elle hurle parce que sa fille n'entend plus ses appels.

« Hostie que je serais sourd, moi ! » est le plus grand aveu de compassion de Stéphane.

Vincent a beau trouver des raisons à Julie — qui ne sont pas des excuses à ses yeux — et expliquer que le cancer et la chimio peuvent altérer bien des caractères, Stéphane ne se montre ni ému ni convaincu : « Penses-tu que ma mère me ferait ça si elle aurait le cancer ? »

Vincent se retient de corriger l'accord et évoque l'amour infini de Mélanie… qui pourrait devenir une tyrannie pour lui, si jamais elle paniquait.

« Une tyrannie ?

— Une sorte d'obligation dans laquelle tu serais, oui.

— Pourquoi ? Rien m'oblige !

— Si c'était ta mère… non ?

— Non. C'est pas une raison, ça ! Regarde la vieille : elle a jamais rien faite pour ma mère, y a-tu quelqu'un qui y a faite un procès ? Personne ! Ben, c'est pareil : je dirais organise-toi, la Demi-Lune pis décampe ! Je fais ma vie.

— Mais ta mère a fait quelque chose pour toi, non ? Elle était là ? Pas comme sa mère.

— Sais-tu quoi, grand-pa ? Je pense qu'elle en a trop faite. Quand j'y retourne, c'est comme une prison. Ça me pogne à gorge. Je le sais que c'est sans-cœur. Je dois ressembler à Demi-Lune, finalement ! »

Et il rit ! L'idée de ne pas avoir de cœur ne le trouble même pas. Il voit bien que Vincent cherche encore à le convaincre de quelque chose. Il lui dit que la seule personne pour qui il se forcerait, c'est lui, Vincent.

« Parce que si jamais ma mère est malade, tu vas t'en occuper. Ben non ! Regarde-moi pas de même. Pour toi, je me forcerais, c'est toute. Mais tombe pas malade, O.K. ? »

Charlène le trouve très fiable : si on est malade, on ne compte pas sur lui. Au moins c'est clair.

Il la fixe, sérieux tout à coup, presque menaçant : « Toi, je veux même pas imaginer que tu peux être malade ! Ça fait que penses-y pas. Ça me rendrait fou. »

Elle ne se trompe pas, Charlène. Vincent non plus, d'ailleurs : voilà la plus grande déclaration d'amour que Stéphane a faite de toute sa vie.

Mélanie-Lyne

Je pense que je vas virer folle. Y manquerait plus rien que l'impôt vienne vérifier le salon. Le pire, c'est que si ça arrive, je vas penser que c'est ma mère qui les a appelés. On dirait qu'elle fait toute pour que je la supporte pas. Malveillante en pas pour rire, c'est ce que je dis à Vincent quand je le vois au restaurant.

Cette sortie-là, c'est ce qui empêche le Presto de péter. Parce qu'y en a, de la pression ! Chez nous, pis au salon. Bon, au salon, ça va s'arranger, mais la fille des shampoings est encore enceinte. Pis le gouvernement la débarque de sa job parce qu'elle a des risques de perdre le bébé. Qui va trouver pis entraîner une nouvelle fille ? Ben oui ! Pis qui fait les shampoings en attendant ? Ben oui. Pis pendant ce temps-là, Jean-Emmanuel se fait les ongles, pis y se replace le toupet. Disons qu'y est pas vite sur le balai, sur le torchon ou sur le coup de main. Toujours obligée d'y demander. Y devine pis y voit rien. Y a l'œil pour les pourboires, par exemple. Ça, y est capable de les ramasser sans qu'on le demande ! Mais qu'un paquet de cheveux traîne en dessous de sa chaise, ça, c'est pas grave. Mélanie va ben finir par le ramasser. Pis je le fais ! Ma mère peut ben me traiter d'épaisse.

J'aurais rien que le salon pis ça m'empêcherait pas de dormir. Mais c'est rendu dur à vivre chez nous. Me semble qu'elle en perd. Ma mère. Il faudrait que j'appelle son docteur parce que je pense pas qu'elle me dit tout. « Ça progresse », c'est ça qu'elle dit. Quoi ? Le cancer ou la guérison ? Je la trouve jaune, elle mange rien, elle vomit tout le temps pis elle se traîne d'une pièce à l'autre. La seule affaire qui est comme avant, c'est son ton. Elle demande rien deux fois, elle, pas comme moi avec Jean-Emmanuel.

Elle rapetisse à vue d'œil. J'essaye d'y faire à manger, mais elle veut rien que des graines de tournesol, de citrouille, des amandes pis des pousses vertes. Je comprends que c'est bon pour la santé, mais ça fait pas engraisser, ça. Je pense qu'elle va casser en deux. Elle dort mal, elle veut pas prendre ses pilules pis elle me réveille assez que je finis par pas dormir, moi non plus.

Si ça continue, elle pourra plus se lever. Qui va la laver, qui va la changer de couches ? Parce que si elle se traîne pas aux toilettes, va falloir des couches. Je viens folle quand je pense à ça, je peux pas croire qu'y va falloir aller jusque-là ! C'est tellement gênant à imaginer… Je peux pas dire ça à Vincent. C'est pas de la malveillance, ça. C'est la maladie qui fait ça. Je le sais par les clientes du salon qui me racontent comment y ont passé au travers. Ça arrive à tout le monde, le cancer, asteure.

Ça a l'air que je pourrais avoir de l'aide. Y a des infirmières pis des gens qui viennent donner un coup de main pour ceux qui ont pas le dos pour tenir leur malade. Moi, c'est pas le dos, c'est le cœur, je pense. J'ai pas le cœur de l'aider pour toute.

Pis elle me laissera jamais faire, de toute façon. Vincent doit savoir ça, lui, avec son ex qui en demandait pas mal. Je vas essayer de voir comment je pourrais m'organiser.

Je sais que ça se dit pas, mais j'ai comme une idée qui me décolle pas de la tête : j'ai peur de rentrer à maison pis de la trouver morte. Ou qu'elle meure pendant que je dors. Dans la chambre pis dans le lit de mon Stéphane. Ça m'empêche de dormir. L'idée qu'elle vienne mourir chez nous, dans les affaires de mon gars.

Ça me lève le cœur. Pas très gentil de dire ça, mais ça me lève le cœur. Comme si elle venait salir ma place. La remplir de mort. Je sais pas, ça… ça me fait pas. Ça me fait peur. Si elle perd connaissance, j'appelle l'ambulance, pis y l'emmènent à l'hôpital, pis après… elle revient pas, parce que je peux pas ! Mais si elle perd pas connaissance…

C'est ça, virer folle : pas être capable d'arrêter de chercher des solutions pour un problème qui en a pas.

On dirait que Vincent a pas peur des morts. Moi, si on me promettait qu'elle mourra pas chez nous, ça me ferait rien de l'endurer. Ben… pas avec les couches, par exemple. Oh, mon Dieu ! Ça va-tu finir ? Pis si elle se met à guérir, elle va aller où ?

Des fois, c'pas mêlant, je la battrais de me faire ça.

Vincent Côté

Il y a quand même une bonne dose d'absurdité dans ce qui arrive à Mélanie. Elle qui a tellement protégé son fils de tout n'arrive pas à en obtenir de la compassion. Elle qui a été abandonnée par une mère centrée sur elle-même se voit obligée d'en prendre soin, alors qu'elle n'a aucun souvenir tendre ou heureux avec lequel consoler sa peine — ou plutôt sur lequel appuyer ses soins.

C'est une étrange personnalité, Mélanie. À la fois fermée et ouverte, simpliste et compliquée. Je n'arrive pas vraiment à la saisir… ni à l'aimer. Ce n'est pas vrai, elle peut être touchante à l'occasion, mais elle agace tout de suite après.

Je me demande toujours ce que Sylvain lui trouvait. Je ne devrais pas. Ce n'est pas elle qui va m'éclairer là-dessus, et lui non plus quant à ça.

Jamais elle n'en parle. Jamais elle n'y pense non plus, d'après moi. Avant, quand on se voyait, elle devait se rappeler Sylvain et elle m'en voulait de lui imposer ça. Je le sentais. C'était net. Au point où j'ai cessé de l'évoquer.

Maintenant que nos rapports sont plus fréquents, on dirait qu'elle a réussi à évacuer la raison première de notre lien et qu'elle ne voit plus que Stéphane pour cause de notre rapprochement. Ou ses tracas avec sa mère.

Elle est très reconnaissante de ce que je fais — alors que c'est peu, vraiment — et elle ne me voit plus du tout comme un beau-père, mais comme un grand-père. Parce qu'elle a évacué la mort de Sylvain de sa vie, on dirait qu'elle a aussi évacué sa vie, sa présence vivante et son passé. Comme si la mort qu'on se donnait devenait le seul haut fait de la vie de la personne. Pire : comme si cette mort annulait tout le reste de la vie. Combien d'écrivains, de musiciens, d'artistes qui se sont suicidés ont droit à une autre référence que ce geste final qui pèse plus lourd que l'œuvre de leur vie, au bout du compte ?

Même Françoise n'a jamais retrouvé le souvenir intégral de son mari, après son geste ultime. Comme si la signature de sortie effaçait le texte de la vie. Comme si les souvenirs heureux étaient devenus des mensonges. Ou même des trahisons. Comme c'est difficile de faire sa paix avec ceux qu'on a aimés et pour qui notre amour n'a pas suffi.

À Mélanie, qui ne cesse de me demander comment me remercier, je voudrais parfois lui dire : en me parlant de mon fils, du temps où il était heureux. Mais peut-être n'a-t-elle que peu de souvenirs heureux. Un couple, c'est un tel mystère.

Comment pouvons-nous être aussi heureux, Françoise et moi, alors que tous ces deuils vécus intimement pourraient nous éloigner ? J'essaie de ne pas trop m'interroger. De savourer, en toute connaissance de cause, les plus beaux et les derniers émois de ma vie. Je l'écris en sachant que « derniers » est superflu.

Je n'en sais rien. Et c'est très bien ainsi. La vie est plus vaste que ce que j'en vois. La vie est plus forte que ce que j'en perçois. La vie est bien supérieure à la piètre interprétation que j'en fais. Que ce soit dans le bonheur ou dans le malheur.

Et c'est parfait comme ça.

« Bonsoir, Câline 22 ! »

Le « Han ? » de sa fille, son visage qui se décompose, sa pâleur donnent des frissons de jubilation à Julie-Lune.

Elle a bien préparé son coup. Ça fait longtemps qu'elle garde cette munition par-devers elle, projetant de l'utiliser le jour où sa fille l'agacerait trop.

Sa santé enfuie et son moral au plus bas avaient joué en faveur d'une utilisation précoce. Elle avait trouvé l'information en se servant de l'ordinateur de Mélanie. Son groupe lui manquait, la solidarité des moments où chacun communiait en invoquant les forces du cosmos et en entrant dans une transe cathartique, tout cela lui manquait. Elle avait donc envoyé un courriel demandant au groupe l'autorisation de revenir vers eux. Elle était disposée à abandonner les charlatans et même à témoigner de son erreur en faisant des conférences devant les jeunes membres. Elle offrait de se soumettre à tout ce qu'ils exigeraient pour prouver sa conviction que le salut ne résidait pas dans l'ignorance dont la médecine fait preuve.

La réponse était arrivée très rapidement : leurs prières l'accompagnaient, mais là s'arrêtait leur collaboration. Elle ne pouvait réintégrer la Force Suprême qu'en elle-même. Si les liens s'étaient dissous alors qu'elle vivait avec eux, c'est qu'ils devaient se dissoudre. Que la Force Suprême soit avec toi!

Si elle avait pu, Julie-Lune aurait saccagé l'écran où le message était écrit. Folle de rage, elle avait écrit de nouveau, à Étoile du Nord, cette fois, une de ses plus proches disciples, une jeune femme qu'elle avait formée à l'époque. La même réponse était arrivée. Copiée-collée! Donc, le maître avait pris la décision de l'exclure. Elle sait très bien — pour l'avoir fait elle-même — que certains éléments jugés nocifs sont rejetés par la Force Suprême et non seulement par des individus.

C'est comme si Shiva, Vishnou ou Dieu lui-même refusaient de la voir revenir vers eux. Parce qu'elle avait erré et s'était contaminée au contact de la médecine traditionnelle. Pas de pardon. Pas de retour. Qu'elle reste là où elle est et qu'elle meure dans cet endroit ignoble où personne n'est en mesure de la comprendre. Elle a écrit un message au grand maître, un message bref et assassin : s'ils la refusent, alors ce sera elle qui les refusera encore plus violemment.

Ce geste n'ayant pas soulagé sa rage, elle avait fouillé dans l'ordinateur, exactement comme elle avait inspecté l'appartement au grand complet à son arrivée. Les échanges de « Câline 22 » l'avaient distraite de sa déception. Comment sa fille pouvait-elle être si nulle, si platement prévisible, c'était renversant! Pourquoi garder de telles preuves d'impuissance? Pour se rappeler qu'elle n'est rien et que personne ne veut d'elle? Si elle ne l'avait pas mise au monde, elle douterait de la filiation de cette demeurée.

Toute sa déception, toute l'amertume du rejet de son noyau vital, ce groupe auquel elle avait tout sacrifié sans compter, la poussait à exploiter sa découverte. Mais elle avait trop besoin de se sentir puissante pour utiliser immédiatement cette arme. Julie-Lune avait donc attendu ce jour pour accueillir sa fille avec cette détonation.

Le frisson de pur ravissement la dédommageait de son attente : voir Mélanie vaciller, les yeux écarquillés de stupeur, d'incrédulité valait son pesant d'or. Voilà qui s'appelle être payée de sa patience.

La voir se ruer sur elle ne l'a même pas inquiétée : sa fille n'est pas à la hauteur, ses coups sont moins forts que ses cris, et les larmes n'ont pas tardé à gruger les ridicules efforts vengeurs de sa fille.

Le tout a duré quoi ? Cinq minutes ? Quatre ?

En appliquant sur son bras enflé la glace que sa fille lui apporte, Julie-Lune se dit qu'il y a des instants comme ça qui comptent : ce matin, en trois minutes trente secondes, le médecin lui a remis une liste d'unités de soins palliatifs où on prendrait en main les probables trois semaines qui lui restent à vivre. Bonne chance !

Elle se demande encore si le « Bonne chance » était de l'humour noir ou une erreur de vocabulaire. Il voulait sans doute dire « Bon courage ».

Mélanie-Lyne

J'ai mis une enveloppe en plastique autour du matelas, pis je l'enlèverai pas. Ça coûte cher, un matelas, pis si jamais Stéphane veut dormir ici... mon Dieu, je vois pas le jour où ça va arriver ! Ma mère a raison, je me fais des idées, mais c'est des rêves, pas des idées.

Elle est en train de mourir. Je le vois dans ses yeux. Sa faiblesse aussi. Sa méchanceté. Mais surtout dans sa voix. C'est plus du tout la même voix. Elle est pas forte, elle donne l'impression que c'est cassé. Comme une corneille.

Je pleure tout le temps — je le sais pas pourquoi. La fatigue, sans doute. J'arrive pas à dormir. Elle appelle tout le temps. Et quand elle appelle pas, c'est pire : j'ai peur.

Elle me regarde comme si c'était de ma faute. Je lui demande si elle veut ses calmants, si elle a mal, et elle me dit « Imbécile ! », comme si je faisais exprès de dire des niaiseries.

Je le sais pas pourquoi je pleure de même. Je l'aime même pas. Je la trouve épouvantable avec moi. Même si je la déçois, je mérite pas ça. Si jamais Stéphane me déçoit — mais ça arrivera pas — jamais je l'engueulerais de même.

Maintenant, elle parle pas beaucoup. Elle me regarde et elle a l'air de me demander de quoi. Elle a sûrement mal, parce que quand elle dort, elle se plaint. Ça fait comme un bruit dans sa respiration. Elle peut plus se lever. Vincent a tout fait pour que les « services » viennent m'aider et, comme elle voulait pas que quelqu'un d'autre que moi la touche, ils sont repartis.

Hier, je les ai rappelés : elle a plus assez de force pour s'obstiner ou se battre. Ça va me donner un *break*.

C'est fou que je pleure de même. Je comprends rien. J'ai souhaité que ça finisse, qu'elle meure et que j'aie la paix, mais on dirait que j'essaye quand même qu'elle meure pas ou, je sais pas, pas ici, pas tout de suite. Je pourrais l'envoyer à l'hôpital, elle a plus la force de rouspéter, je le sais. Je pourrais.

Pourquoi je le fais pas ?

Les couches, c'est moins pire que je pensais. Quand on l'a fait une fois, on s'habitue.

On dirait que je m'habitue à toute.

C'est pire quand elle s'étouffe. Ça me terrorise. J'ai tellement peur de la tuer en y donnant ses pilules. L'infirmier m'a montré comment donner une injection. Mais je tremble, c'est comme impossible d'apprendre pour moi. Le plus facile, c'est les patchs qu'on colle sur la peau. Ça, je peux le faire.

Je le sais pas jusqu'où ça va aller. Des fois, je pense qu'elle dort, je me lève doucement pour aller dans ma chambre. Elle me pogne le bras, comme dans les films d'horreur. Tellement fort, tellement dur, on dirait qu'elle ressuscite. Pis elle dit juste « Non ! ». Je me rassois.

Je peux écrire à côté d'elle, faire ce que je veux : dès que je suis là, elle se calme. Elle s'endort. On dirait presque que ça y fait du bien. Mais je le sais que c'est pas vrai. Qu'elle m'aime pas.

C'est juste moins pire que rien. Que mourir toute seule comme un chien.

Une fois, Vincent m'a dit une phrase très belle que j'ai copiée en rentrant. Je la relis souvent. Ça se peut que je la comprenne à ma manière, que ça soit pas ce qu'il voulait dire exactement, mais ça me fait du bien. Il a dit : « J'essaie de répondre à la malveillance par la bienveillance. »

La première fois, j'avais écrit « bienséance », mais comme il le dit souvent, je sais que c'est « bienveillance ».

Pourquoi elle respire comme ça ? Tout croche. En râlant. On dirait qu'elle meurt pis qu'elle change d'idée pis qu'elle se remet à respirer. Y est tellement tard… Même si ça arrivait, je pourrais pas appeler personne. Je veux pas réveiller personne. Trop dur de se rendormir après, j'en sais quelque chose.

Stéphane se couche jamais de bonne heure.
C'est bon d'avoir quelqu'un à appeler.
Ça rassure.
Même si on appelle pas.

« J' ai un hostie de problème ! »

Généralement, quand Stéphane s'annonce dans ces termes, Charlène arrive à calmer le jeu. Les problèmes de Zef sont plutôt de l'ordre du désagrément. Mais c'est son jour de congé, et là, son appel ressemble à une urgence.

Il ne vient pas souvent chez elle et elle n'est jamais allée chez lui. Dès qu'elle lui propose un café, il accepte. Il n'est pourtant que dix heures du matin, aussi bien dire l'aurore pour lui.

La feuille qu'il lui tend est la copie d'un courriel, ou plutôt d'un échange de courriels.

« Câline 22 ? C'est qui ? Une cliente ? Je me mêle pas de ça, pis tu le sais.

— Lis, O.K. ? C'est pas une vraie cliente, tu vas voir. »

Cher Zef,
Ça fait longtemps qu'on s'est pas écrit et je sais que vous avez sûrement trouvé quelqu'un depuis le temps. Pas moi. Je suis seule et je pense que je vais le rester. Je ne vous relance pas, j'avais déjà compris quand vous n'êtes pas venu au rendez-vous. Mais vous êtes le seul de tous les candidats qui a pris la peine de m'envoyer

un petit mot pour me dire que ce ne serait pas possible.
Vous avez signé "Au plaisir", et ça faisait comme une chance qui restait possible. En tout cas, c'était poli.
J'écris à côté de ma mère qui est en train de mourir.
Je ne veux pas faire pitié ni rien, mais disons que c'est pas facile. J'ai peur.
Je voudrais bien appeler quelqu'un (j'ai un fils et un ami bienveillant), mais c'est la nuit et j'ose pas.
J'ai pensé à vous, à cause de votre gentillesse et de votre mot. Je ne veux pas de rendez-vous ni rien, je veux juste savoir si je peux vous écrire encore, le temps de passer cette épreuve. Parce que c'en est une.
Si c'est pas possible, pas besoin de vous forcer à écrire, je vais comprendre.
Juste vous demander, ça m'a aidée à passer un bon moment. Merci.
Câline 22.

Charlène lui remet la feuille: « Oui, bon… ça fait pitié, mais qu'est-ce que tu veux faire ? L'aider ?

— C'est ma mère.

— Quoi ?

— "Câline 22", c'est ma mère. Le rendez-vous… j'étais là, je l'ai vue pis j'ai reviré de bord, évidemment. Dans ce temps-là, je me faisais de la clientèle sur les sites de rencontres. Des fois, c'était juste pour voir, pour me pratiquer. Je le fais pus, mais… c'est ça. Ma mère était là-dessus. »

Sans un mot, Charlène reprend la feuille. Elle la relit au complet avec l'éclairage brutal que vient d'apporter Stéphane. Cette fois, il a raison: un gros, un énorme problème, voilà ce que c'est.

« Tu penses faire quoi ?

— J'sais pas trop… Y répondre ? L'encourager un peu… je sais pas.

— Pourquoi tu vas pas la voir ?

— Tu folle ?

— J'ai pas dit de dire qui tu es, mais passer plus souvent, l'air de rien… C'est toi qu'elle veut, non ? Pas le Zef qui était poli ?

— Le Zouf, tu veux dire ? Câlice !… Tu vois, je pense que si j'y vas, elle va faire semblant que toute va bien, que toute roule, même si c'est pas endurable.

— Alors que si elle écrit à un étranger…

— Ouais… Ça serait comme… sortir le motton avec quelqu'un qui te connaît pas pis qui s'en crisse un peu… Plus cool, non ? »

Elle se demande combien de mottons il a sortis, lui, avec des inconnues. Ils discutent pas mal, essaient de trouver une solution. Il finit par lui demander si elle ne pourrait pas vérifier ses réponses et corriger ce qu'il faut.

Ce qui fait rire Charlène : « J'en fais autant que toi, des fautes ! Pis elle aussi, elle en fait un paquet. Imagine, si je les vois… y doit y en avoir pas mal plus. C'est Françoise qui pourrait nous aider.

— C'est surtout grand-pa…

— Ben oui : l'ami bienveillant ! Ça fait même bizarre dans sa lettre. C'est à Vincent, cette façon-là.

— Disons que pour "Câline 22" pis Zef, j'aimerais mieux laisser faire pour grand-pa.

— Mais Françoise ? »

Stéphane fait non. Il n'a pas envie de la ramener à ce temps-là. C'était déjà bien assez périlleux de la revoir en amie et d'effacer le côté « cliente ». Il ne veut pas toucher à ça.

Charlène se dit que les liens sont plus fragiles qu'elle ne le pensait. Et que son « métier » commence à lui rentrer dedans s'il ne peut plus avoir recours à des amis pour des « hosties de problèmes ».

« Et pis, je veux pas péter leur balloune. Y ont l'air bien, grand-pa pis elle. Il fait déjà son bénévolat avec ma mère... Tu veux pas m'aider ?

— Pas écrire, là ? Juste lire ?

— Ouais. Ça serait pas long... J'ai déjà essayé une réponse, veux-tu voir ? »

Il est gêné. Elle tend la main en silence. Elle ne veut surtout pas l'intimider encore plus en lui disant qu'il est touchant.

> Allô Câline,
> C'est ben plate pour vous. Si ça vous fait du bien, *let's go*, écrivez.
> Je suis pas fort dans les réponses, mais je suis là.
> Au plaisir,
> Zef

« C'est poche, han ?

— C'est parfait. Tu l'as, je te jure. En plein ce qu'y faut. »

Il ramasse les feuilles et regarde autour de lui, soulagé : « C'est cool chez vous. Faudrait que je fasse de quoi chez nous. »

Ce n'est pas la première fois qu'elle entend ce discours.

Mélanie-Lyne

Cher Zef,
Votre réponse rapide m'encourage tellement! Voyez-vous, je passe la nuit assise à côté de ma mère et je trouve ça long. Je ne peux pas la déranger avec la télévision ou de la musique. Je ne lis pas. Je fais des mots cachés, mais après une heure, on se tanne! Ma mère dort beaucoup. C'est moins de trouble que je pensais, mais ça arrange pas mon sommeil. Je passe des nuits blanches. J'ai pris congé. L'infirmier m'a dit que ma mère était très mal en point. Pas besoin de cours de médecine pour savoir ça, mais bon! Il ne peut pas dire combien de temps encore. Il dit que c'est une erreur de donner le temps: les gens s'arrangent en fonction de ça, pis après, ils font des crises quand ça arrive pas. Ou quand ça arrive avant.
Je suis pas du genre à faire des crises. Ma mère, oui. Elle est très forte. Était. Elle était très forte. C'est fini, ce temps-là. Même si elle a encore assez de répondant. Quand je parle de l'hôpital où elle serait mieux soignée, plus entourée... elle se fâche. Sans crier, parce qu'elle ne peut plus. Elle se fâche et je dois la calmer et promettre de rester là, de pas l'envoyer à l'hôpital.

Mais c'est pas facile de rester à côté. Le cancer, ça sent. J'ose pas dire que ça pue, mais c'est ça. J'arrête, je ne donnerai pas d'autres détails, j'ai vraiment pas envie que vous me disiez d'arrêter d'écrire.
Ça me tient compagnie. Je vous remercie.
En tout amitié,
Câline 22

Je pense que je devrais enlever le bout avec l'odeur. C'est pas bien, ça pourrait le dégoûter. La nuit, j'écris un grand, grand courriel, pis le lendemain matin, je le corrige en enlevant des bouts. Faut jamais écrire trop long. Ça pourrait faire qu'y lit pas. Un peu comme les clientes qui radotent : tu les écoutes pas. On le sait, ce qu'elles vont dire.

J'essaie de l'intéresser. Oh, j'ai pas d'illusions, je me fais pas d'accroires, c'est clair qu'un homme aussi gentil a déjà trouvé sa moitié. Je me fais pas d'idées, mais je me dis que c'est un lien et que si jamais y traverse une épreuve, je pourrais être une amie bienveillante pour lui.

Et puis, je peux bien l'écrire ici : quand ma mère a ri de moi avec « Câline 22 », je me suis sentie comme elle voulait que je me sente, une conne et une épaisse. Une sorte d'irrécupérable. Comme une permanente mal faite.

Quand j'ai reçu ça en pleine face, j'ai pensé la tuer, tellement j'étais en maudit. Pis humiliée. Mais après, j'ai tout relu avant de « deleter », comme dit Stéphane. Pis j'en ai gardé deux, trois. Les plus intéressants. Pour me souvenir que j'ai eu des réponses, j'ai pas juste envoyé une bouteille à la mer.

Et, parmi les réponses, celle de Zef que j'avais trouvée respectueuse. Qu'est-ce que ma mère sait de ce mot-là, « respect » ? Rien du tout.

Elle ne pourra jamais s'imaginer que j'écris à Zef en la veillant. Ça l'enragerait, pis moi, ça me fait du bien. Comme si j'y tenais tête.

C'est bizarre de veiller quelqu'un qu'on est supposé aimer, mais qui nous enrage plus qu'y nous fait du bien.

C'est encore plus bizarre d'écrire à un inconnu qui a même pas de face et à qui on fait confiance. C'est plate que je puisse pas dire ça à Vincent : il m'aiderait à me démêler, lui.

Mais j'ai fait rire de moi une fois dans ma vie avec « Câline 22 », je me ferai jamais reprendre.

Je suis sûre qu'y a plein de gens qui se sont rencontrés sur Internet qui sont heureux et en couples. Pas possible que ça continue, ces sites-là, si ça marche jamais. Ma mère, finalement, elle voulait surtout me dire que personne m'aimerait jamais, pour de bon.

Ben moi, je pense que c'est pas parce qu'elle m'aimait pas que tout le monde est obligé de faire pareil.

Pis elle peut se compter chanceuse que j'aie le cœur de la soigner après sa méchanceté de « Câline 22 ».

Mon mot à Zef, c'est comme une revanche sur elle, un « tu gagneras pas ».

Devant le difficile mandat de Mélanie, Vincent a redoublé d'attention. Il la trouve mal en point, angoissée à l'idée d'assister sa mère, et démunie devant la méchanceté évidente de cette femme sans doute révoltée à l'idée de mourir.

Quand Mélanie lui a laissé un message pour annuler leur repas du lundi, il l'a rappelée. Elle chuchotait pour ne pas réveiller sa mère.

Et son discours décousu l'a inquiété.

Armé d'un pâté au saumon, il a sonné chez Mélanie-Lyne. Il l'a trouvée en pleurs, en train d'écrire sur une feuille l'heure et le nom du médicament qu'elle venait d'administrer à sa mère. Une multitude de contenants de pilules de toutes les couleurs jonchaient la table où refroidissaient une rôtie et des restes difficiles à identifier. Même la tasse de café présentait une croûte beige qui évoquait une actualité très lointaine.

Mélanie s'est effondrée dans ses bras, sanglotant et s'excusant en même temps.

Vincent prend la situation en main et l'autorité douce dont il fait preuve rend sa belle-fille encore plus larmoyante.

La pauvre a atteint sa limite.

Vincent se met à ramasser, à nettoyer, tout en parlant à Mélanie qui boit son thé brûlant en se retournant constamment vers la porte de la chambre où sa mère dort. Une fois la vaisselle terminée, il pose deux toasts sur la table et lui demande de faire un effort. Elle mastique une minuscule bouchée pendant un temps interminable et, malgré tout, elle l'avale avec un haut-le-cœur.

Ses yeux affolés vont de la chambre à Vincent sans arrêt.

« Va voir si tout est normal et reviens. Je veux te parler, Mélanie. C'est important. »

À croire qu'elle n'a entendu que la première partie de sa phrase. Elle ne revient pas, et Vincent reste à l'attendre.

Il se lève et s'avance dans l'embrasure de la porte de la chambre. Mélanie est penchée vers sa mère et celle-ci a l'air de dormir. L'odeur nauséabonde que Vincent avait attribuée aux aliments qui pourrissaient dans l'évier vient finalement de cette pièce.

« Qu'est-ce qui se passe, Mélanie ? Tu ne peux pas la laver ? Tu as besoin d'aide ? »

Elle revient vers lui, elle avait oublié sa présence, de toute évidence. Une crainte traverse l'esprit de Vincent : s'il fallait que, si jeune, Mélanie soit atteinte de l'alzheimer comme Muguette ?

Il l'observe vérifier sa feuille de médicaments, l'heure. Non, elle est juste épuisée et obsédée par cette femme. Elle est victime d'anxiété, et c'est bien assez à ses yeux.

« On va rappeler les services, Mélanie. C'est trop lourd pour toi. Je ne pourrais pas le faire et je suis deux, trois fois plus solide que toi. Il faut la laver…

— Non. Je la lave ! C'est pas ça. C'est… c'est d'autre chose.

— Oui ?… »

Elle est gênée, comme si elle était responsable des effets fâcheux du cancer: « Depuis quelques jours, elle a la diarrhée... Elle mange rien, pourtant! »

Vincent hoche la tête, compréhensif: « Ça arrive, tu sais. Ça doit faire partie du cancer.

— Du sein! Pas du côlon.

— Y est rendu partout, son cancer, Mélanie. Même dans sa tête, probablement.

— Tu penses?

— Je vais te dire quelque chose que tu vas trouver dur, mais je prends le risque. Quand ta mère te laissait dans le groupe, quand elle choisissait de ne pas s'occuper personnellement de toi, elle ne t'a pas demandé ton avis, elle ne t'a jamais posé de questions pour savoir si ça te convenait ou pas?

— Ben non... j'étais petite.

— Et plus tard non plus, je pense? C'est pour ça que tu es partie? »

Mélanie ne lui dira certainement pas que sa mère la trouvait trop idiote pour tenir compte de son avis. Elle fait non en se demandant pourquoi il lui impose ce genre de souvenirs.

Vincent continue, heureux d'obtenir sa totale attention: « Aujourd'hui, parce qu'elle est aussi atteinte dans sa réflexion, il faut que tu décides pour elle de ce qui est le mieux. Et je pense qu'il est temps qu'on l'emmène à l'hôpital. Je vais appeler l'ambulance et je vais le faire avec toi.

— Non. Elle veut plus de la médecine. Les pilules, les calmants, c'est correct. Mais les médecins, c'est non. Elle est très claire là-dessus.

— Mais y aura pas de médecins pour la soigner. Juste des gens pour l'assister, la laver, calmer sa douleur. Mélanie...

elle n'en a plus pour longtemps. Tu vas pouvoir rester près d'elle, elle saura à peine qu'elle a changé de place. Sauf que tu ne seras plus toute seule.

— Non. C'est parce que je lui ai promis, Vincent. Sur la tête de Stéphane. J'ai juré de jamais l'emmener là ! »

Dépassé, Vincent la considère un long moment avant de dire que c'est sa décision, mais qu'elle se crée des obligations terribles pour quelqu'un qui ne s'en est senti aucune à son égard.

« C'est pas parce que je l'aime, Vincent. C'est juste que… je sais pas…

— Quoi ? C'est pour quoi, Mélanie ?

— Je le sais qu'est faible, qu'elle pourra rien dire… mais c'est ça qu'elle veut. Pis quand ma mère veut de quoi, on a d'affaire à obéir !

— T'as peur d'elle ? De ses réactions ? Elle a peut-être changé d'idée et tu le saurais pas.

— Je pense pas, non… Ma mère change pas d'idée.

— Et toi non plus, à ce que je vois. Est-ce que je peux appeler les services, au moins ?

— Ben oui, ben sûr… mais pas l'hôpital, s'il vous plaît. Et merci. »

Vincent promet de revenir le lendemain vers midi. Et il fait ce qu'il peut pour calmer le découragement de Mélanie à l'idée de devoir se battre encore pour garder sa mère.

« Mélanie, j'ai compris que l'hôpital, c'est exclu. Je viens te voir, t'aider, pas t'embêter. »

Elle se remet à pleurer en silence. Aucun sanglot, aucun mot. Juste de grosses larmes qui coulent et qu'elle n'essuie même pas.

Vincent se présente au bar en même temps que Charlène, étonnée de le voir si tôt. Il a besoin d'elle, de son aide.

Il lui raconte dans quel état est Mélanie et la situation intenable dans laquelle elle se débat. Selon lui, une seule personne peut la persuader de fuir les effets néfastes de sa mère, et c'est Stéphane.

« Peux-tu m'aider à le convaincre de venir voir Mélanie avec moi, demain matin ? »

Charlène sait très bien dans quel état lamentable se trouve « Câline 22 » : elle corrige les courtes réponses de Zef chaque jour. Les courriels se multiplient et, même s'ils sont sommaires, c'est clair que l'ambiance est insupportable. La situation est encore plus impossible que Vincent le croit.

« Je veux bien essayer, mais tu le connais : avant midi, pour lui, c'est la nuit ! »

Vincent est très fier de dire qu'il y a pensé et que le rendez-vous est à midi.

Mélanie-Lyne

Elle parle tout le temps, depuis le début de la soirée. Elle parle et je comprends rien de ce qu'elle dit. Pas un mot. On dirait qu'elle parle la langue de sa secte. Y ont des formules pour eux autres, pour prier.

Je pense qu'elle prie sa Force Suprême.

Elle se débat aussi, on dirait qu'elle ne veut plus rien sur elle. Elle pousse le drap, la couette. Elle me pousse quand je veux l'abrier pour pas qu'elle ait froid. Elle grelotte et elle parle.

Après, ça se calme. Pis ça recommence.

J'ai presque plus de couches. J'aurais dû demander à Vincent, mais c'est gênant, demander ça. Déjà que j'y ai dit pour la diarrhée… Ma mère serait tellement fâchée de savoir que j'ai dit une chose aussi intime. Mais je pense qu'elle sait plus où elle est, qu'elle sait même plus qui je suis.

Vincent a raison : je peux pas rester ici toute seule, je peux pas la regarder mourir en y collant des patchs partout comme si elle venait d'arrêter de fumer. C'est ridicule ! C'est tellement angoissant que je suis rendue que je respire aussi mal, aussi croche qu'elle.

Mais je suis pas elle !

J'ai peur. J'ai tellement peur qu'elle me pogne par le bras et qu'elle me fasse mourir avec elle. J'ai peur des morts, c'est pas de ma faute. Ça date de longtemps, pis ça changera pas. J'arrête pas de vouloir qu'elle meure, que ça finisse, pis en même temps, je serre le numéro de l'« urgence jour et nuit » dans ma main. Je l'ai tellement serré fort qu'il était humide, j'ai été obligée de le recopier. Ce numéro-là, dès que ça va y être, faut le composer. Je resterai pas une minute dans une pièce avec une morte ! Pas possible.

Je pense que je vais mourir de peur avant elle. Mais elle serait trop contente. Je veux bien lui donner les soins, mais après, ça va être ma vie à moi. Pis j'en ai une, vie, même si elle pense le contraire.

Cher Zef,
Encore moi, excusez d'insister. Les nuits sont longues quand on dort pas. Le bruit de l'horloge de la cuisine est presque trop fort. Ma mère dort. La pauvre respire mal. Je dis la pauvre, mais je vais être franche avec vous, je ne la connais pas tant que ça. Donc, je l'aime pas tant que ça. C'est pas sans-cœur, j'en ai un, cœur. Mais disons que pour elle, c'était pas le plus important. Je vous raconterai ça un jour… si on s'écrit encore, comme je l'espère bien. Parce que vous écrire et recevoir vos mots, ça me sauve. Je le dis pas pour vous complimenter. Ça me sauve. C'est mon secret à moi et ça me permet de tenir le coup. J'ai l'air brave de même, mais j'ai peur des morts. Peur de ce moment-là, de quand ils partent, quand ils coupent le fil pour devenir rien. J'allais écrire « fantômes »,

mais c'est pas ça. Les morts reviennent pas, Dieu merci! Je serais pas capable. C'est la première fois que je vois quelqu'un mourir. Je vous le souhaite pas. Déjà, quand les gens meurent, c'est dur. Mais les voir mourir... c'est encore pire. Mon père est mort, mais je l'ai pas connu. Mon vrai père, je veux dire. Connu ni mort ni vivant. Mon mari est mort, pis je le remercierai jamais assez d'être allé faire ça ailleurs. Pour rien au monde j'aurais voulu le trouver pendu ici. Je l'ai pas vu et l'image m'est restée dans tête pendant des années. Imaginez si je l'aurais vu! Sa mère l'a trouvé et, franchement, elle est restée marquée. Un peu craquée. Je sais pas ce que j'aurais fait si ça m'était arrivé. Probablement qu'on vient folle quand on trouve son fils mort. Une chose est sûre, j'ai mis le mien à l'abri. J'avais pas envie qu'y soit tenté d'imiter son père. Ça arrive, ça a l'air. J'ai fait ce que ma mère a jamais fait pour moi: je l'ai protégé. Et c'est un bon garçon. Si je l'avais pas eu, je serais peut-être devenue craquée comme ma belle-mère.

C'est fou à dire, mais ce que vous êtes pour moi aujourd'hui dans mon épreuve, c'est aussi aidant que mon fils dans ce temps-là. Si vous saviez le gros compliment que je viens de vous faire, vous seriez gêné, Zef.

Mais c'est en toute amitié,

Câline 22

Ça a été fou, mais moins pire que je pensais. Quand j'ai fini mon courriel, je l'ai mis dans «Brouillons» parce que ma mère faisait des drôles de sons. Je lui ai demandé si elle avait mal et je suis allée dans cuisine chercher la feuille d'horaire de morphine.

Quand je suis revenue, elle était partie. Fini. Plus de respiration, plus de mouvement, plus rien.

Et sa bouche était ouverte. Pas ses yeux. Sa bouche. C'était pas beau.

J'ai cherché le maudit numéro comme une folle, pis je l'avais dans ma poche. J'ai appelé, mais je pouvais même pas dire mon adresse. Je disais : « Ma mère est morte. Ma mère est morte ! » sans arrêt. Je m'attendais presque qu'elle me crie que j'étais idiote, tellement j'avais pas d'allure !

Ça a pas été long. J'ai pas été obligée de rester trop longtemps avec elle morte.

Pour me changer les idées, j'ai relu mon courriel, je l'ai trouvé gentil, j'ai rajouté un mot pour dire que d'habitude c'était moins long, mais que là, ma mère était partie et que j'avais pas le temps de corriger. « Va falloir me prendre comme je suis pour aujourd'hui », c'est ça que j'ai rajouté. Je trouvais ça bien dit.

Stéphane arrive au bar désert, vers deux heures du matin. Charlène le voit jeter son blouson sur un fauteuil, comme s'il était chez lui. Elle se dit qu'il est effectivement plus chez lui dans ce bar que n'importe où ailleurs.

« Grand-pa est parti ? »

Comme s'il ne le savait pas ! Elle pose une bière devant lui : « J'ai un beau message à te transmettre de sa part. »

Il a les yeux rivés sur son téléphone. Le pouce agile fait défiler les messages en vitesse : « Quoi ?

— Bon ! Contente de te voir les yeux ! T-shirt noir, jeans noirs... c'est une petite jeune à soir ?

— Même pas quarante ans ! Peux-tu croire, payer à c't'âge-là ? Pis pas un rejet non plus. Cé qu'y veut, grand-pa ?

— Que t'ailles voir ta mère avec lui demain midi.

— Pourquoi ? Y est pas allé aujourd'hui ?

— Oui, mais ça dégénère, ça a l'air... — elle montre le téléphone du menton — elle dit quoi ?

— Ben rien, justement ! Biz... Pas envie d'aller là, moi ! J'trouve que j'en fais assez, non ?

— Sauf que Vincent le sait pas, lui, ce que tu fais.

— On devrait y dire. Jusse pour y voir la face !

— Moi, tu sais, une cachette de moins dans ma vie, ça me ferait pas de mal.

— Ouain, ben, pas celle-là, O.K. ?

— C'est ta *game*, Zef, pas la mienne.
— C'est moi qui *goale* pis c'est moi qui arbitre ! »

Le son d'un train qui siffle indique qu'un message vient d'entrer.

« Deux heures et demie du matin, la vieille a dû être de l'ouvrage à soir ! Hostie ! C'est ben long ! »

Charlène finit de remplir ses frigos. Quand elle se relève, Stéphane est immobile, comme pétrifié.

« Zef ? »

Il lève un index sans bouger le reste de sa main qui tient le téléphone. Elle attend un peu.

« Est morte, c'est ça ? Zef, niaise pas. »

Il lui tend son téléphone.

Celle-là, elle ne l'a pas vue venir. Elle n'y a pas pensé, seulement. Elle se rend compte qu'elle avait totalement évacué le fait que Mélanie avait été la femme de Sylvain. Évacué le fait que c'est elle qui avait interdit à Vincent et à tout le monde de révéler la vérité sur le suicide.

C'est elle qui se vante de protéger son fils de la vérité — en la lui apprenant de la façon la plus improbable qui soit.

Il ne dit rien. Elle cherche ses mots quand le cellulaire sonne.

Un coup d'œil rapide de Stéphane : « C'est elle. C'est ma mère. »

Il regarde l'appareil jusqu'à ce que la boîte vocale prenne le relais.

Il pose son téléphone sur le bar.

« Je vas te prendre un shooter, Charlène. »

Vincent Côté

« Je suis pas capable de rejoindre Stéphane. Je suis toute seule avec elle. Pouvez-vous venir ? »

C'est comme ça que Mélanie m'a tiré du sommeil. Françoise s'était réveillée et elle me tendait un café pendant que j'essayais de calmer Mélanie.

Mais la pauvre était en proie à la panique. Elle répétait sans cesse qu'il ne fallait pas la laisser seule avec ça, que c'était trop, que sa bouche était grande ouverte. J'ai bien compris qu'il s'agissait de celle de sa mère, évidemment. Elle s'excusait tout le temps, en répétant qu'elle avait essayé de rejoindre tout le monde, mais que personne ne répondait. Bref, je pense que le délire n'était pas loin.

Quand je suis arrivé, le corps n'était plus là.

Je n'aurai jamais fait tant de ménage que ce jour-là. Mélanie avait commencé et elle semblait déterminée à tout remettre comme avant. Je ne l'ai pas contrecarrée et j'ai pris soin de ramasser toute la morphine et les opiacés qui traînaient. Pas question de la laisser avec des doses si dangereuses, alors qu'elle est aussi paniquée.

Quand elle a sorti le seau, l'eau de Javel et la brosse et qu'elle s'est mise à laver le plancher à quatre pattes, j'ai compris qu'on n'échapperait à rien. Et je l'ai aidée. Quelque chose de Shakespeare me revenait en frottant avec elle — cette Lady Macbeth qui dit que tous les parfums de l'Arabie ne peuvent effacer l'odeur du sang sur ses mains assassines. Eh bien, Mélanie avait l'air d'une meurtrière qui efface ses traces sur le lieu du crime. Elle était déchaînée en frottant. De temps en temps, une sorte de sanglot lui échappait, entre deux respirations rendues ardues par l'effort. Un vrai cauchemar. J'avais beau lui répéter de me laisser faire, de s'asseoir et de se reposer un peu, qu'elle était à bout de souffle, elle continuait.

Et quand on a fini, au petit matin, j'ai dû sortir les sacs dehors, à moins 25 degrés, parce qu'elle l'aurait fait elle-même tellement leur vue la rendait malade.

J'ai fait du thé, je l'ai assise de force à la table de la cuisine et j'ai parlé des arrangements. J'étais prêt à m'en charger, à la délester de cette tâche.

« Faut la retourner là-bas. »

Mélanie avait l'air d'être dans un état second. Elle me regardait avec une telle lassitude que j'ai changé de tactique. Je lui ai demandé si elle voulait aller dormir, si elle préférait parler d'autre chose ou même prier. Je ne savais plus quoi lui offrir.

« Je voudrais beaucoup que Stéphane soit encore petit. Comme l'autre fois. »

L'autre fois, c'est il y a quinze ans, à la mort de Sylvain. Voilà ce qu'elle voulait: qu'un vivant exige de faire reculer la mort. Qu'un vivant remplisse le trou béant que creuse la mort.

Je me suis senti bien impuissant. Il était tard pour rejoindre Stéphane. Et je savais que les besoins de sa mère, il n'a plus l'âge de les combler.

Comme elle me semblait seule et démunie, cette femme.

Si j'avais à décrire une personnalité suicidaire, je la décrirais, elle. À ce moment-là, dans sa cuisine propre où un soleil d'hiver se levait, dans cette odeur de Javel qui combattait l'autre odeur, celle de la décrépitude, je me suis dit que ce n'était pas Sylvain, le suicidaire. J'ai fait une chose étrange que je n'arrive pas à m'expliquer, mais qui me semblait la meilleure option.

Je l'ai installée sur le divan, je l'ai abriée d'une douce couverture et je lui ai promis de rester jusqu'à ce qu'elle se réveille. Je répétais: « Tout est propre, tout est comme avant. Je vais rester avec toi. Dors tranquille, je suis là, tout près. Rien ne peut arriver. Je suis là. »

Mais je savais que c'était faux. Que tout ne serait pas comme avant. Malgré nos efforts, malgré l'eau de Javel, nos morts finissent par s'imposer. Surtout si on les fuit, surtout si on les nie.

Mon seul espoir, c'est qu'elle éprouve bientôt le soulagement d'être enfin sortie des griffes de cette mère brutale.

Elle s'est endormie en tenant ma main. Ses ongles étaient rongés au sang.

« Ça suffit, Zef. On ferme. »

C'est la nuit des premières, parce qu'elle ne l'a jamais vu aussi ivre. Il n'est pas contrariant : il met son blouson, la prend par le bras en murmurant « On ferme ».

C'est aussi la première fois qu'elle entre dans son studio. C'est tellement impeccable et impersonnel que c'en est dérangeant.

« Pas faite un gros effort sur la déco, Zef !

— Y a jamais personne qui vient ici. »

Sauf lui. Et aux dernières nouvelles, c'est une personne. Mais Charlène ne le dit pas. Pas ce soir.

Il n'y a qu'une chaise à roulettes devant le bureau où se trouvent son ordinateur et un grand écran.

« Une bière ? »

Elle refuse en le regardant déboucher la sienne. Il s'assoit et allume son ordinateur.

« Aye ! Tu vas pas y répondre, Zef? Attends à demain, O.K. ? »

Il ne s'occupe absolument pas d'elle, il tape sur son clavier à une vitesse effarante.

Elle s'assoit sur le lit puisque rien d'autre n'est disponible.

Il ferme l'ordinateur d'un geste sec: « Bon! Bonne chose de faite!

— T'as faite quoi, là? Tu l'as pas envoyée chier?

— On ferme! »

Il ingurgite sa bière, va ranger la bouteille vide, en sort une autre du frigo. Quand il revient vers elle, il écarte les deux bras: « Fini! Zef a fermé la *shop*! Pus de comptes. Pus moyen de le rejoindre! Ça va brailler...

— T'as fermé ton compte, c'est ça? »

Il ne répond pas. Il enlève son t-shirt, dézippe ses jeans. « Aye! Ça te ferait-tu rien de faire comme si j'étais là?

— Quoi? Y en a qui payent cher pour voir ça! Toi, c'est gratis. Ça sera toujours gratis. »

Il appuie sur un pan de mur laqué blanc et ouvre ce qui s'avère une immense penderie. Il jette ses vêtements dans un panier, sort un t-shirt et des jeans. Sur le t-shirt, en lettrages rouges: *It sucks!*

Charlène est d'accord: ça écœure en hostie, ce soir.

« Appelle Frédéric, O.K.? Tu restes avec moi.

— Ben oui, Zef: on va le réveiller pour y dire de se rendormir! Laisse faire Frédéric, O.K.? T'as fermé, c'est vrai?

— Qu'est-ce que ça peut te faire?

— Devine ce que ça peut me faire... Devine si je me sens utile, à soir? Tu dis rien pis tu te soûles.

— Viens pas me dire que t'as pas l'habitude du monde qui se soûle!

— Pas toi. Pas avec toi. C'est la première fois. Assis-toi, O.K.? »

Il s'assoit sur la chaise à roulettes et se déplace entre le lit et le bureau. Il fixe ses murs, comme s'il s'apercevait de leur vacuité: « Qu'est-ce qu'on mettrait ben pour décorer, tu penses?
— Arrête, Zef!
— Non, mais t'as raison: y a pas de déco ici! »

Elle se tait. Elle s'est seulement promis de ne pas le laisser seul. Pas de le suivre dans ses délires. Elle va tenir bon, mais elle commence à le trouver pénible.
« As-tu du thé? »

Il rit tellement en répétant « Du thé! » qu'elle trouve ça encore plus insupportable que le coup de la déco: « Arrête!
— On ferme! Ça sonne ben, trouves-tu? On ferme! *It sucks!* On ferme! Crisse de bonne réponse. »

Il se tait, regarde ses murs comme si la décoration était vraiment devenue prioritaire, tout à coup.
« C'est quoi, la crisse d'idée? »

Charlène estime que la question ne lui est pas posée personnellement. Et elle espère n'avoir jamais à y répondre, parce qu'elle se la pose aussi.

« Crisse de buzz…
— Ouain, tu peux le dire.
— Imagine si elle savait ça! Elle l'aurait-tu, le buzz… »

Elle le laisse réfléchir en se disant que, de ce qu'elle en sait par ses courriels reconnaissants, Mélanie n'a pas vraiment la carrure pour encaisser ce genre de buzz. D'après elle, la mère de Zef est arrivée au point de rupture. Et s'il a vraiment fermé ses accès, Mélanie va trouver le deuil pas mal difficile.

« Ça fait un crisse de boutte que j'ai pas baisé pour le fun ! »

La pensée de Charlène n'a pas du tout suivi cette pente. Elle le voit la fixer et se dépêche de corriger le tir : « Penses-y même pas !

— C't'important, le cul !

— Ben oui… Ben important !

— C'que j'aime avec toi, c'est que t'es pas ostineuse ! Une bière ? Ben non… S'cuse. Pas de thé ! »

Même soûl, il range la bouteille vide et jette le bouchon de la bière qu'il vient d'ouvrir.

« Tu serais pas un peu maniaque avec l'ordre, Zef ?

— Un peu. »

Il se rassoit, fait rouler la chaise et allonge ses grandes jambes sur le lit. « J'aime ça *clean*. »

Tout ce qu'elle voit, pour le moment, c'est qu'il n'a pas été servi selon ses préférences. Par personne. Incluant elle-même. Le cul est peut-être important, et c'est certainement ce qui l'attachait à Sylvain. Du cul démentiel, démesuré… qui ne l'a même pas empêché de se tuer. Mais là, à cinq heures du matin, épuisée et à peine capable de garder les yeux ouverts, ce jeune homme qui a fait du cul son métier et avec qui elle n'aura jamais de geste équivoque, ce jeune homme qui absorbe son buzz à coups de bières lui importe plus que toute autre personne — morte ou vivante.

Zef regarde le plafond et reste là, à moitié allongé sur la chaise qui grince. Elle touche son pied posé près d'elle. Il est froid, presque glacé. Elle l'enserre dans ses deux mains chaudes. Il le retire, comme si c'était brûlant : « Aye ! C'est moi qui fais ça !

— Donne. »

Après une longue hésitation, le pied revient dans sa main. Il la regarde faire sans rien dire. Sans boire.

Au bout d'un moment, elle prend l'autre pied et le réchauffe.

« Ouais… T'es pas pire…

— Je sais : j'ai appris avec un grand maître.

— J'pourrais t'en montrer pas mal… »

Elle ne mordra pas à cet hameçon. Il finit par s'appuyer sur le dossier qui berce en couinant.

Le soleil se lève quand elle ouvre les draps du lit et s'y installe avec lui.

Ce qui constitue une première absolue pour Stéphane qui s'endort avant elle.

Quand le guide spirituel de la Force Suprême refuse de prendre sa mère pour l'enterrer dans le respect de ses croyances, la panique s'empare de Mélanie. C'était ce qu'elle a demandé ! Non seulement on lui raccroche au nez après un « Désolé » très sec et fort peu compatissant, mais plus personne ne répond quand elle rappelle.

Mélanie est déterminée à se rendre dans le Nord, sur les « terres sacrées », pour supplier que les dernières volontés de sa mère soient accomplies. D'autant plus qu'elle les lui a remises en lui recommandant d'« essayer de faire preuve d'intelligence pour une fois ».

Elle montre la lettre à Vincent, qui constate qu'en effet Julie-Lune voulait que son corps soit inhumé selon sa foi, ou plutôt sa croyance mystique.

Mélanie a une crainte manifeste de ces gens. Elle en connaît encore plusieurs, mais son départ à l'âge de seize ans a été interprété comme un outrage encore plus grave que celui de sa mère.

« Y pardonnent pas ! Y pardonnent rien, eux autres ! C'est pas des catholiques. »

Vincent préfère éviter la discussion philosophique. Il suggère de faire incinérer le corps et de négocier ensuite au sujet de l'endroit où seront déposées les cendres. Impossible pour Mélanie : le corps doit être brûlé là-bas.

Muni de la lettre de Julie-Lune, il se rend lui-même rencontrer le fameux guide-gourou.

Si l'orgueil avait une incarnation, ce serait cet homme qui, justement, affecte une modestie que ses yeux trahissent.

Vincent ne connaît rien aux sectes, il est profondément athée, et ce qu'il voit dans cette salle aux murs fuchsia et aux tentures roses n'a rien pour l'impressionner. On lui sert un charabia teinté de spiritisme qui se prétend spirituel et on lui explique que le respect est inhérent à la Force Suprême… mais que Julie-Lune, en perdant ce respect, a perdu sa force intérieure et son sacré.

Négocier est impossible, chaque argument est retourné contre le paria et produit une sorte de spirale. Ils sont infiniment humains, absolument disciples de la bonté et du respect, mais cette femme s'est prononcée contre eux en les quittant. En fait, elle ne les a pas seulement quittés ou reniés, elle a abandonné sa Force. Impossible de la ramener dans sa faiblesse, ce serait impie.

Vincent demande s'ils sont si fragiles dans leur Force Suprême pour se défendre aussi sévèrement contre une morte. Il ose ajouter que récupérer le corps de cette femme serait donc comme les polluer ou, pire, les contaminer?

Le sourire suffisant du «guide» lui donne des envies de violence qu'il ne se soupçonnait pas. Il est vraiment soulagé de quitter ce très saint endroit qui lui donne des frissons.

La «Nuit Étoilée» qui l'accompagne à la porte lui glisse quelque chose dans la main en chuchotant que «ça doit être brûlé avec elle».

Impossible de lui soutirer davantage d'informations ou d'obtenir qu'elle intercède pour convaincre le grand gourou. «Elle a eu peur du cancer. Et ici, la peur n'existe pas.»

Vincent fixe les yeux délavés de cette « Nuit Étoilée » et il comprend qu'au contraire la peur est la pierre d'assise de la Force Suprême. Il la remercie et lui souhaite bonne chance, ce qu'elle prend avec un sourire qui en dit long sur cette superstition — de toute évidence, dans leur dogme, la chance ne joue pas.

« Que la Force Suprême universelle soit avec toi. »

Le talisman, une petite chose blanche qui ressemble à un os, à une vertèbre séchée ou à un rond de serviette en ivoire, réussit à apaiser Mélanie. Surtout avec ce que Vincent lui dit : « La Force Suprême n'accueillera jamais ta mère. Pas à cause de tes efforts insuffisants, Mélanie, mais parce qu'elle s'est exclue elle-même. Elle connaissait leurs règles et elle t'a demandé ensuite de les convaincre de les transgresser. C'est impossible. Ce serait surhumain. Tu serais la Force Suprême, si tu réussissais. »

Mélanie éclate de rire à cette pensée saugrenue. Elle remercie chaleureusement Vincent d'avoir tout essayé pour l'aider. Elle croit maintenant que sa mère lui a fait cette demande parce qu'elle savait que c'était impossible à obtenir. Pour lui démontrer son incompétence.

« Et tout ce qu'elle a montré, Mélanie, c'est qu'il y avait beaucoup d'amertume et de méchanceté en elle. Si c'est tout ce qu'elle a trouvé à te dire avant de mourir, je pense qu'on peut l'enterrer dans un cimetière ordinaire. Il est enterré où, ton père ? »

Mélanie met la main devant sa bouche à l'idée d'un pareil sacrilège. Sa mère détestait les deux hommes qui risquaient d'être son géniteur. L'enterrer avec eux, ce serait le pire affront à lui faire.

Vincent repart en mission pour acheter un lot. Il espère que Mélanie, une fois sa mère enterrée, va finir par réagir avec un peu de révolte.

Il y a vraiment des gens qu'on ne devrait pas aimer autant.

Vincent Côté

Quand Stéphane s'est assis devant moi au restaurant, j'ai trouvé qu'il avait mauvaise mine, comme s'il avait trop fêté.

Quand il m'a demandé si je savais comment son père était mort, là j'avoue que mon cœur a sauté un battement.

J'ai répondu oui. J'avais promis à Mélanie de ne pas le révéler, rien d'autre. Je trouvais déjà assez dur d'être celui qui affronterait le mensonge de sa mère.

Il ne disait rien. Il replaçait les morceaux du puzzle. Et si j'en juge d'après son air concentré, absorbé, ce n'était pas facile.

J'ai voulu mettre les choses au clair, mais il ne m'a pas laissé dire autre chose que « Ta mère... ». Il a levé sa main et l'a tendue devant moi pour me faire cesser. Il avait droit à son rythme et je l'ai respecté.

Je me demandais encore comment il l'avait appris quand il a commandé un club sandwich à la serveuse que je n'avais même pas vue arriver.

J'étais profondément désolé. On dirait qu'il l'a compris.

« T'étais pas d'accord ? Pour l'accident ? »

J'ai fait non. C'est sûr qu'il avait une longueur d'avance sur moi, mais là, il m'impressionnait.

« Y a rien dit ? Rien laissé ?

— Rien.

— Hostie d'épais ! »

C'est fou, c'est dans cette réponse qu'il a le plus ressemblé à son père. Même je-m'en-foutisme, même rejet expéditif de ce qui ne fait pas son affaire.

J'ai résisté à l'envie de trouver des excuses ou d'expliquer quoi que ce soit. De toute façon, qu'est-ce qui aurait été satisfaisant comme excuse pour Stéphane ? Si mon père m'avait fait un coup pareil et que ma mère en avait rajouté en me mentant presque toute ma vie, je crois que j'aurais voulu tuer. Il me semblait pourtant bien calme. Et bien inquiétant.

Mon silence avait l'air de lui convenir. Il me coûtait cher, mais je ne savais pas par quel bout le prendre, de toute façon. On aurait dit qu'il était inaccessible.

Il a attaqué son club avec appétit. Je vais retranscrire notre dialogue que je ne saurais décrire autrement.

« Penses-tu que tu pourrais t'occuper encore un peu de ma mère ? »

L'angoisse m'a saisi à la gorge. J'ai failli étouffer : « Tu vas où ?

— Nulle part. Pourquoi ?

— Tu penses à quoi, Stéphane ? À partir un peu ou pour de bon ?

— Tu veux dire me tuer comme l'autre épais ?

— Exactement. Comme ton père.

— Pantoute !

— Regarde-moi, Stéphane : je vais m'occuper de ta mère tant que tu veux, mais il faut que tu me promettes…

— Aye ! J'ai-tu dit que je le trouvais épais ?

— Oui.

— J'ai-tu l'air d'un épais ?

— Non.

— Bon ! Y a rien qu'une affaire que je suis pas capable de voir de ce temps-là, pis c'est pas que mon père s'est tué, c'est ma mère.

— Tu y en veux ?

— Non. Je l'endure pas, c'est toute ! Je te demande justement de la garder loin. C'est cool, grand-pa, pas débile ! Arrête avec ça ! »

J'ai accepté. Sans condition. En me disant que je préviendrais Charlène pour que quelqu'un veille sur lui pendant que je m'occupe de Mélanie.

« Ta mère… elle le sait que tu sais ? »

Il a eu l'air très découragé de ma piètre réflexion : « Grand-pa, mêle-la pas à ça. Zippe, O.K. ? »

Et il a ajouté le geste à la parole en faisant mine de se zipper la bouche. Je suis parti à rire.

Je crois que c'est ce que je pouvais faire de mieux parce qu'il était ravi.

« Bon ! On peut-tu manger en paix, là ? »

Le mystère est demeuré entier. Je ne sais pas qui, comment, ou pourquoi on a appris à Stéphane la vérité sur la mort de son père. Charlène m'a juré que ce n'était pas elle, et je la crois.

Elle est un soutien constant pour lui, et sans elle, je serais infiniment inquiet.

Malgré le peu de sens que cela aurait, je ne vois que Mélanie qui, dans un moment de panique reliée à l'agonie de sa mère, aurait pu laisser filtrer la vérité. Si Muguette vivait encore, j'aurais parié sur elle. Mais l'envie furieuse de Stéphane de s'éloigner de sa mère m'incite à penser qu'il y a un lien.

La sentence de Stéphane envers sa mère est terrible. La pauvre ne savait pas à quoi elle s'exposait en imposant le silence. Je trouve qu'elle paie tout très cher, présentement. Ce n'est peut-être pas une femme brillante ou délurée, mais vraiment, elle me fait pitié.

Je ne peux m'empêcher de penser que Sylvain l'a traitée comme Stéphane la traite : avec désabusement, sans la croire digne d'attention. Avec mépris, finalement. Comme ce gourou qui me regardait en ayant l'air de connaître une dimension essentielle qui m'échappait.

Maintenant que j'ai un meilleur éclairage sur son enfance dans ce « groupe spirituel », avec une mère qui l'a carrément abandonnée aux autres, j'estime que la fuite de Mélanie à seize ans, toute seule et sans autre bagage que sa révolte, est un acte d'héroïsme. On ne part pas tous égaux dans la vie. Il y a les doués, les surdoués et les sous-doués. Les deux extrêmes sont franchement durs à vivre et ils doivent se débattre pour tirer leur épingle du jeu.

Sylvain était un surdoué… et j'ai bien peur que son fils le soit aussi. Il ne s'est investi que très peu dans ses études, mais ça ne veut pas dire qu'il n'a pas d'immenses moyens. Son attitude présente me trouble et m'inquiète. On dirait une réaction extérieure à lui-même, comme s'il savait sans sentir.

Et sa mère est une sous-douée — parce qu'elle sent trop et que ça l'empêche de savoir. Elle me fait penser à une enfant perdue qui court dans tous les sens, les bras tendus, en hurlant « Maman ! ».

Françoise a raison de dire que mon cœur de mère est ému par cette femme qui est un amalgame d'exigence et de rage. De dépendance et de supplication. Mais c'est mon cœur de père qui essaie de toutes ses forces de faire confiance à Stéphane et à son ressort vital.

Charlène en a plein les bras avec Stéphane, son travail et sa vie. Depuis que Zef est un « retraité content », il traîne au bar tous les soirs où elle travaille et il a gardé le rythme de vie du temps où il enfilait les « *meetings* d'affaires » à une cadence infernale.

La seule bonne chose est qu'il ne s'est plus soûlé. Comme avant, il se contente d'une ou deux bières. Ce qu'il fait une fois rentré chez lui, elle ne le demande pas. Il le voudrait bien, comme il voudrait qu'elle reste debout avec lui. Mais elle est une amie, pas sa compagne ni sa psy, et elle le lui souligne. Elle a une vie et un Frédéric qui commence à trouver que l'amitié coûte cher à leur vie amoureuse. Il a raison d'être excédé et Stéphane doit comprendre qu'elle n'est pas à sa disposition… même si elle l'aime beaucoup.

« Je suis là pour toi, mais je suis là pour moi aussi. »

Et elle fait son possible pour que ce soit vrai, même si Zef prend plus de place qu'avant.

Comme il n'a rien d'autre à faire de ses journées, il a augmenté ses périodes d'entraînement. Il jogge tous les jours, s'entraîne en prétendant que si jamais il veut se remettre sur le marché, son beau *body* doit être à la hauteur.

Il peut bien se vanter, Charlène sait que le métier commençait à lui peser. Il n'en parle pas, sauf quand il fait de rares commentaires sur les clientes du bar. « Elle, c'est clair : cliente ! » « Ayoye ! Je peux pas croire que j'ai faite tout ce que j'ai faite. » « Ça, c'est une *kinky lady*, garanti ! »

Il la provoque pour qu'elle veuille en savoir plus, et elle connaît l'animal, si elle demande quoi ou pourquoi, il va l'arrêter en invoquant le « secret professionnel » qui lui permet de ne rien révéler. Elle se doute bien qu'aucune fantaisie sexuelle ne lui est inconnue, qu'elle soit tordue ou non.

Comme il dispose d'économies substantielles, Charlène se dit qu'il n'est pas à la veille de se chercher du travail. « T'as vraiment rien d'autre à faire que de t'asseoir ici ?

— Je viens te voir, t'es pas contente ?

— On va renverser les affaires : on se voit quand j'ai congé. On va au cinéma, où tu voudras, mais tu viens pas ici quand je travaille.

— Tu parles d'un *deal*, toi ! Je te dérange ? Je t'empêche-tu de travailler ?

— Tu m'inquiètes ! Tu peux pas passer ta vie ici.

— Non, mais un boutte de vie, oui ! Je me suis mis sur ton cas, pis tu le vois même pas !

— Sais-tu l'âge que j'ai ?

— L'âge de payer. L'âge de « Câline 22 » moins 4. Je te fais un hostie de cadeau, pis tu t'en rends même pas compte.

— C'est ça ! J'ai l'âge de travailler en paix ! Fais de l'air, Zef. Tu me tombes sur les nerfs.

— O.K. « Câline 23 ». Bye ! »

Elle ne le revoit pas.

Pas de textos drôles, pas de messages sur le répondeur, aucun signe. Rien.

Il lui a dit « Bye » et il lui a démontré que si c'est ce qu'elle voulait, elle l'aurait. Zef n'est pas dépendant comme les femmes qui l'entretenaient: c'est l'objet de sa démonstration.

Au bout de quatre jours, vraiment inquiète, elle appelle Françoise pour savoir où est Zef. Elle ne veut pas alarmer Vincent, elle veut juste avoir des nouvelles. Françoise n'a pas entendu parler de Zef depuis... exactement cinq jours. Charlène refuse d'alerter Vincent. Elle a poussé Zef dehors, il lui montre que c'est lui qui gagne, et c'est tout.

Quand Françoise arrive au bar, Charlène se redresse comme pour recevoir un coup.

« J'en ai pas. Pas de nouvelles. Ni bonnes ni mauvaises. »

La soirée est tranquille, le beau temps s'installe et le bar de l'hôtel n'a pas de terrasse extérieure. À Montréal, quand le printemps montre ses premiers signes, tout le monde veut rester dehors. Comme des troglodytes trop longtemps tenus à la noirceur, les gens sortent s'aérer.

Françoise commande son drink d'été: Campari soda.

Elle observe Charlène avec amitié. « Quand est-ce que tu vas décrocher, Charlène ? Quand est-ce que tu vas arrêter de voir le fantôme de son père dans Zef? Fais pas cette face-là, tu sais ben que Vincent me l'a dit. Mais je le savais. Pas pour le père de Zef. Mais quelqu'un. Quelqu'un dans ta vie t'a fait payer le bill. Tu me l'as même dit. Ta belle phrase qui m'a tellement aidée, j'aimerais ça te la servir pis que tu finisses de payer. Sais-tu pourquoi j'ai arrêté de parler à mes proches quand mon mari s'est tué ? Parce qu'y avaient tout le temps la maudite question dans leurs yeux: vas-tu le faire, toi aussi ? Vas-tu te tuer ? C'était leur peur. Je peux comprendre, j'allais pas bien. Mais la peur, c'est pas de l'amour. La peur, c'est une vraie maladie, pis ça tue. C'est la peur qui a tué mon mari. Y voulait pas vieillir, y voulait pas être diminué, être moins aimé, moins bon... Ce que tu veux, mais la peur. Passé cinquante ans pour lui, la peur gagnait. Mais c'était un faux chiffre, une fausse barrière. Ça faisait bien plus longtemps que ça que la peur gagnait. On le voit après. La peur pis l'orgueil de jamais être pris en défaut par la vie. Jamais à genoux. Sais-tu ce que j'aime chez Vincent ? Il a soixante-dix-sept ans et il n'a pas peur. Jamais. Il endure Mélanie qui est un monument élevé à la peur, et il se plaint même pas. Il a du cœur et pas de peur. Ça rime en plus ! Il sait que notre histoire durera pas toujours, mais il la gaspille pas avec la peur du jour où ça se pourra plus. Je te raconte son point de vue, pas le mien. Moi, je le vois pas, ce jour-là. Je l'aime maintenant, aujourd'hui, et c'est tout. Tout ce que j'ai, c'est aujourd'hui. Sans vouloir te faire de peine, on dirait ben que Zef est en train d'embarquer sur le bill que son père t'a laissé. »

Charlène ne dit rien. Elle aperçoit un client qui entre dans la salle. Elle va le servir et revient vers Françoise.

« Ça se peut. Mais y a de quoi avec Zef qu'y avait pas avec son père. Un lien plus fort, je dirais. »

Françoise sourit : « Penses-tu que je le vois pas ? Vous êtes deux tigres qui se sont apprivoisés. Deux vrais sauvages qui laissent personne approcher, mais qui se frottent le front entre eux, comme des vrais minous. Je le sais pas où il est, mais c'est un test qu'il te fait passer.

— Pis je marche !

— Ben oui... Mais pas à fond. C'est ce qui m'encourage.

— Pas à fond ? Qu'est-ce que ça te prend ?

— Non : t'as attendu quatre jours avant de m'appeler. Pis tu sais très bien où le trouver. Tu peux aller sonner chez lui. Tu l'as pas fait. Pourquoi ? »

Charlène hausse les épaules, agacée.

Ça fait rire Françoise : « D'après moi, t'es pas sûre de le prendre, le bill ! Si le père de Zef était juste disparu dans brume, si c'était juste un père absent, mais vivant, tu t'en ferais-tu autant pour Zef ?

— Pas autant, mais oui. Pis pas à cause de son père.

— Pourquoi ?

— Parce qu'y veut me montrer de quoi. Pis qu'y aime ça, avoir raison. Parce qu'y… y *truste* personne facilement.

— À part toi.

— Oui, à part moi.

— C'est-tu une raison pour te laisser faire ? T'as pas coutume, pourtant.

— Non. Mais j'ai un faible pour les tigres. »

Mélanie-Lyne

Je comprends pas. Je comprends rien. Ça va mieux, pourtant. Ça devrait. J'ai repris le salon, j'ai mes clients. Tout roule.

Mais non.

Depuis que maman est morte, on dirait que ça rempire. C'est bizarre, je l'ai jamais appelée « maman » pis là, depuis sa mort, c'est le mot qui me vient : maman.

Je m'en ennuie pas, c'est pas ça. Mais c'est bizarre de rentrer ici et de pas la trouver. J'avais pris des habitudes, on dirait, même si j'aimais pas trop ça.

Y a bien Stéphane qui me fait de la peine. C'est peut-être ça. Je le vois pas. Je le vois plus. À peine si y s'est montré à la cérémonie de crémation de maman. C'est sa grand-mère, pourtant, y aurait pu faire un effort. Pour moi, si c'est pas pour elle. Y est arrivé en coup de vent, c'était presque fini, et il est reparti au bout de cinq minutes. Y était encore avec sa serveuse, en plus. Pas capable de venir m'embrasser. J'ai couru après lui, y était rendu dans le parking !

Je l'aime pas, sa serveuse supposée être « amie ». C'est une mauvaise influence pour lui, je le vois bien.

Une chance que Vincent était là. Il m'a présenté sa compagne. Encore un vieux qui se tape une plus jeune. Le contraire de Stéphane qui sort avec sa mère ou pas loin. Bon, j'en dirai pas plus. Mais elle a l'air aimable, sa compagne. Pas comme son ex, Muguette. J'y souhaite du bien, de toute façon. Y m'a assez aidée, j'aurais pas le cœur de le critiquer.

On dirait que j'ai pris de quoi à maman depuis sa maladie. Une sorte de ton, une façon de trouver que rien fait mon affaire. Pas méchante, c'est pas ça, mais pas bienveillante non plus.

Insatisfaite. C'est ça, le mot. Je suppose que Stéphane dirait « fru ». Y s'est pas excusé d'être arrivé en retard, pis y est pas revenu me voir. Pourtant, tout est propre, ici. Sa chambre est comme avant. J'écoute encore la télévision avec les écouteurs. Même si maman est plus là. Ça fait étrange, mais c'est ça. Sinon, à quoi ça me servirait de les avoir achetés ? Je pourrais les donner à Stéphane quand y va venir.

Y en a un autre qui m'a jamais recontactée, pis c'est Zef. Un beau sans-cœur, lui ! Y m'a laissée tomber au pire moment de ma vie. Pas comme si y le savait pas : je venais d'y dire que maman était morte. La nuit la plus épouvantable de ma vie, pis y me lâche. Pas un mot, rien. Pis l'adresse courriel fermée après ça, pas moyen de le rejoindre.

Dire que j'y faisais confiance ! Dire que j'étais prête à y raconter mes pensées les plus secrètes. Pas possible de se faire fourrer de même. Fini les sites de rencontres, les petits courriels où tu sais pas à qui t'as d'affaire. Peut-être qu'il avait trente ans de plus que moi, ce gars-là ! Peut-être qu'il était affreux avec des boutons ou la face pas regardable. On le sait pas sur Internet. Tu peux te faire passer pour un champion, personne te demande de preuves. Pis pour la photo, on sait bien que c'est pas fiable... quand y en a une!

Ça devrait être interdit par le gouvernement. Ou surveillé. Mais si ça l'était, je pense pas que j'aurais envoyé mes messages. C'est vrai que s'appeler Câline au lieu de Mélanie, ça t'enlève un poids, une sorte d'obligation de te ressembler.

Mais ça l'excuse pas, le Zef. Maman pouvait bien rire de moi. Jamais elle aurait fait ça, elle. Mais j'ai jamais eu le tour avec les hommes. Pis j'ai eu un fils. Je me demande si ça aurait été plus facile avec une fille. Non... J'aurais eu trop peur qu'elle ressemble à maman... ou à moi.

Qu'est-ce que j'ai à l'appeler « maman » de même?

Faudrait que j'en parle à Vincent. Il va revenir me voir. On va pas arrêter nos rencontres du lundi. La semaine prochaine, ça sera pas possible parce qu'il part avec sa compagne. À New York. Une semaine d'amoureux. Personne m'a jamais emmenée nulle part une semaine. Même quand je me suis mariée, on n'a pas fait de voyage. Pas besoin, c'était juste pour le bébé qu'on se mariait. Pas parce qu'on s'aimait pis qu'on voulait faire un voyage de noces. C'était pas mal raté, notre affaire. Mais c'était le plus beau cadeau qu'on pouvait me donner: un nom de père pour mon bébé. Et une famille. Quand t'as rien depuis ta naissance pis que tu t'es sauvée de la Force Suprême en courant, le cadeau du mariage, je l'ai trouvé plus gros que n'importe quel voyage. Là-dessus, on peut dire que Sylvain m'a fait gagner des points. Ma mère était en beau maudit de l'apprendre. Jamais elle aurait pensé que je me marierais.

C'est sûr qu'elle a trouvé le tour de gagner quand Sylvain est mort. Je le savais qu'elle dirait que c'est de ma faute. Elle a jamais rien dit d'autre — tout était tout le temps de ma faute — ça pouvait pas changer. Même son cancer, à la fin, c'était de ma faute. Faut pas virer fou : j'ai pas le pouvoir de donner le cancer à personne. Admettons que je pourrais le faire, ben c'est au sans-cœur que je le donnerais.

Mais dans le fond, j'y en voulais, à elle aussi. Ça fait qu'elle avait peut-être un peu raison : j'y ai pas toujours voulu du bien, j'ai été malveillante en pensée. J'aimerais ça, être sûre que j'ai pas le mauvais œil, comme on dit. Celle qui porte malchance.

Mon énergie était pas bonne. Mes ondes, les affaires qui font une aura, j'en avais pas. Faible, trop faible. C'est ce qu'y disaient dans le Nord, j'avais pas ce qu'y faut pour faire partie de la Force Suprême. Je les faisais dépenser leur force pour moi. Ça fâchait tout le monde. J'ai jamais rien compris là-dedans, mais j'avais peur. Pis en même temps, je voulais pas rester là.

Finalement, j'avais tellement peur qu'ils me mettent dehors que j'ai pris la porte. C'est pas fort, pis c'est vrai.

Des fois, j'entends maman rire de moi.

Je l'entends encore plus depuis qu'elle est morte. Pis y a personne à qui je pourrais dire une affaire pareille : déjà qu'on me trouvait faible, je veux pas qu'on me trouve folle.

Ça prouve qu'elle était vraiment forte, maman, si je l'entends même morte. Ça m'est jamais arrivé avant. Même pas avec Sylvain.

Vincent, lui, je sais qu'il l'a attendu longtemps, son fils.

Si jamais mon gars disparaissait, je virerais folle, c'est sûr.

Pis je l'entendrais.

Pis je l'attendrais.

« Zef nous souhaite bon voyage ! »

Le regard de Charlène est une coche au-dessous d'aimable quand elle entend Françoise lui passer son message. Évidemment, elle ne veut pas mettre en péril son excursion à New York, et ce n'est vraiment pas certain que Vincent va accepter de partir s'il sait que Stéphane boude le bar depuis exactement neuf jours.

« Il nous a envoyé un texto pour dire qu'il est jaloux, je pense. Charlène, ce sera un Lagavulin ce soir. Françoise ?

— Pareil. Même Mélanie va endurer que son ange gardien l'abandonne.

— J'ai négocié avec diplomatie. J'ai quand même donné ma parole à Stéphane : je m'occupe de sa mère et il s'occupe de lui. Et, comme tu sais, je suis un *old fashion*, moi, un homme de parole. Merci, Charlène. Fatiguée ? T'as l'air soucieuse. »

Elle hoche la tête, sourit bravement et oriente la conversation sur le bel été qu'ils vont trouver à New York. Malgré Zef et son chantage qui l'enrage, elle est contente pour eux et elle non plus ne veut pas inquiéter Vincent. Le petit monstre envoie des textos, il est vivant et, s'il n'en tient qu'à elle, il a intérêt à ne pas se présenter trop vite parce que ça va faire des flammèches.

Elle s'est même chicanée avec Frédéric qui commence à trouver le Zef encombrant sur toute la ligne : quand il est là et quand il s'absente.

Finalement, ils passent une bonne soirée à rire des histoires de dentiste de Vincent.

Charlène se rend compte qu'elle est soulagée d'avoir eu la confirmation que Zef est bel et bien vivant.

Elle regarde Françoise poser une main amoureuse dans celle de Vincent et elle soupire. Frédéric et elle auraient bien besoin d'aller s'aérer, eux aussi. Elle irait n'importe où pour briser la fatigue et la tension accumulées.

« Cœur qui soupire n'a pas ce qu'il désire. »

Vincent écoute toujours avec attention les gens qui lui parlent. Elle est un peu étonnée de le voir saisir son cellulaire et taper un message quand elle finit de dire ce que « son cœur désire ».

Même Françoise réagit à cette grossièreté. Elle allait en faire la remarque quand il pose son appareil sur le bar.

« Je viens de t'envoyer les indications pour te rendre à ma maison dans le bois. La clé est dans la cabane à oiseaux bleue… et j'espère qu'y aura pas de nid dedans. Tu y vas toute la semaine si tu veux, et tu y vas avec qui tu veux. C'est pas New York, mais c'est mieux que le pôle Nord. Et c'est confortable. Demande à Françoise.

— Tu vas pas te mettre à jouer à l'ange gardien avec moi ?

— Tu le fais bien pour moi. Penses-tu que je partirais tranquille si je ne te savais pas si proche de Stéphane ? »

Charlène essaie d'offrir son meilleur sourire de barmaid, celui que Zef qualifie de plus faux que faux.

Stéphane n'a aucune patience. En décrochant du bar, il s'est imaginé qu'au bout de deux jours Charlène comprendrait. Elle a bien envoyé un texto, mais rien d'autre. Pas de message dans sa boîte vocale. Pas d'autres textos. Aucun acharnement.

Au bout du compte, les changements apportés à sa vie professionnelle sont parfaits, sauf pour une chose : la chute draconienne des messages et des courriels. Alors qu'avant ça buzzait tout le temps, maintenant que ses comptes sont fermés, le silence est inquiétant. Il lui arrive de secouer son téléphone pour s'assurer que ce n'est pas une panne ou une pile qui s'affaiblit. Il est conscient que c'est la conséquence de sa décision, mais c'est comme s'il s'attendait à entendre la clientèle se plaindre de son silence.

Même chose avec Charlène. Il sait qu'il est parti, qu'il la tient à bout de bras pour lui montrer qu'elle agit mal avec lui, mais il s'attend quand même à l'entendre protester.

Au moins, sa mère est fidèle à elle-même et lui envoie des textes de mélancoliques reproches auxquels il ne répond que par un « Ça va », suivi de « xxx » qui ne coûtent rien.

Son grand-père demeure le seul lien fiable de cette période mouvementée. Stéphane n'abuse pas de sa compréhension, parce qu'il n'a aucune envie de s'expliquer sur son métier passé… et sur le trou créé par sa retraite précipitée.

Au bout de trois jours à jogger dans toute la ville et à lutter pour ne pas se présenter au bar de l'hôtel, il décide de draguer pour lui-même. Sans contrat à la clé. Il se met en chasse d'une baise gratuite et enlevante.

À sa grande surprise, ce n'est pas aussi facile ou satisfaisant qu'il le croyait. En fait, il ne voit aucune différence. Il rejette toutes les candidates de plus de vingt-cinq ans, mais la difficulté est d'en trouver qui ont un appartement. Pas question de les emmener chez lui et il ne veut pas être présenté à des parents compréhensifs le lendemain matin. *Fuck* les parents, il veut baiser, pas devenir amoureux. Mais les filles sont décevantes. Et la baise… quelconque.

Il voudrait qu'elles se forcent un peu, qu'elles fassent le travail. Mais ses vieux réflexes de service lui reviennent et les filles se laissent faire sans peine, mais sans étincelles pour lui. Finalement, ce n'est pas beaucoup plus excitant, tout en étant plus expéditif qu'avec les clientes. Au bout de quatre soirées intenses, il est déjà dégoûté et ne se donne plus la peine d'essayer.

Comme une âme en peine, il va au cinéma et s'ennuie de Charlène… qui tient tête et ne donne aucun signe de vie.

Quand, au bout de plus d'une semaine, son grand-père l'informe qu'il part quelques jours avec Françoise, il s'attend presque à être invité tellement il est désœuvré. Mais Vincent est convaincu qu'il travaille toujours aux congrès. Stéphane commence à trouver ses menteries pesantes : s'il disait à son grand-père qu'il n'a plus de travail, il serait sûrement invité. Il met la journée entière à comprendre que cette invitation ne surviendrait pas nécessairement. Que Vincent a envie de partir seul avec Françoise parce qu'il l'aime, parce qu'il a des choses à vivre avec elle qui ne se vivraient pas s'il était là, parce que c'est ça, avoir une vie.

Ce qu'il n'a pas.

Son premier réflexe est de se fâcher parce que Vincent ose partir et le laisser alors que ça va mal pour lui. En même temps, il est convaincu d'une chose : son grand-père ne partirait pas s'il savait qu'il a besoin de lui. Mais il le tannerait aussi pour qu'il parle, qu'il s'explique. Finalement, il n'a envie de parler qu'à une seule personne, et c'est celle qu'il ne peut pas appeler. Et il ne peut pas la traiter de sans-cœur de ne pas lui faire signe, parce que ce mot, « sans-cœur », est celui qui a été le plus utilisé par ses clientes quand il refusait d'aller plus loin que son commerce avec elles. Et s'il y a une chose que Zef ne fera jamais, c'est pitié. Il ne se lamentera jamais comme ces femmes affamées d'attention et de compliments. Il n'a pas envie d'être flatté. Il veut plus.

Il veut que Charlène comprenne qui il est et que ce n'est pas du bluff : elle est la seule qu'il considère.

Il jongle avec l'envie de lui envoyer un message. Il ne se souvient même pas exactement de la raison de leur brouille, il se répète que c'est une niaiserie. Tout ce qu'il sait, c'est que la *game* veut que ce soit elle qui bouge en premier.

Ce jour-là, après son jogging, il reste chez lui pour la première fois depuis longtemps. Il contemple ses murs vides. Il a l'impression que ça fait un an qu'il a fermé ses comptes. Il se souvient du soir où Charlène l'a accompagné dans ce studio. Il se demande s'il est amoureux d'elle. Il ne comprend pas pourquoi il ne la *flushe* pas si elle est si peu satisfaisante. Mais il ne déteste pas qu'elle le défie, qu'elle ne fonde pas comme du beurre devant lui. Et il voudrait comprendre pourquoi se taire avec elle, c'est comme parler. Pourquoi, quand elle le regarde, c'est comme avoir chaud.

Elle le *challenge*, mais elle n'exige rien, contrairement à toutes les femmes qu'il connaît. Un peu comme son grand-père… mais avec tellement plus de piquant et de danger.

Il se demande s'il est *fucké* au point de tomber pour une sorte de mère à travers Charlène. Cette seule idée le dégoûte profondément.

Il arpente l'espace restreint de son studio sans trouver de réponse adéquate à son inquiétude et à ses questions. Il ne sait pas pourquoi une femme dont il n'est pas amoureux compte autant. Il a beau la niaiser avec la baise du siècle qu'elle manque, il sait très bien qu'il n'a pas envie qu'elle s'approche de lui comme ça. Et penser à la voir jouir grâce à ses bons soins le révulse.

Arrivé à cette impasse dans ses réflexions, il a le réflexe de s'habiller et d'aller manger un morceau… au bar de l'hôtel.

Frustré, il s'assoit dans un restaurant quelconque et consulte mécaniquement son téléphone. Pas mal vide. Méchante diète. Il a du mal à croire qu'il se l'est imposée lui-même.

Il imagine le nouveau surnom qu'il adopterait si jamais il ouvre un nouveau compte. Il aimait bien Zef, ça faisait « zip zoop ! service rapide et efficace », exactement ce qu'il pense de lui. Il revoit Vincent partir à rire quand il lui a sorti son

« zippe » pour sa mère. Penser à elle l'enrage toujours. Il hoche la tête : trop compliqué. « Câline 22 » a signé son arrêt de mort en lui révélant trop de sa vie.

Tout à coup, il se souvient qu'il a traité Charlène de « Câline 23 » ! Il devait vraiment être fâché contre elle, mais il n'arrive pas à se souvenir du contexte. Sa mémoire résiste pas mal, de ce temps-là. Peu importe, il trouve que ce n'est pas très fort, le coup du Câline 23. Ce serait donc à lui de s'excuser ? Il n'est pas dupe de lui-même, il se voit prendre le chemin des excuses sans y croire. Il est convaincu que c'est à elle de faire signe en premier. Il s'excusera après. Dans cet ordre et aucun autre.

Il piétine. Il le sait et ça l'énerve. Bientôt, il ne pourra plus se supporter. Il se met à *gamer* sur son téléphone et décide de rentrer pour jouer sérieusement sur son ordinateur. Ces jeux peuvent le distraire pendant des heures. Il allait battre son propre record quand le message de Françoise est arrivé.

Ça te fendrait-tu l'ego de décoller de ton nombril pour dire bon voyage à Vincent ?

Le compteur de son jeu continue à tourner sans qu'il reprenne la *game*.

Sidéré, il fixe le message.

Quoi ? Lui, ça, un ego ? Un gros nombril téteux ? Il va lui répondre, à la madame qui se permet de lui donner des leçons !

Il rédige une première réponse insultée, remplie de fiel et de la frustration des derniers jours… qu'il efface.

La deuxième est pleine de points d'interrogation… qu'il place dans « Brouillons ».

La troisième, il l'envoie, elle tient en deux lettres : O.K.

Tout de suite après, il expédie un texto de bon voyage à son grand-père.

Mélanie-Lyne

C'est un peu bizarre, mais Vincent me manque. C'est pourtant pas long, une semaine. D'habitude, je le vois seulement le lundi.

Y a pas de raison que je m'en ennuie le mercredi.

Ça doit être parce que Stéphane me répond pas beaucoup. C'est rendu qu'y met plein de petits bonhommes, des faces toutes prêtes pour qu'on comprenne qu'y a pas de texte, mais qu'on a une sorte de réponse.

Pas jasant, mon gars.

C'est peut-être ça qui me manque le plus : jaser. Avec Vincent, j'ai l'impression d'aller loin, ben plus loin qu'avec les clients du salon. C'est plus long qu'un brushing et c'est surtout qu'on parle vraiment.

Avec ma mère, c'était comme jaser avec un couteau : si tu la prenais mal, t'avais la lame rentrée dans main.

Avec Stéphane, tu parles toute seule.

Avec Zef, même si c'était par écrit, c'était… c'était la vraie affaire. Comme j'imagine que ça doit être quand quelqu'un te ménage, quand y fait attention à toi.

J'ai finalement réussi à vider la poubelle de mon ordi. Pas que je savais pas comment faire, mais ça me coûtait de plus jamais pouvoir relire nos conversations à Zef pis moi.

J'avais jeté tout le reste.

Y me restait Zef dans mon ménage. J'ai vidé la poubelle… ça a fait le petit bruit de papier chiffonné, pis ça y était — fini.

La crémation, ça fait un gros bruit de ventilation. Pis c'est long. Vincent m'a promis qu'à l'été on irait dans le Nord disperser les cendres sur les terres de la Force Suprême. J'irais jamais toute seule : si y fallait qu'y décident de mettre la police après nous autres ! Mais Vincent, ça y fait pas peur pantoute. C'est là que ça doit être ? Très bien. Il discute pas, on va aller finir ça comme ma mère le voulait.

J'en reviens pas de son courage, j'aurais jamais osé demander ça à mon gars.

En attendant, Vincent a gardé la boîte de cendres. J'étais pas capable. Je peux pas penser que ma mère est là, au-dessus de la télé, pis qu'elle m'engueule à chaque maudite fois que je la regarde. Je le sais que ça fait pitié de tout le temps regarder la télé, mais j'ai fait mon effort de rencontres, pis là, j'en ai assez.

Zef, ça a été mon coup de grâce. Maintenant, j'attends plus rien des « Roméo qui espère » ou des « peut-être ». Y a des limites à se faire traiter de niaiseuse.

J'ai mon fils, mon salon, ma clientèle pis Vincent. Pis j'ai la paix. C'est important d'y penser. Y a pas si longtemps, je l'avais pas. C'est dur à admettre, mais ma mère, c'était pas pesant, c'était insupportable. Je pense que je l'ai appelée « maman » après sa mort pour me faire accroire que c'était pas si pire, qu'elle faisait. Ben non, finalement, la vérité vraie, c'est qu'elle faisait pas. Elle a jamais faite. « Maman », c'était pas un nom pour elle. Elle a jamais été une maman.

J'en ai jamais eu et j'en aurai pas.

Alors, je peux pas dire qu'elle me manque. Elle me faisait peur. On peut pas s'ennuyer d'avoir peur, quand même ? Ça serait ben le boutte. C'est juste que ça occupe, avoir peur, ça fait moins vide.

Mais lundi prochain, Vincent va m'emmener au restaurant pis y va me raconter son voyage.

On sait jamais, Stéphane va peut-être passer demain…

Charlène met ses écouteurs, prend une bouteille d'eau et s'apprête à aller courir. En fermant la porte de la maison de Vincent, elle entend Stéphane crier son nom.

Stupéfaite, elle se retourne et reste là, immobile, aussi incrédule que lui.

« Qu'est-ce tu fais là, hostie ? J'pensais que t'étais morte ! J'pensais que j'te verrais pus jamais ! Qu'est-ce tu fais là ? Es-tu correque ? »

Elle est aussi ébranlée que lui.

Il avance une main hésitante, presque en vénération, vers elle. « T'étais où ? Ici ? J'en reviens pas ! C'est toi ?... »

Il n'effleure que le bout de ses cheveux, comme pour s'assurer qu'elle n'est pas un mirage. « Je t'ai cherchée partout... tu m'as tellement fait peur. Hestie, Charlène... dis de quoi... »

Sa respiration est celle d'un coureur épuisé. Il n'arrive plus à dire un mot, on dirait qu'il étouffe, qu'il ne peut plus respirer. Il est secoué de hoquets secs, comme les hommes qui ne savent pas pleurer. Il n'y a que son nez qui coule. Il l'essuie du dos de la main, la lèvre tremblante. Sa voix est toute changée, rauque : « Dis de quoi ! Reste pas de même !

— Viens ! Y a des kleenex en dedans.

— J'pleure pas !

— Non: tu morves!

— Hestie que chus content de te retrouver!»

Il n'a pas pu voir la voiture, Frédéric est parti au village faire des courses.

«On a une heure, Zef. Après, faut que tu repartes.

— Tu me mets dehors pis j'ai pas encore enlevé mes bottes! Chez mon grand-père en plus. T'es pas gênée!

— Frédéric s'en vient.

— Qu'est-ce que vous faites ici? J'capote! J'comprends rien!

— Pis toi? Qu'est-ce tu fais ici?»

Il ne peut pas lui dire qu'après deux semaines bien comptées il s'est présenté au bar, muni de son sourire le plus craquant, et que le barman l'a non seulement accueilli en inconnu, mais il n'a pas répondu à une seule de ses questions. Il ne connaissait pas de Charlène, il ne savait pas où elle était ni si elle reviendrait. Lui, il remplaçait, point.

Il ne veut pas lui dire que son analyse d'ego et de nombril a pris une tangente radicale et que l'énormité de son égocentrisme lui est apparue de plus en plus difficile à encaisser. Qu'il a appelé, sonné chez elle, qu'il a couru la ville pour la retrouver, qu'Éric a été aux abois avec lui parce que lui non plus n'est pas le champion de la réciprocité et qu'il l'a alerté, ne sachant plus à quelle porte frapper.

Il l'a crue fâchée à mort, puis il l'a crue morte.

Il l'a perdue mille fois, de mille façons atroces. Il lui a même donné raison de l'abandonner mille fois.

Il l'a cherchée comme ça se peut plus. Il était prêt à faire draguer le fleuve. Il lui a envoyé mille textos, des messages dans toutes ses boîtes vocales.

Et terrassé d'angoisse, il est venu se réfugier dans la maison de son grand-père en attendant qu'il revienne et qu'il puisse enfin parler à quelqu'un. Lui avouer ce qu'il avait fait et à quel point il était désolé. Qu'il avait profité d'elle et de lui, qu'il avait fait comme si c'était normal qu'ils se soucient de lui, qu'ils s'en préoccupent et s'inquiètent.

« T'avais peur que je fasse comme lui, c'est ça ? Comme mon père ? Tu voulais pas que je fasse ça ? Mais je m'en sacre de lui, Charlène ! Pendu ou en vie, y existe pas pour moi, mon père ! C'est si toi tu me laisses que je vas pas bien. C'est quand t'es pas là que je veux pus rien savoir ! J'pensais que t'étais morte ! Y avait pas moyen de te trouver. Même le crisse de gérant de l'hôtel est en congé de paternité ! J'ai jamais été inquiet de même de toute ma vie ! J'dormais pus, j'me comprenais pus. Me suis imaginé plein d'affaires épouvantables…

— Bienvenue dans le club, Zef.

— Han ? C'est ça que tu voulais ? M'inquiéter ?

— Pantoute. Je voulais arrêter de m'inquiéter.

— Pour moi ?

— Devine ! Oui, pour toi, hostie de Zef !

— C'est plate en crisse, s'inquiéter. T'as pus de vie. T'étouffes tout le temps. J'pensais que j'étais enragé, j'pensais que j't'en voulais… pantoute ! Quinze jours pis j'étais perdu ben raide. J'me comprenais pus. Pas d'allure. J'peux-tu m'asseoir ? »

Le rire de Charlène est si franc, si elle, qu'il se mettrait à pleurer.

« J'vas en prendre un, kleenex. »

Elle s'assoit enfin. Il a du mal à la regarder sans suffoquer.

« Pourquoi t'as pas pris mes messages ? »

Elle le contemple sans rien dire. Il est tellement vulnérable qu'elle ne sait pas par quel bout le prendre. C'est un Stéphane fracturé qu'elle a devant elle. Elle le retrouve, vacillant mais intact. Elle aussi, elle a eu peur. Elle a plus d'expérience que lui, c'est la seule différence. Il est bien nouveau dans l'aventure, lui. Il sait tout faire dans un lit, mais il ne sait plus comment avaler quand il a le motton.

« Pour arrêter de m'inquiéter.

— Si je t'ai fait peur, c'était pas exprès. Tu m'as-tu fait peur exprès ?

— Ça changerait quoi ?

— Ça serait comme de la vengeance, comme une *game*... mais ça serait pas toi. Ça serait moi...

— Ouais... t'as réfléchi pas mal, à ce que je vois.

— J'ai essayé de mesurer la place de mon nombril dans ma vie. Pour faire ça court, je comprends pas que tu te sois pas écœurée avant. J'ai eu peur que là, tu te soyes écœurée d'aplomb pis pour de bon. Que... c'est ça : que tu m'envoyes chier. Que tu fermes ton compte avec moi.

— Fermer mon compte ? Comme finir de payer mon bill ?

— Quel bill ? Pantoute ! Comme fermer mes comptes de Zef.

— Tu vas pas me refaire le coup de « Câline 23 » ?

— C'tait *dead*, han ? »

Et il rit, le monstre ! C'était très *dead*, elle le lui accorde.

« Je vas te dire de quoi que je m'étais juré de te dire si jamais je te retrouvais. Pis ris pas de moi. Pis laisse-moi finir, c'est déjà assez dur de le dire. J'pense que j'ai jamais aimé personne. Toi, c'est pas parce que j'veux du sexe ou des affaires *kinky*. C'est super *clean*. Ça ressemble à rien d'autre. À personne d'autre. M'as te dire, Charlène, j'ai jamais compris pourquoi le monde s'inquiètent tout le temps, pis veulent savoir à quoi tu penses, comment tu vas… jamais ! Toi… On dirait que je veux le savoir. J'veux rire avec toi, j'veux que tu me dépeignes pis que tu me trouves au boutte. Pis j'veux pas te baiser, juré ! Fa que c'est ça… je trouve ça débile de s'inquiéter, mais toi, ça serait comme une sorte d'exception. Ça se pourrait. J'sais pas trop à quoi ça sert, mais ça se peut. M'en faire pour toi.

— Es-tu en train de me dire que tu m'aimes ?

— Pense pas, non… Les gros nombrils, y trippent jusse sur leur nombril.

— Ça te fatigue don ben, ton nombril ?

— Je l'ai trop laissé pousser. C'fini, ça.

— T'as vingt ans, Zef. T'as pas le nombril sec, mais tu commences à avoir du bon sens.

— Lâche-moi pas pis j'vas péter des scores quand je vas avoir ton âge. Dans cent ans, genre… »

Elle tend la main pour le dépeigner.

Vincent Côté

Il y a les promesses qu'on se fait et auxquelles on ne pense plus, comme si les formuler les concrétisait.

Il y a celles que la vie nous fait… et qu'elle ne tient pas toujours.

Il y a les espoirs, les attentes démesurées qu'on nourrit pour les autres, ceux qui nous entourent, ceux qu'on met au monde, ceux qui nous quittent.

Il y a ces pages que je croyais écrites pour Stéphane alors que c'était ma façon de reprendre pied et de traverser l'enfer du suicide.

Et il y a le réel, ce qui se passe vraiment. Le récit de nos vies. Plus le récit est précis, plus il colle à la vérité, et plus il est déconcertant.

Quand je regarde Françoise rire, se pencher pour déposer un baiser, son baiser est enrichi de tous les autres baisers reçus de ma vie. Les réussis et les ratés. Les espérés et les surprenants. Toute ma vie se réconcilie dans son baiser. Même la plus grande douleur s'apaise dans la joie profonde qu'elle m'apporte. Elle ne disparaît pas, mais elle ne dévore pas tout.

Un long temps, la douleur m'a fermé. J'étais scellé avec elle. Trahi par la vie, voilà comment je me sentais.

Et coupable. Infiniment.

Le tunnel était long. La noirceur, totale.

Pourtant, j'ai été gâté — jamais je n'ai été laissé seul, sans soutien. Mais je ne le voyais pas. Je ne voyais qu'une fraction de ma vie. Celle qui fait mal. Et je ne considérais que mon besoin, jamais celui des autres.

Aujourd'hui, je crois que mon fils n'a vu que cette fraction, cet instant où le tunnel semble une impasse. Il a pris ses décisions en fonction de lui-même, et m'en vouloir d'avoir disparu de son radar pendant cet instant serait présomptueux.

Je m'en veux quand même, parce que je voudrais tant que l'amour que j'éprouvais ait fait une différence.

Mais ça ne le fait pas toujours. Et ça ne dépend pas toujours uniquement de nous.

Je croyais n'avoir jamais vraiment aimé Muguette, et je m'en suis soucié avec affection jusqu'à la toute fin de son tunnel.

Je croyais que Mélanie n'était qu'une passade insignifiante pour mon fils — elle m'a offert la plus grande joie de ma vie, ce petit-fils insaisissable qui devient un homme.

Je croyais que la petite barmaid sympathique n'avait d'autres qualités que l'art de servir un scotch avec piquant… et Charlène est une alliée indomptable pour nous tous. Une battante qui résiste aux pires vents, sans jamais faire d'histoires.

Un jour — le plus tard possible — je mourrai. Je quitterai ceux que j'aime. Que j'aie ou non ma tête, mon cœur, lui, aura toujours cet espoir insensé de retrouver Sylvain, de le prendre de nouveau dans mes bras et de lui présenter ma vie. Ceux qui ont suivi, les jours, les nuits qui ont suivi le jour terrible de sa mort. Ces jours et ces nuits que j'ai commencé par haïr, pour ensuite apprendre à les vivre.

Et ce ne sera pas pour lui dire ce qu'il a manqué.

Ce sera pour témoigner que je suis resté, que j'ai vécu et que j'ai essayé d'honorer la vie et non pas la mort.

Que j'ai donné sa chance à la vie.

Ma vie. Qui est pleine de sa courte vie à lui, de sa perte, mais aussi des autres vies.

Je me suis cru seul, je me suis senti seul… et je me suis aussi isolé. Avec lui dans sa mort choisie qui détruisait ma vie.

Plus tard, j'ai essayé de ne garder que la force de l'amour que j'ai toujours pour lui, j'ai lutté pour ne pas exciter le dépit, la rage, la rancœur de l'avoir perdu, comme si ce suicide était un reproche hurlé à ma face.

Le suicide de mon fils n'est pas un message. C'est son geste. Sa décision.

Et cette décision a provoqué à son tour un cataclysme dans la vie de ceux qui vivaient près de lui. Avec lui.

Quand on ne peut pas échapper à ce qui nous arrive, il faut poser les armes et attendre que notre cœur émerge. Se refasse.

Sous les coups, les gravats, les immondices qui nous recouvrent après l'explosion, il faut tenter de rester en vie, et après, de ramper vers un peu d'air, vers la lumière.

Nous n'avons pas tous la même lumière ni le même éclairage sur ce qui nous arrive.

Nous avons tous des voisins qui rampent vers une issue.

Et, quelquefois, leur issue, c'est nous.

Et, quelquefois, devenir une issue, une pause, un soulagement momentané dans la vie étouffée de quelqu'un, quelquefois, c'est ça, retrouver le chemin de la vie.

Québec, Canada

Imprimé sur du papier Enviro 100% postconsommation
traité sans chlore, accrédité ÉcoLogo et fait à partir de biogaz.

BIO GAZ
ÉNERGIE